nuevo PRISMA

Curso de español para extranjeros

LIBRO DEL PROFESOR

NIVEL

A2

Genís Castro

Verónica Seda

Extensión digital de **Nuevo Prisma, nivel A2**: consulta nuestra **ELEteca**, en la que puedes encontrar, con descarga gratuita, materiales que complementan este curso.

www.edinumen.es/eleteca

© **Editorial Edinumen**, 2014
© **Autores:** Genís Castro y Verónica Seda

Material ELEteca:

– **Diálogos:**
  © Genís Castro y Verónica Seda

– **El componente estratégico en el aprendizaje de ELE:**
  © María José Gelabert

– **El trabajo cooperativo en el aula de ELE:**
  © María José Gelabert

– **Las emociones en la clase de ELE:**
  © Rafael Bisquerra

– **Actividades interactivas:**
  © David Isa

ISBN Libro del profesor: 978-84-9848-371-0
Depósito Legal: M-19873-2014
Impreso en España
Printed in Spain

Coordinación pedagógica:
  María José Gelabert

Coordinación editorial:
  Mar Menéndez

Edición:
  David Isa

Diseño de cubierta:
  Juanjo López

Diseño y maquetación:
  Sara Serrano y Juanjo López

Fotografías e ilustración:
  Archivo Edinumen

Impresión:
  Gráficas Díaz

Editorial Edinumen
  José Celestino Mutis, 4. 28028 - Madrid
  Teléfono: 91 308 51 42
  Fax: 91 319 93 09
  e-mail: edinumen@edinumen.es
  www.edinumen.es

La Extensión digital para el **alumno** contiene, entre otros materiales, prácticas interactivas de consolidación de contenidos, quizz de repaso y todos aquellos recursos de apoyo al alumno en su proceso de aprendizaje.

Recursos del alumno:

Código de acceso

Localiza el código de acceso en el
Libro del alumno

La Extensión digital para el **profesor** contiene, entre otros materiales, transcripciones, material fotocopiable y material proyectable, así como diversos contenidos de apoyo a la labor docente.

Extensión digital

Código de acceso

6ee2cc26

En el futuro, podrás encontrar nuevas actividades. **Visita la ELEteca**

INTRODUCCIÓN

nuevo PRISMA es un método de español estructurado en 6 niveles: A1, A2, B1, B2, C1 y C2, según los requerimientos del *Marco común europeo de referencia* (MCER) y del *Plan Curricular del Instituto Cervantes. Niveles de referencia para el español* (PCIC).

nuevo PRISMA está elaborado bajo una metodología de enfoque comunicativo, orientado a la acción y centrado en el alumno con el fin de utilizar la lengua para comunicarse y poder actuar de manera competente, considerando al estudiante como un agente social que deberá realizar tareas en diversos contextos socioculturales.

El objetivo general de **nuevo PRISMA** es ofrecer al estudiante un material para que pueda desarrollar tanto las competencias generales como las competencias comunicativas, con el fin de realizar las actividades de lengua apropiadas para llevar a cabo las tareas que deba efectuar y proporcionarle los conocimientos necesarios para desenvolverse en un ambiente hispano en el que convergen diferentes culturas.

El proceso de aprendizaje está relacionado con los conocimientos que se establecen entre el estudiante, su grupo de compañeros y el profesor. **nuevo PRISMA** tiene en cuenta estos recursos cognitivos de los estudiantes e introduce actividades específicas para procesar información a partir de la percepción, el conocimiento adquirido (experiencia) y las características subjetivas que permiten valorar esa información.

nuevo PRISMA también comprende una serie de técnicas y de estrategias de aprendizaje y de comunicación que contribuirán a que el alumno reflexione sobre su aprendizaje y a que su comunicación sea cada vez más eficaz, siendo capaz de cubrir sus necesidades de comprensión y expresión y de superar sus deficiencias en cualquiera de las áreas de competencia comunicativa, ya sean de tipo lingüístico, discursivo o sociocultural.

nuevo PRISMA ofrece una serie de actividades enmarcadas dentro del enfoque del aprendizaje cooperativo. Actividades diseñadas con el fin de desarrollar el trabajo en equipo que permite la colaboración de todos y cada uno de sus miembros en la consecución de las tareas, atendiendo a la diversidad de los estudiantes. Se fomenta, así, una enseñanza más reflexiva, basada en las habilidades propias, de manera que ayude a mejorar el nivel de conocimientos de cada aprendiz, a aumentar sus capacidades comunicativas, y a aumentar el número de interacciones en clase. El aprendizaje cooperativo es, además, una estrategia que promueve la participación colaborativa entre los estudiantes en el desarrollo afectivo, cognitivo y social.

Con todo ello, **nuevo PRISMA** · Nivel **A2**, siguiendo las indicaciones del MCER, pretende formar usuarios básicos que serán capaces de:

- comprender y utilizar expresiones cotidianas de uso muy frecuente, así como frases sencillas destinadas a satisfacer necesidades de tipo inmediato;

- presentarse a sí mismos y a otros, pedir y dar información personal básica sobre su domicilio, sus pertenencias y las personas que conoce;

- relacionarse de forma elemental siempre que su interlocutor hable despacio y con claridad y esté dispuesto a cooperar.

nuevo PRISMA · Nivel **A2** PROFESOR, se ofrece en papel y en soporte digital (ELEteca) de manera que se pueda actualizar y complementar siempre que sea necesario. Este material digital es proyectable e imprimible y aparece referenciado en el libro en el momento adecuado mediante una serie de símbolos gráficos o iconos. El libro del profesor ha sido diseñado como una guía fácil e intuitiva que permitirá al profesor localizar de manera inmediata y completa toda la información y el material complementario de cada actividad del libro del alumno y preparar así sus clases de manera rápida y eficaz.

A continuación podrá encontrar:

- la descripción general del libro en papel;

- la descripción general del material digital disponible en la ELEteca;

- el índice general del libro y su correspondencia con el material digital;

- los índices pormenorizados del material digital.

El libro en papel incluye:

- **guía visual** de las páginas del libro del alumno que se están tratando;
- **referencias cruzadas** al material disponible en la ELEteca;
- **sugerencias de explotación** y **dinámicas de las actividades** del libro del alumno;
- **sugerencias de explotación de las dinámicas** de las **fichas** y **proyecciones** complementarias de cada unidad;
- **soluciones** de las actividades;
- **transcripciones**.

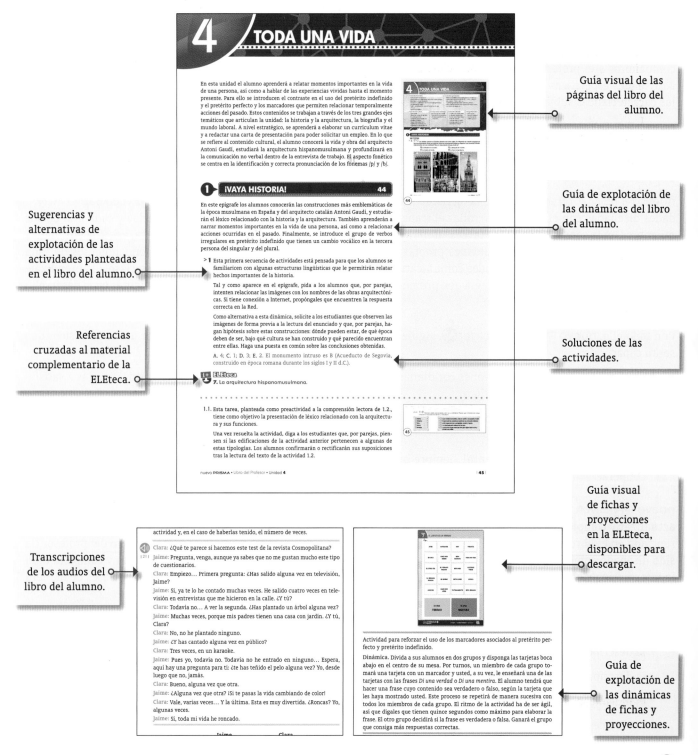

Guía visual de las páginas del libro del alumno.

Guía de explotación de las dinámicas del libro del alumno.

Sugerencias y alternativas de explotación de las actividades planteadas en el libro del alumno.

Referencias cruzadas al material complementario de la ELEteca.

Soluciones de las actividades.

Guía visual de fichas y proyecciones en la ELEteca, disponibles para descargar.

Transcripciones de los audios del libro del alumno.

Guía de explotación de las dinámicas de fichas y proyecciones.

La **ELEteca** incluye:

- 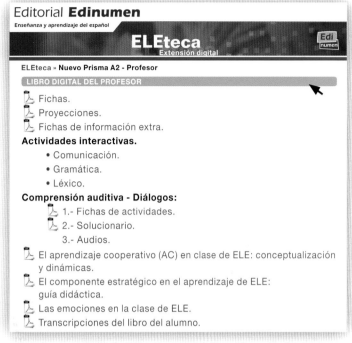 **36 actividades interactivas**, tres por unidad, para practicar los contenidos trabajados en tres ámbitos: Comunicación, Gramática y Léxico para utilizar en clase a través de la pizarra digital como repaso o para realizar en casa como actividad de autoaprendizaje. Para ello, estas actividades están también disponibles en la ELEteca del alumno;

- **12 fichas** con diálogos para trabajar la comprensión auditiva, una por unidad, dentro de una secuencia didáctica que integra las diferentes destrezas, con su correspondiente solucionario y transcripciones. Estas fichas pueden entregarse a los estudiantes para realizar en casa como actividad de autoaprendizaje o para realizar en el aula como una actividad extra de comprensión auditiva;

- **guía didáctica** para el profesor sobre el **trabajo cooperativo en clase de ELE.** Conceptualización y dinámicas;

- **guía didáctica** para el profesor sobre el **componente estratégico en el aprendizaje de ELE**;

- **guía didáctica** para el profesor sobre las **emociones en la clase de ELE**;

- **transcripciones** de los audios de libro del alumno para proyectar o imprimir.

ÍNDICE GENERAL

Unidad	Pág.	Fichas	Proyecciones	Información extra	Actividades interactivas	Fichas de Comprensión auditiva - Diálogos
Introducción	3					
1. Nos conocemos	9	1-2	1-2	1-3	1	1
2. Me lo pasé genial, ¿y tú?	22	3-4	3-4	4-5	2	2
3. ¡Qué día hemos tenido!	33	5-6	5-6	6	3	3
4. Toda una vida	45	7-8	7-8	7-9	4	4
5. Curiosidades	56	9-10	9-10	10-12	5	5
6. ¡Cómo éramos antes!	71	11-13	11-12	13-14	6	6
7. Cuenta, cuenta...	83	14-16	13-14	15-16	7	7
8. Un futuro sostenible	97	17-19	15-16	17-20	8	8
9. Con una condición	110	20-21	17-18	-	9	9
10. Primera plana	121	22-24	19	21-23	10	10
11. Imperativamente	135	25-26	20-21	24	11	11
12. ¡Campeones!	149	27-30	22	25-27	12	12
Prueba de examen del nivel A2	163					

ÍNDICE DEL MATERIAL DIGITAL

 FICHAS

PROYECCIONES

INFORMACIÓN EXTRA

1. *Por y para*, según el *Diccionario de uso* de María Moliner.
2. La importancia de aprender español.
3. Los marcadores discursivos.
4. Las redes sociales.
5. Santiago de Compostela y Alcalá de Henares: enlaces web de interés.
6. El programa Erasmus.
7. La arquitectura hispanomusulmana.
8. La numeración romana.
9. La obra de Gaudí.
10. *Google Glass* y los Peta Zetas.
11. La crónica periodística.
12. Las arras, los anillos, el arroz, el ramo y la tarta nupcial.
13. Juegos populares en la década de los ochenta en España.
14. Biografía de Augusto Pinochet.
15. Cuentos infantiles.
16. El ceceo y el seseo.
17. Los símbolos de reciclaje.
18. La cuenca del río Amazonas.
19. El programa Socio Bosque.
20. Portfolio de las lenguas.
21. Algunos periódicos españoles e hispanoamericanos.
22. Algunas emisoras de radio de España e Hispanoamérica.
23. El bolero.
24. eBay.
25. Fundación Dame Vida.
26. Deportistas Solidarios en Red.
27. Marga Crespí.

 ACTIVIDADES INTERACTIVAS

COMUNICACIÓN	GRAMÁTICA	LÉXICO
1. Expresar opiniones.	1. El presente de indicativo.	1. Actividades de ocio.
2. Contar un viaje.	2. El pretérito indefinido (I).	2. Los viajes.
3. ¿Qué ha pasado?	3. Los pronombres de objeto.	3. Los jóvenes y el tiempo libre.
4. En pasado.	4. El pretérito indefinido (II).	4. Biografías.
5. Describir un lugar.	5. Los comparativos.	5. Las bodas.
6. Eran otros tiempos.	6. El pretérito imperfecto.	6. Palabras sinónimas.
7. Contar anécdotas.	7. ¿Hice o hacía?	7. Los cuentos.
8. En el futuro.	8. El futuro imperfecto.	8. El tiempo atmosférico.
9. En la consulta.	9. El condicional simple.	9. La salud.
10. Había una vez…	10. Los pasados.	10. Los medios de comunicación.
11. Pidiendo cosas.	11. El imperativo.	11. Las tareas domésticas.
12. Expresar deseos.	12. Volver a empezar.	12. Los deportes.

 COMPRENSIÓN AUDITIVA – DIÁLOGOS

1. ¿Y tú qué opinas?
2. ¡Lo pasamos fenomenal!
3. ¡Qué susto!
4. ¡Qué nervios!
5. Exprésate.
6. ¡Qué tiempos aquellos!
7. ¡Qué dices!
8. Nuestro granito de arena.
9. ¡Ay, qué dolor!
10. Cuenta, cuenta…
11. ¿En qué puedo ayudarle?
12. ¡Cuídate mucho!

Esta unidad gira en torno a dos temas centrales: la presentación personal y el tiempo de ocio de jóvenes y adultos. Entre otros contenidos funcionales, se trabajan los saludos y las despedidas, la expresión de opiniones, actitudes y conocimientos y la expresión de los gustos. Para ello, se revisa el presente de indicativo regular e irregular, el uso de *para* y *porque*, y el de las perífrasis *poder* y *tener que* seguidas de infinitivo. Finalmente, se presentan conectores del discurso para que el alumno sea capaz de producir textos más coherentes y cohesionados. En la unidad, por otro lado, se presta especial atención al componente estratégico, con el objetivo de que el alumno mantenga una actitud reflexiva sobre el propio aprendizaje y sobre la relación entre este y las tareas.

1 ¿QUIÉN ERES? 8

El primer epígrafe se centra en dos aspectos básicos: el saludo y la presentación cuando conocemos a una persona, por un lado, y el razonamiento sobre los motivos por los que se estudia español, por el otro. El alumno aprenderá fórmulas para saludar y despedirse, y verá la diferencia entre el uso de *para* y *porque* a efectos de argumentar por qué estudia español. Se pretende que este nivel se inicie con una actitud reflexiva sobre el propio aprendizaje, que habrá que mantener y potenciar a lo largo de las siguientes sesiones.

> **1** En esta actividad se propone una discusión por parejas para contextualizar el diálogo de 1.1. Después de la puesta en común, comente que la foto corresponde a una escuela de idiomas, y que la chica situada a la derecha de la imagen, Carolina, es una estudiante de español recién llegada que se está presentando a una profesora. La profesora entrevista a la estudiante para conocer su nivel en expresión oral.

1.1. 1. buenos días; 2. me llamo; 3. Soy; 4. muy bien; 5. te llamas; 6. dónde eres; 7. Soy de; 8. vivo en; 9. te dedicas; 10. estudio; 11. trabajo en; 12. Encantada de.

Si lo ve conveniente, después de la comprobación de la actividad, con la audición 1, recree una situación de presentación similar para poner en práctica los contenidos vistos hasta el momento. Si los alumnos no se conocen, es un buen momento para agruparlos por parejas y que se presenten mutuamente.

Otra opción es crear grupos de tres, de forma que uno de los estudiantes presente a los otros dos. En este caso, se recomienda que cada grupo elija un contexto de presentación (en casa, en un encuentro familiar, en el trabajo, en una oficina, entre amigos, en un bar, etc.). Después de cada presentación, el resto de compañeros tendrá que identificar el contexto y el tipo de presentación elegida por el grupo (formal o informal).

1.2. Esta actividad de comprensión auditiva es al mismo tiempo un ejercicio de autocorrección, en el que los alumnos, por parejas, comprobarán sus respuestas.

A continuación, pregunte de qué temas hablan la profesora y la alumna durante la conversación. Esto le permitirá introducir la siguiente actividad y la cuestión de cómo expresa Carolina sus motivos para aprender español.

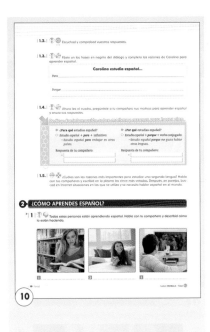

| 1.2. | Escuchad y comprobad vuestras respuestas.

| 1.3. | Fíjate en las frases en negrita del diálogo y completa las razones de Carolina para aprender español.

Carolina estudia español...

Para _____

Porque _____

| 1.4. | Ahora lee el cuadro, pregúntale a tu compañero sus motivos para aprender español y anota sus respuestas.

2 ¿CÓMO APRENDES ESPAÑOL?

| 1 | Todas estas personas están aprendiendo español. Habla con tu compañero y describid cómo lo están haciendo.

Inés: Hola, buenos días, me llamo Inés. Soy profesora de español y ahora vamos a hacer una prueba oral para saber exactamente tu nivel de español. ¿Qué tal? ¿Cómo estás?

Carolina: Hola, muy bien, ¿y usted? Bueno… estoy un poco nerviosa.

Inés: Tranquila… Dime, ¿cómo te llamas?

Carolina: Carolina Medeiros.

Inés: ¿De dónde eres, Carolina?

Carolina: Soy de Brasil, de Minas Gerais, pero vivo en São Paulo.

Inés: ¿A qué te dedicas? ¿Estudias? ¿Trabajas?

Carolina: Yo estudio Derecho Internacional en la Universidad de São Paulo, en Brasil. En verano trabajo en una empresa de alimentación.

Inés: ¿Y por qué estudias español, Carolina?

Carolina: Pues para trabajar en otros países. Me gusta hablar otras lenguas y el español es una lengua muy bonita, similar al portugués, por eso es fácil aprenderla. También viajo mucho con mis padres a otros países de Hispanoamérica y tengo que hablar español porque quiero comunicarme con mis amigos de allí. ¡Ah!, ¡y para entender las canciones de Shakira y Chayanne que me encantan! Para mí, escuchar canciones es muy útil para aprender lenguas.

Inés: Muy bien.

Carolina: Además, bueno, tengo un novio español; se llama Julio y es de Valladolid, así que necesito hablar español porque él no habla portugués.

Inés: ¡Qué interesante, Carolina! Encantada de conocerte y bienvenida a España.

1.3. *Para* trabajar en otros países y para entender las canciones de Shakira y Chayanne; *Porque* quiere comunicarse con sus amigos de allí y porque su novio no habla portugués.

i+ ELEteca

1. *Por* y *para*, según el *Diccionario de uso* de María Moliner.

Para la práctica de *por* y *para*, puede realizar el ejercicio 8 de la unidad 1 del *Libro de ejercicios*.

1.4. En este ejercicio los alumnos deben prestar atención al modo de expresar causas y motivos, mediante la lectura de los ejemplos y la interacción con el compañero.

Cuando hayan terminado de anotar los comentarios del compañero, realice una puesta en común que le sirva al mismo tiempo para comprobar y corregir las respuestas, y para que compartan con el resto del grupo sus razones para estudiar español.

Le proponemos otra dinámica alternativa: reparta un pósit por alumno y dé la indicación de que escriban en él dos motivos por los que estudian español. Luego, mándeles que se lo peguen en algún lugar visible del cuerpo. Pida que se levanten y que busquen a un compañero con el que compartan al menos un motivo; de modo que todos los alumnos acaben agrupados en parejas o grupos reducidos. Pídales que comenten las anotaciones de cada pósit para aprender español.

1.5. Con esta actividad se retoma la reflexión sobre el aprendizaje pero con el apoyo de la información previamente procesada y de la posibilidad de la discusión con los compañeros. Anímelos a elegir a un secretario que traslade las opiniones del grupo a la pizarra y a argumentar la elección de las cinco razones para aprender español.

Recuerde que las actividades destinadas a dotar al alumno de herramientas de aprendizaje llevan el icono de estrategias . Le recomendamos que, previamente a su realización, consulte en la ELEteca el documento *El componente estratégico en el aprendizaje de ELE*.

Para la segunda parte de la actividad, de búsqueda y elaboración de información a través de Internet, le ofrecemos en la ELEteca información extraída de diversas direcciones web por si su aula no dispone de acceso a Internet.

i+ ELEteca

2. La importancia de aprender español.

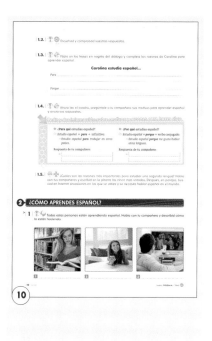

2 ¿CÓMO APRENDES ESPAÑOL? 10

En el segundo epígrafe retomamos la presentación personal como función comunicativa. Para ello, proponemos un breve repaso del presente de indicativo. Además, proseguimos con el trabajo estratégico, reflexionando sobre el propio método de aprendizaje y sobre las estrategias que los alumnos consideran más útiles o eficaces. Finalmente, estos tendrán la oportunidad de expresar sus sentimientos con respecto a su curso y a la clase de español.

> 1 Esta actividad sirve de contextualización para las sucesivas actividades y ha de servir también como modelo de lengua para que luego ellos expliquen su método de aprendizaje.

1. Leyendo un libro; 2. Escuchando música; 3. Viendo la televisión.

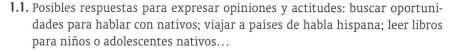

1.1. Posibles respuestas para expresar opiniones y actitudes: buscar oportunidades para hablar con nativos; viajar a países de habla hispana; leer libros para niños o adolescentes nativos…

En este cuadro se presentan estructuras que el alumno podrá usar en 1.2. y también en la presentación personal de la actividad 2. Una lectura en grupo abierto puede ser suficiente para que los alumnos pongan de manifiesto sus conocimientos previos respecto a estrategias de aprendizaje. Si lo desea, pídales que las escriban en la pizarra.

Para interiorizar la información aprendida, puede realizar los ejercicios 1 y 2 de la unidad 1 del *Libro de ejercicios*.

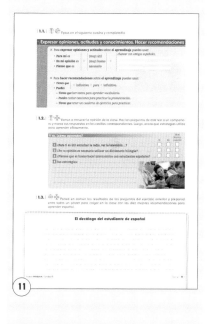

1.2. Se pretende que los alumnos reflexionen sobre la utilidad y la posibilidad de poner en práctica estrategias. Pídales que justifiquen su respuesta, ya que servirá para que argumenten su opinión.

Siempre que el tipo de grupo lo permita, procure formar parejas con estudiantes de diferentes nacionalidades. A menudo, la cultura de origen conlleva el empleo sistemático de determinadas estrategias.

Si en el ejercicio anterior los estudiantes trasladaron los ejemplos de estrategias a la pizarra, le proponemos que ahora completen esa lista con las nuevas estrategias que hayan surgido durante esta actividad.

1.3. El conjunto de la clase debe discutir y consensuar diez recomendaciones para la elaboración de un póster. Anime a los alumnos a participar en la discusión y, al crear el cartel, intente que cada alumno se implique en su elaboración. Si en las actividades anteriores los estudiantes anotaron sus respuestas en la pizarra, estas pueden servirles ahora de apoyo.

A modo de conclusión de trabajo del componente estratégico puede recurrir a la ficha 1.

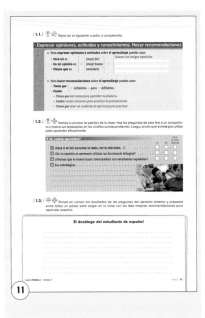

Ficha 1. Plan de acción.

Dinámica. Indique a los alumnos que piensen en un aspecto del español que les gustaría mejorar y que escriban lo que querrían ser capaces de hacer, en el espacio de la ficha "Quiero ser capaz de…". A continuación, dé la consigna de que elijan una de las estrategias del decálogo para mejorar en el aspecto en cuestión, y que la escriban también en la ficha. En tercer lugar, deberán pensar de qué forma reconocerán que efectivamente se ha producido el progreso. Esta ficha debería ser retomada pasado un tiempo, para comprobar cuál ha sido el efecto de la estrategia adoptada.

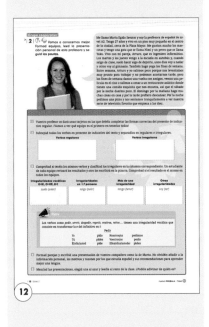

>2 Como habrá advertido, en el encabezamiento de la actividad aparece la etiqueta Grupo cooperativo. Esta es la primera actividad en el libro concebida para ser desarrollada como tarea de trabajo cooperativo; por eso le aconsejamos que consulte en la ELEteca el documento *El trabajo cooperativo en el aula de ELE*, donde se aporta información sobre esta dinámica de trabajo.

Tras una primera lectura del texto, es aconsejable que realice una tarea de comprensión global del mismo. Por ejemplo, puede indicarles que identifiquen aspectos que Marta destaca sobre su vida personal: nombre completo, profesión, edad, lugar de residencia, gustos y aficiones, aspectos de la vida diaria y del tiempo libre, etc. Esta tarea les servirá más adelante para planificar la presentación de un compañero (paso 4 de la actividad).

1. Divida la clase en pequeños grupos y entrégueles la ficha 2 para repasar entre todos el presente de indicativo regular.

Ficha 2. Presente de indicativo regular.

Comer	Abrir	Escribir
yo como	yo abro	yo escribo
tú comes	tú abres	tú escribes
él come	él abre	él escribe
nosotros comemos	nosotros abrimos	nosotros escribimos
vosotros coméis	vosotros abrís	vosotros escribís
ellos comen	ellos abren	ellos escriben

Explicar	Recibir	Correr
yo explico	yo recibo	yo corro
tú explicas	tú recibes	tú corres
él explica	él recibe	él corre
nosotros explicamos	nosotros recibimos	nosotros corremos
vosotros explicáis	vosotros recibís	vosotros corréis
ellos explican	ellos reciben	ellos corren

Cantar	Hablar	Responder
yo canto	yo hablo	yo respondo
tú cantas	tú hablas	tú respondes
él canta	él habla	él responde
nosotros cantamos	nosotros hablamos	nosotros respondemos
vosotros cantáis	vosotros habláis	vosotros respondéis
ellos cantan	ellos hablan	ellos responden

Escuchar	Beber	Vivir
yo escucho	yo bebo	yo vivo
tú escuchas	tú bebes	tú vives
él escucha	él bebe	él vive
nosotros escuchamos	nosotros bebemos	nosotros vivimos
vosotros escucháis	vosotros bebéis	vosotros vivís
ellos escuchan	ellos beben	ellos viven

2. Verbos regulares: me llamo; vivo; me gustan; se llama; nos levantamos; nos encanta; Verbos irregulares: soy; tengo; es; vengo; salgo; suelo; voy; hago; salimos; podemos; damos; vemos; tienen; duermo; prefiero; pedimos; nos sentamos; empieza.

3. Irregularidades vocálicas E>IE, O>UE, E>I: podemos (*poder*); duermo (*dormir*); prefiero (*preferir*); pedimos (*pedir*); nos sentamos (*sentarse*); empieza (*empezar*).

Irregularidades en 1.ª persona: hago (*hacer*); damos (*dar*); vemos (*ver*), salimos (*salir*).

Más de una irregularidad: vengo (*venir*), tienen (*tener*).

Otras irregularidades: voy (*ir*), es (*ser*).

4. El alumno puede realizar en clase o en horario no lectivo la redacción del texto. Para facilitar la tarea pida que hagan la presentación de la pareja con la que realizaron la actividad 1.1. y/o 1.2. de este mismo epígrafe y le pregunten la información personal que necesiten para la composición del texto.

5. Finalmente, se comprueban los textos mediante esta actividad lúdica.

Para consolidar la información aprendida, puede realizar los ejercicios 3, 4 y 5 de la unidad 1 del *Libro de ejercicios*.

>3 En este espacio el alumno expresa y comparte, por primera vez, sus sentimientos y sensaciones vinculados con el español. Esta información es útil también para usted porque podrá conocer de primera mano cuáles son los sentimientos de sus alumnos hacia la lengua. Las actividades referidas al

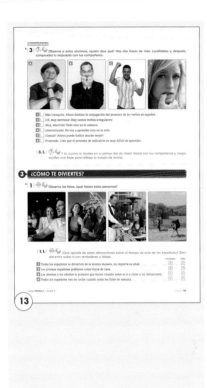

estado de ánimo y a la afectividad en el proceso de aprendizaje aparecen en el *Libro del alumno* bajo la etiqueta Sensaciones. Le recomendamos que, antes de llevar a cabo la actividad, lea el apéndice *Las emociones en el aprendizaje de ELE*, que puede encontrar en la ELEteca.

1. A; 2. D; 4. B; 5. C. Sobran las frases 3 y 6.

3.1. Para la realización del ejercicio, aclare a sus alumnos que deben escribir una frase centrada en las sensaciones que les produce el estudio del español en relación con esta nueva experiencia de clase.

3 ¿CÓMO TE DIVIERTES? 13

Este epígrafe prosigue con la vida cotidiana como centro de interés, pero se centra ahora en el ocio de los jóvenes y adultos en España, el primer contenido cultural de la unidad. El alumno leerá la valoración de una encuesta, texto a partir de cual se trabajarán la cohesión y la coherencia textuales.

>1 Este primer ejercicio presenta cuatro situaciones en las que diferentes jóvenes disfrutan de su tiempo libre. Además de servir para contextualizar las actividades de este epígrafe, se ofrecen como ejemplos a partir de los cuales el estudiante puede sugerir y aportar nuevas ideas.

Posible respuesta: Foto 1: Ver una película en el cine; Foto 2: Montar en la montaña rusa en un parque de atracciones; Foto 3: Comer en la terraza de un restaurante; Foto 4: Senderismo.

Si lo ve conveniente, lleve a cabo una lluvia de ideas sobre posibles actividades de ocio y tiempo libre: *estar con la familia, pasear, estar con los amigos/as, ir de compras a centros comerciales, ir al campo o a la playa, ir de excursión, ir de copas, hacer deporte, ir a bailar, hacer trabajos manuales, asistir a actos culturales como conferencias o exposiciones, asistir a conciertos, tocar un instrumento…*

1.1. Esta actividad sirve para preparar la lectura del texto que van a leer y que trata sobre cómo viven el ocio los jóvenes y adultos españoles. Intente que, a partir de las afirmaciones, los estudiantes comenten sus conocimientos y opiniones acerca del tema.

1. F; 2. F; 3. F; 4. F.

>2 Después de la lectura del artículo, revise las respuestas de la actividad anterior. A continuación, los estudiantes deben discutir y consensuar, por parejas, su punto de vista, porque luego tienen que manifestar su opinión ante el resto de compañeros. Recuérdeles que pueden usar las estructuras trabajadas en la actividad 1.1. del epígrafe anterior.

Si usted trabaja con un grupo que requiere dinámicas más guiadas, pida que tras la lectura cada estudiante escriba los dos datos del texto que más le hayan sorprendido o que considere más relevantes. Proponga que informen de ellos al compañero y que explique por qué lo ha hecho; el compañero deberá escuchar y, finalmente, mostrar acuerdo o desacuerdo al respecto. Para terminar, tendrán que escoger únicamente dos de los cuatro aspectos y compartirlos con el conjunto de la clase.

2.1. Para comenzar el discurso o texto escrito: para empezar. Para añadir información: asimismo, además. Para introducir una idea contraria o una objeción: por el contrario, sin embargo. Para argumentar nuestras ideas o añadir una consecuencia: de esta manera, por tanto. Para aclarar información: o sea. Para ordenar las ideas: por una parte… por otra parte. Para comparar las ideas: por el contrario. Para finalizar el discurso o texto escrito: finalmente, en resumen.

3. Los marcadores discursivos.

Para practicar los marcadores del discurso, puede realizar el ejercicio 6 de la unidad 1 del *Libro de ejercicios*.

> **3** Esta actividad constituye un ejercicio de comprensión lectora donde se resumen datos básicos sobre los hábitos de ocio entre los españoles.

Yasuko: los españoles prefieren salir en su tiempo libre. Los españoles de treinta en adelante salen a cenar fuera de casa; Marcus: los adultos en España salen hasta las dos o las tres de la mañana y los jóvenes vuelven a casa mucho más tarde. La mayoría de los jóvenes prefiere cenar en casa y después salir con sus amigos.

Una posible alternativa al ejercicio es que, antes de corregir las frases, individualmente o por parejas, extraigan del artículo aquellos datos que sean relevantes sobre el modo de divertirse de los españoles (tipo de ocio, horarios, medio de transporte usado, etc.). Una vez hecho esto, los estudiantes deben corregir las frases sin releer el texto.

Después de realizar la actividad 3, utilice las proyecciones 1 y 2 para conocer la forma de divertirse y pasar el tiempo de ocio de los miembros de la clase.

🔅 **Proyección 1.** Encuesta PREGUNTEL sobre el tiempo libre.

Dinámica. Proponga que ahora se encarguen ellos de realizar una entrevista sobre la forma de ocio de la clase. Divida la clase en dos grupos: cada miembro de un grupo entrevistará a una persona del otro grupo. Cuando hayan terminado, volverán a reunirse con el grupo inicial para compartir los datos recogidos y establecer conclusiones al respecto. Al terminar, haga una puesta en común para que la clase concluya qué información debería aportar la empresa PREGUNTEL en relación con la clase.

🔅 **Proyección 2.** El tiempo libre de nuestra clase.

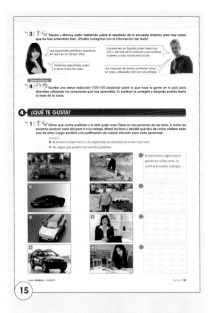

Dinámica. Pida que, individualmente, trasladen las conclusiones extraídas de la encuesta de la proyección 1 al esquema de la proyección 2. Con estos datos tendrán que completar los apartados: *Introducción, Idea 1, Idea 2, Idea 3* y *Conclusión*. Aclare que, para hacerlo, solamente pueden escribir notas y no frases completas. Seguidamente, pida que expongan oralmente los datos, empleando los conectores que se encuentran en la columna izquierda de la proyección. El único requisito de la actividad es que el alumno tiene que usar todos los conectores a la hora de realizar su discurso.

>**4** En esta actividad el alumno debe compartir con los compañeros hábitos del tiempo libre en su cultura y recurrir a los contenidos vistos en el epígrafe.

Advierta a los estudiantes que el uso de conectores en la redacción implica una buena planificación del texto, es decir, requiere la previsión de una introducción, de un conjunto de al menos dos o tres ideas (que constituirán el desarrollo) y de una conclusión.

Como variación a la lectura del texto, puede plantear un ejercicio de expresión oral. En ese caso, anime a los estudiantes a preparar una breve exposición sobre lo que han escrito y a que la presenten ante los compañeros. Esta alternativa puede ayudarle a propiciar una escucha más activa por parte del resto del grupo. En cualquier caso, le recomendamos que mande a los compañeros oyentes algún tipo de tarea relacionada con la presentación, como: preparar una pregunta, que trasladarán al compañero cuando termine la presentación, o decidir si los hábitos descritos son parecidos o no a los de su país y explicar por qué.

4 ¿QUÉ TE GUSTA? 15

En este epígrafe se trabaja la expresión y la justificación de gustos y preferencias en relación con los medios de transporte, a partir de la audición de una entrevista de radio. Se presenta también el segundo contenido cultural de la unidad: la contaminación que genera el transporte en las grandes ciudades. Finalmente, se introduce el uso de verbos que, como *gustar*, exigen la anteposición del pronombre de objeto indirecto (*encantar, apetecer, interesar, preocupar, molestar...*).

>**1** Con esta actividad de preaudición se pretende que los estudiantes intenten prever el contenido de lo que van a escuchar en el siguiente punto. Pida que, en primer lugar, discutan por parejas acerca de las posibles respuestas y que, una vez hecho esto, procedan a redactar la justificación en los cuadros que se encuentran a la derecha de las imágenes.

1. D; 2. B; 3. A; 4. C.

>**2** Le recomendamos que en una primera escucha el estudiante se limite a recoger los datos de identidad y profesión de los entrevistados.

Una vez completados los cuadros con esta información, realice una segunda escucha. Pídales que relacionen el coche con su propietario y que identifiquen cómo cada uno de ellos justifica la elección de su vehículo.

A lo largo de esta unidad, los alumnos deberán indicar y argumentar sus preferencias en cuanto al uso del transporte. Esta audición constituye un modelo de lengua que les puede ser útil para el desarrollo de tareas subsiguientes.

 Locutor: Y aquí estamos esta tarde con cuatro personas muy diferentes | 2 | para conocer un poco más sobre sus hábitos y sus trabajos. Nuestro primer personaje es deportista, el segundo es granjero, la tercera es una ejecutiva financiera y la cuarta es una estudiante en prácticas en un despacho de abogados.Vamos a hacerles unas preguntas y diremos su nombre al final. ¿Les parece bien?

Mario: Sí, sí, muy bien.

Benito: Perfecto.

Carla: ¡Vamos allá!

Sonja: ¡Venga!

Locutor: ¿Qué opinan de sus trabajos?

Mario: A mí me encanta aunque es verdad que es muy duro y casi no tengo tiempo para tener vida personal. Cada día trabajo unas doce horas, pero disfruto mucho.

Benito: Pues a mí no me gusta, paso mucho frío en invierno y mucho calor en verano, en el campo, y gano poco dinero. En mi trabajo no hay horario.

Carla: Bueno, yo estudié economía y un máster en Dirección de Empresas, así que sí, sí me gusta mucho mi trabajo. Trabajo ocho horas en la oficina y unas dos más en casa.

Sonja: Yo estoy contenta porque con mis prácticas aprendo mucho. Estoy en el despacho tres horas al día.

Locutor: ¿Dónde trabajan?

Mario: Uf, no tengo una "oficina". Normalmente entreno en un gimnasio con mis compañeros, pero las competiciones son en todo el mundo.

Benito: Tengo una finca en un pueblo de Badajoz.

Carla: Yo trabajo en el centro de Madrid.

Sonja: Y yo, en un despacho de abogados de Burgos.

Locutor: Y… díganme, ¿cómo van cada día a trabajar? ¿Utilizan transporte público o privado?

Mario: Yo voy en coche. En transporte público tardo mucho y prefiero descansar en mi tiempo libre. Así que tengo un coche pequeño para poder aparcar fácilmente.

Benito: Yo necesito el coche para llegar a mi finca, pero me encanta conducir y la velocidad, y no me gustan nada los coches todoterreno, así que conduzco un coche espectacular que me fascina.

Carla: Prefiero conducir mi coche. Es un coche grande y cómodo, y también es muy útil para llevar a toda la familia.

Sonja: Yo tengo un coche antiguo, muy antiguo, me costó muy barato y es suficiente para mí.

Locutor: Queridos oyentes, ¿imaginan qué coche tiene cada uno de nuestros personajes? Por favor, ¿pueden presentarse ustedes mismos?

Mario: Me llamo Mario Molina. Soy deportista. Estoy encantado de estar aquí esta tarde. Tengo un coche pequeño, un mini.

Benito: Yo soy Benito Picazo, Beni para los amigos. Soy granjero. Tengo un coche deportivo.

Carla: Yo me llamo Carla de la Vega y es un placer estar aquí hoy. Soy economista y trabajo como directora financiera en una multinacional. Tengo un monovolumen.

Sonja: Mi nombre es Sonja y soy de Alemania. Soy estudiante de Derecho y hago prácticas en un despacho de abogados. Tengo un coche muy viejo, un Citröen , dos caballos…

Locutor: Muchas gracias a todos por esta entrevista tan divertida. Hasta pronto.

¿Quién es? 1. Mario; 2. Benito; 3. Carla; 4. Sonja; ¿A qué se dedica? 1. Es deportista; 2. Es granjero; 3. Es ejecutiva/directora financiera en una multinacional; 4. Es estudiante en prácticas.

2.1.

	Mario	**Benito**	**Carla**	**Sonja**
¿Le gusta su trabajo?	Sí, le encanta.	No.	Sí, le gusta mucho.	Sí, está contenta porque aprende mucho.
¿Cuántas horas trabaja?	Unas doce horas.	En su trabajo no hay horario.	Unas diez horas en total.	Tres horas.
¿Dónde trabaja?	Entrena en un gimnasio, pero compite en todo el mundo.	En el campo, en una finca en un pueblo de Badajoz.	En una oficina en el centro de Madrid y en casa.	En un despacho de abogados en Burgos.
¿Cómo va cada día a trabajar?	En coche.	En coche.	En coche.	En coche.

2.2. El alumno se enfrenta aquí a la dificultad de tener que elegir una de las opciones y de argumentar su elección.

Antes de empezar con la tarea, déjeles unos minutos para que respondan oralmente a las preguntas del enunciado. Para preparar la presentación, sugiérales que se apoyen en los datos recogidos en las actividades previas. Se sugiere la duración de un minuto para que los estudiantes sean conscientes del alcance de su discurso en cuanto a tiempo y a contenido.

>3 Como apoyo a esta actividad y a las que siguen en este epígrafe, puede proponer una lluvia de ideas sobre las ventajas y las desventajas de usar el transporte público y/o privado. Esto le servirá como contextualización de la actividad siguiente y también para que dispongan de material lingüístico para las tareas de expresión e interacción orales y escritas. Ejemplo:

Transportes	
Ventajas	Desventajas
- Es más barato.	- Es más lento.
- Es menos contaminante y no perjudica la salud de los demás.	- Es más incómodo.
	- Te deja lejos del lugar de trabajo.
- Tienes tiempo para leer, estudiar, trabajar…	- Tienes que adaptarte a los horarios.
- Es menos estresante.	- A veces es impuntual.
- Puedes conocer gente.	- A veces hacen huelga.
- Puedes evitar atascos.	- A veces hay demasiada gente.
- …	- …

3.1. En el *Libro del alumno* aparece un cuadro de atención donde se pretende que el alumno recuerde una posible estrategia que puede ayudarle en actividades de comprensión de lectura.

Si lo considera relevante, puede añadir también otro ejercicio de estrategias: que predigan el contenido del artículo a partir de las preguntas planteadas. En este caso, le recomendamos que primero realicen el ejercicio de predicción y que luego intenten responder a las preguntas.

Después de la lectura del texto, pídales que comprueben primero sus hipótesis. Puede comentar que estos ejercicios de prelectura son útiles para facilitar la comprensión del texto en el proceso de lectura.

A continuación, realice la actividad según indica el enunciado.

1. En las áreas urbanas de América Latina y el Caribe; 2. Porque hay menos tráfico; 3. El coche; 4. La geografía (estar rodeadas de montañas o en una depresión del terreno); 5. Intervenir.

. . . .

3.2. Proponemos que la corrección de esta actividad se realice a través de la interacción oral con el compañero, y que sirva para comparar los argumentos de cada miembro de la pareja. A lo largo del libro encontrará actividades de autocorrección, comparación y negociación con el compañero. Se ofrece así la oportunidad de razonar y reconsiderar las propias respuestas, y de llegar a una respuesta común final, todo ello mediante la interacción. Este tipo de ejercicio puede ayudar a potenciar una visión constructiva del error, la autonomía de aprendizaje y la confianza del estudiante.

Termine el ejercicio con una puesta en común en la que se dé respuesta a las preguntas de 3.1.

>4 Antes de realizar la actividad propuesta, pregunte a sus alumnos si las ciudades donde viven están o no muy contaminadas, si les preocupa la contaminación o el medioambiente en general, qué no les gusta de su ciudad, qué les molesta… Luego, proceda según las indicaciones del enunciado.

Proporcione tres ejemplos, enmarcados en el contexto del epígrafe, a partir de los cuales el alumno deduzca el uso de verbos que se construyen como *gustar*, como: *A mí me preocupa poder llegar a tiempo al trabajo; A los habitantes de mi país les preocupa la contaminación del aire; Al gobierno de este país no le preocupan suficiente los ciudadanos.*

A continuación, complete el cuadro con las formas correspondientes.

usted; vosotros/as; me; le; singular; plural.

. . . .

4.1. Anime a los estudiantes a ampliar el contenido de las frases añadiendo información. Puede orientarles pidiendo que escriban la causa (*porque*), la consecuencia (*así que, por esta razón…*), una idea contraria (*pero, aunque…*) o un complemento de tiempo o de lugar (*hoy, esta tarde, mañana, en México, en la escuela…*).

Posibles respuestas. 1. A mí me preocupa la contaminación; 2. A ellos les gusta el transporte público; 3. A ustedes les encanta ir en metro; 4. A nosotros no nos interesan los coches; 5. ¿Te apetece dar un paseo en bici?

>5 Los contenidos, tanto culturales como lingüísticos, desarrollados en este epígrafe sirven de apoyo para escribir la redacción. Al tratarse de un texto de opinión y de un tema formal, es recomendable también el uso de conectores discursivos como los estudiados en la unidad. Si en la actividad 4 del epígrafe 3 (*¿Cómo te diviertes?*) usted les pidió que planificaran el texto, recomiéndeles ahora que repitan ese ejercicio antes de comenzar la redacción.

5.1. En esta actividad oral en grupo abierto pida que uno o dos alumnos de la clase se encargue de trasladar a la pizarra las ideas propuestas por el conjunto de compañeros.

Como dinámica alternativa, divida la clase en dos grupos y que cada grupo piense un número mínimo de recomendaciones, por ejemplo, tantas como miembros compongan el grupo. Cuando hayan terminado, un alumno de cada equipo sale a la pizarra y ejerce de secretario. Mientras cada miembro del grupo explica y argumenta su consejo, el secretario escribe un resumen de la recomendación en la pizarra. Cuando el grupo termine de exponer, el resto de compañeros vota las mejores recomendaciones. Se procede del

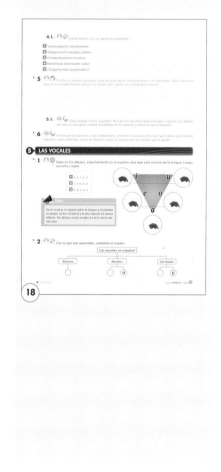

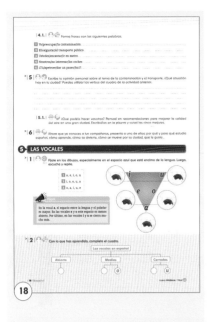

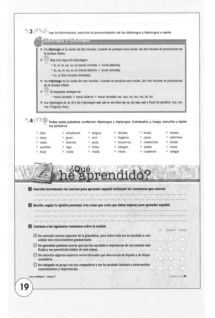

mismo modo con el otro equipo para llegar a una lista de recomendaciones preferidas por el conjunto de la clase. Esta dinámica, más guiada, le servirá con grupos menos participativos o espontáneos.

> **6** Cerramos el epígrafe con un ejercicio de presentación que engloba todo lo trabajado hasta el momento en los epígrafes anteriores. Asegúrese de que disponen de tiempo suficiente para preparar la tarea, recabar toda la información necesaria y aprovechar al máximo los contenidos tratados en la unidad.

5 ▶ LAS VOCALES 18

En cada unidad de *Nuevo Prisma A2* usted encontrará un epígrafe dedicado a la fonética. Nos centramos, para empezar, en la pronunciación de las vocales, los diptongos y los triptongos.

> **1** Si bien en el nivel A2 la pronunciación individualizada de las vocales no ha de implicar grandes obstáculos, esta actividad ayudará al alumno a tomar conciencia de la articulación de estos fonemas.

Le recomendamos que comente la imagen antes de la audición para aclarar lo que esta representa, y deje espacio para que comprueben los cambios que notan al pronunciar las diferentes vocales. Si dispone de conexión a Internet, puede comentar estas diferencias a través de la página: http://www. uiowa.edu/~acadtech/phonetics/spanish/frameset.html

Después de la primera audición, pregúnteles qué cambio notan en la boca al realizar cada serie de vocales. Luego, realice la segunda audición y confirme la respuesta: el cambio más significativo es que entre fonema y fonema el grado de abertura de la boca cambia (excepto en la tercera secuencia, entre /i/ y /u/).

|31| **1.** a, e, i, o, u.   **2.** i, o, e, u, a.   **3.** o, a, i, u, e.

> **2** Abierta: a; Medias: e, o; Cerradas: i, u.

> **3** Le sugerimos, a modo de alternativa, que primero ponga el audio para que los alumnos intenten reconocer y escribir los diptongos y triptongos. Proponga que en la segunda escucha comparen sus resultados con el cuadro del libro. Esta alternativa le servirá a usted para identificar posibles dificultades de reconocimiento auditivo.

|4| Ia, ie, io, ua, ue, uo.   Ai, au, ei, eu, oi, ou.   Iu, ui.

|5| Uai, uau, iai, iau, uei, iei, ioi.

> **4** Antes de empezar la audición, pida que subrayen el diptongo o el triptongo, y que hagan una marca en la vocal abierta. Eso les ayudará a identificar los diptongos y su estructura, y les servirá como apoyo para la pronunciación.

|6| Bien, miau, radio, autobús, buey, estudiante, guau, duermo, oigo, cuida, lengua, aire, guay, reina, viuda, iniciáis, Eugenia, monstruo, antiguo, vieira, boina, juicio, comerciáis, aliada, cuaderno, idioma, individuo, muela, causa, colegio.

✖ bien	✖ guau	✖ guay	✖ antiguo	✖ cuaderno
✖ miau	✖ duermo	✖ reina	✖ vieira	✖ idioma
✖ radio	✖ oigo	✖ viuda	✖ boina	✖ individuo
✖ autobús	✖ cuida	✖ iniciáis	✖ juicio	✖ muela
✖ buey	✖ lengua	✖ Eugenia	✖ comerciáis	✖ causa
✖ estudiante	✖ aire	✖ monstruo	✖ aliada	✖ colegio

En el caso de que la producción de diptongos y triptongos les resulte difícil, realice ejercicios extras de reconocimiento. Puede dictar una serie de palabras (por ejemplo: *vente/veinte, huerta/hurta, are/aire, haga/agua, avión/habón…*) para que los alumnos digan si hay o no diptongo. Después de la actividad de reconocimiento, puede pasar a otra de identificación del diptongo, a partir de una serie de pares de palabras. En este caso, escriba los pares en la pizarra y lea solamente una de las palabras. Los alumnos tendrán que identificar cuál es la que usted está leyendo: *veinte/viente, voy/vio, yoga/oiga, vaina/Viana, presunto uso/presuntuoso, huimos/y humos…*

Para seguir practicando los diptongos y triptongos, puede realizar los ejercicios 9 y 10 de la unidad 1 del *Libro de ejercicios*.

¿QUÉ HE APRENDIDO?   19

El apartado *¿Qué he aprendido?* cierra cada unidad. En estos epígrafes el estudiante puede comprobar qué nuevos contenidos ha asimilado y reflexionar sobre su proceso de aprendizaje.

> **2** Si lo cree conveniente, puede ampliar la actividad animando a los alumnos a crear un plan de acción personal para mejorar esos aspectos y a comprometerse a cumplir con el plan. Si lo hace, recuérdeles que debe ser un plan de acción concreto y realista, que puedan poner en práctica a corto plazo.

COMUNICACIÓN. **Expresar opiniones.**
GRAMÁTICA. **El presente de indicativo.**
LÉXICO. **Actividades de ocio.**

¿Y tú qué opinas?

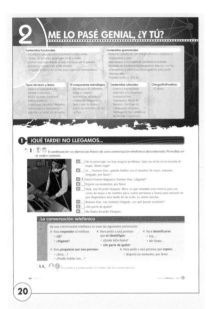

A lo largo de esta unidad el alumno aprenderá a hablar de experiencias pasadas relacionadas con los viajes, así como también a valorar periodos de tiempo y acontecimientos de sus vidas. Para tal objetivo, se introduce el pretérito indefinido y los marcadores temporales que habitualmente lo acompañan. Desde el punto de vista funcional, se profundiza en la estructura de la conversación telefónica en español y en el uso de la comunicación no verbal para expresar estados de ánimo. En relación con el contenido cultural, los alumnos conocerán varias ciudades universitarias de España e Hispanoamérica: Salamanca, en España, y Santiago de los Caballeros de Mérida, en Venezuela. Los textos que se trabajan sobre estas localidades servirán como modelo para redactar un folleto informativo sobre otras dos ciudades estudiantiles españolas: Santiago de Compostela y Alcalá de Henares. Asimismo, se seguirá indagando en las estrategias de reflexión sobre el propio aprendizaje en el trabajo de la gramática y el léxico.

1 ¡QUÉ TARDE! NO LLEGAMOS... 20

En el primer epígrafe de la unidad se trabajan aspectos relacionados con la conversación telefónica en español: identificarse, saludar y responder al teléfono, preguntar por alguien, preguntar por la identidad de quien llama y pedir a una persona que espere.

> **1** Con esta primera actividad se pretende que los alumnos tomen contacto con las formas que se utilizan en la comunicación telefónica en español.

Divida a sus alumnos en parejas y pídales que ordenen las frases de la conversación telefónica. Una vez ordenada, indíqueles que comparen sus respuestas con las del resto de parejas. De esta manera se trabaja de manera continua la interacción entre los estudiantes, lo cual ayudará a que el grupo se conozca y se vaya cohesionando.

Si observa que la tarea presenta dificultades, puede realizar la primera escucha de manera simultánea a la realización del ejercicio 1.

A. 8; B. 2; C. 1; D. 5; E. 7; F. 6; G. 3; H. 4.

1.1. En la primera escucha de la grabación, recomiende a sus estudiantes que centren su atención en las estructuras del cuadro funcional. En la segunda escucha, puede detener la grabación en cada frase y pedirles a los estudiantes que repitan las frases, con el objetivo de trabajar la entonación al mismo tiempo que las estructuras de la conversación telefónica. Para tal fin, los alumnos pueden acudir al punto 2 de la proyección 3, donde se describe la forma básica de la entonación del español. Si desea reforzar la práctica, pídales que intenten relacionar las frases del ejercicio 1 con las líneas melódicas descritas.

A continuación, haga una puesta en común e inicie una reflexión sobre la diferencia entre el registro utilizado en la audición, el formal, propio de la comunicación entre desconocidos, y el informal o usado entre personas que tienen una relación de proximidad.

 ● Hotel Puente Baqueira, buenos días, ¿dígame?

| 7 | ○ Sí..., buenos días, ¿puedo hablar con el monitor de esquí, Antonio Delgado, por favor?

● ¿De parte de quién?

○ Me llamo Ricardo Vázquez.

- Espere un momento, por favor.
- Buenos días, soy Antonio Delgado, ¿en qué puedo ayudarle?
- Hola, soy Ricardo Vázquez. Mire, es que tenemos una reserva para un curso de esquí a mi nombre para cuatro personas y llamo para avisarle de que llegaremos más tarde de las ocho. Lo siento mucho.
- No se preocupe, no hay ningún problema. Dejo un aviso en la escuela de esquí. ¡Buen viaje!

1.2. Actividad de interacción oral para practicar la conversación telefónica. Aclare a sus alumnos que cada pareja representará dos diálogos diferentes. Invite a alguno de sus estudiantes a representar los diálogos ante el resto de la clase.

Después de realizar la actividad y con el fin de practicar las formas lingüísticas de la conversación telefónica en español, proponga la realización del ejercicio 3 de la unidad 2 del *Libro de ejercicios*.

> **2** Se trata de una actividad que tiene como objetivo final poner en práctica la conversación telefónica en español.

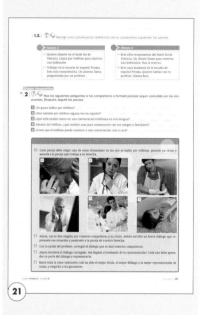

Para establecer parejas de trabajo, los alumnos compararán con sus compañeros sus preferencias y hábitos personales a la hora de hablar por teléfono, e identificarán también cuáles son las dificultades que experimentan cuando lo hacen en una lengua extranjera. Con ello se pretende trabajar el componente afectivo como estrategia previa para que el alumno se sienta más implicado con la tarea que ha de realizar posteriormente y se agrupe según sus coincidencias.

A continuación, ya formadas las parejas, se procederá a la segunda parte del ejercicio, una actividad de interacción oral basada en la representación de una conversación telefónica. Pida a los alumnos que piensen en las diferentes partes de una conversación telefónica (la presentación o identificación, el intercambio de información y la despedida) y que sigan las diferentes instrucciones. Cada pareja escribirá y representará una breve conversación telefónica que ilustre la combinación de imagen y título elegida por sus compañeros.

Otra alternativa de la actividad sería que cada alumno se identificara con una de las personas que aparecen en las diferentes fotos y con su estado de ánimo. Pídales que imaginen cómo se llaman, en qué trabajan o qué actividad realizan, cómo son y cómo se sienten. A continuación, divida la clase en parejas de forma aleatoria y propóngales que escriban una conversación, inspirándose en el estado anímico que reflejan y en la relación personal que podrían tener (de parentesco, de amistad o profesional).

Proyección 3. Evaluación de los diálogos.

Dinámica. A través de esta actividad, planteada como ampliación del ejercicio 2, los alumnos tratarán de valorar los diálogos trabajados mediante criterios objetivos. Avíselos de que tendrán que valorar cuál es el mejor diálogo de todos y que estos serán votados en base a los criterios de estructura, originalidad, naturalidad y entonación. Asegúrese de que los alumnos han entendido correctamente los puntos a analizar dentro de los criterios. Finalmente, los alumnos justificarán la puntuación de cada diálogo, desglosando la valoración dada mediante los diferentes criterios de evaluación.

En este epígrafe los alumnos aprenderán a narrar acciones pasadas relacionadas con las experiencias de viajes. Para ello se introduce el pretérito indefinido, su morfología, sus formas regulares y algunas irregulares, los marcadores temporales que lo acompañan y las preposiciones más frecuentes asociadas a determinados verbos. Por último, se incide en la autorreflexión del alumno sobre las estrategias de aprendizaje enfocadas a la adquisición de léxico.

> **1** Esta actividad tiene como objetivo introducir el tema de las redes sociales como instrumento para compartir experiencias y como fenómeno sociocultural en todo el mundo. Asimismo, servirá para contextualizar la audición de la actividad 1.1., que trata sobre el número de usuarios que dichas redes sociales poseen a nivel español y mundial.

Pregunte a sus alumnos cuáles son las redes sociales que utilizan con mayor frecuencia y anótelas en la pizarra. A continuación, puede pedirles que en grupos de tres debatan los aspectos positivos y negativos de cada una de ellas. Si lo cree conveniente, repase las funciones de expresar opiniones, actitudes y conocimientos estudiadas en la unidad 1. Posibles aspectos positivos pueden ser los referidos a compartir, comunicarse, relacionarse, establecer relaciones laborales y transmitir información. Entre los aspectos negativos que podemos distinguir están la falta de privacidad, la suplantación de identidad o los problemas de acoso. Haga hincapié en que Tuenti es una red social de origen español, usada mayoritariamente por españoles, y que por ello la audición solo aporta cifras a nivel nacional.

Una red social es una plataforma de Internet cuyo propósito es facilitar la comunicación y otros temas sociales en el sitio web (de Wikipedia).

4. Las redes sociales.

1.1. En la primera escucha, recomiende a sus alumnos que se centren en identificar las redes sociales de las que se habla. A continuación, proceda con la segunda escucha, donde los alumnos centrarán su atención en las cifras aportadas. Indíqueles que comparen los datos con los del compañero. Si todavía tienen problemas para completar la actividad, proceda a una tercera y última escucha. Una vez resuelta la audición, invítelos a buscar información en Internet sobre el uso de las redes sociales en sus países para después exponerla y compararla en clase.

 El 75 por ciento de los internautas en España usaron redes sociales el año
[8] pasado. Y es que es el quinto país del mundo que más utiliza estas redes, por encima de Francia y Alemania. Según los datos facilitados por Facebook, esta red social superó los 800 millones de usuarios en el mundo, de los cuales, 15 millones se conectaron en España. Facebook fue la segunda página más vista en España después de Google. Por su parte, Twitter llegó a los 200 millones

de usuarios en el mundo, unos 4,5 millones de usuarios en España. Tuenti, la red social española, creada en 2006 y que se caracteriza por unir al público más joven (sus usuarios tienen entre 14 y 35 años), alcanzó, en octubre, los 14 millones de usuarios en España. Poco a poco se está introduciendo en Europa y en el resto del mundo. Por su parte LinkedIn, la red social de los profesionales, superó los 135 millones de usuarios en el mundo y llegó en España a los 2 millones.

Texto adaptado de http://www.concepto05.com/2012/01/estadisitica-usuarios-de-redes-sociales-en-espana-2012/

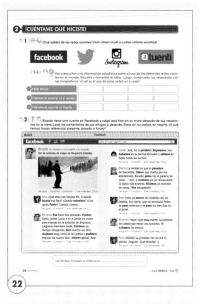

	Facebook	Twitter	Tuenti	LinkedIn
Número de usuarios en el mundo	más de 800 millones	200 millones	–	135 millones
Número de usuarios en España	15 millones	4,5 millones	14 millones	2 millones

> **2** Esta actividad tiene como objetivo que el alumno aprenda a narrar experiencias relacionadas con los viajes y se articula en cuatro fases.

Antes de comenzar la actividad y para activar el léxico relacionado con los viajes, haga una lluvia de ideas previa a la actividad que contenga verbos, adjetivos y nombres relacionados con el tema, o realice la actividad de la ficha 3.

Ficha 3. Tabú de viajes.

Actividad lúdica para recordar el léxico relacionado con el tema de los viajes.

Dinámica. Divida a los alumnos en grupos de tres y explíqueles el significado de la palabra *tabú*. Uno de los estudiantes escogerá una tarjeta sin mirar, la leerá y explicará en un minuto la palabra en mayúsculas sin utilizar las palabras en minúsculas. El resto de estudiantes intentará adivinar la palabra en mayúsculas. Gana el equipo que más palabras averigüe.

En esta actividad se introduce el pretérito indefinido dentro del contexto de las experiencias de viajes compartidas en las redes sociales. Haga que los alumnos lean el texto por parejas, tal y como sugiere el enunciado. Una vez leído, pídales que centren su atención en las formas verbales destacadas en negrita y que deduzcan a qué momento hacen referencia las experiencias llevadas a cabo por Ricardo y sus amigos. Invítelos a averiguar el significado de estos verbos por el contexto y anímelos a que pregunten a sus compañeros.

Las formas verbales se refieren al pasado.

2.1. Ahora con esta actividad, se pretende que los estudiantes deduzcan el valor temporal y aspectual del pretérito indefinido y lo asocien a los marcadores temporales que generalmente lo acompañan.

pasado; terminadas.

2.2. Esta actividad, de carácter inductivo, consiste en que los alumnos infieran cuáles son los verbos regulares e irregulares en pretérito indefinido que aparecen en el texto anterior. Si lo desea, puede agrupar a los alumnos por parejas para la consecución de la tarea. Una vez terminado el ejercicio, pídales que comparen sus respuestas con las de los compañeros.

Verbos regulares: Nos alojamos (*alojarse*); perdiste (*perder*); Esquiamos (*esquiar*); nos bañamos (*bañarse*); salimos (*salir*); pasamos (*pasar*); comimos (*comer*); pasó (*pasar*); echamos (*echar*). Verbos irregulares: hiciste (*hacer*); estuviste (*estar*); fuiste (*ir*); Fue (*ser*); fuimos (*ir*); tuvimos (*tener*); hizo (*hacer*); pudimos (*poder*); Estuvo (*estar*); dimos (*dar*); quiso (*querer*); hicimos (*hacer*); Fue (*ser*); estuve (*estar*); puso (*poner*).

2.3. Finalmente, a través de esta actividad se pretende llevar a cabo una reflexión gramatical sobre las formas regulares e irregulares en la morfología del pretérito indefinido.

Por parejas, los alumnos deducirán las formas verbales que faltan en la conjugación de algunos de los verbos irregulares más utilizados.

Proyección 4. El pretérito indefinido: morfología.

Dinámica. Para corregir y/o explicar otras irregularidades, ponga la proyección 4; de este modo, podrá focalizar la atención de los estudiantes y dirigir mejor la atención. Mantenga proyectada la imagen para facilitar la realización de la actividad 2.4.

1. fuimos; 2. estuvisteis; 3. quisieron; 4. viniste; 5. tuvimos; 6. pudo; 7. puso, 8. diste; 9. hizo; 10. vieron; 11. ser; 12. ir.

2.4. 1. fue; 2. Salimos; 3. estuvimos; 4. alquilamos; 5. dimos; 6. encantó; 7. llegamos; 8. pusimos; 9. bañamos; 10. pudimos; 11. fuimos; 12. Pasamos.

Para practicar el uso y la forma regular e irregular del pretérito indefinido, proponga la realización de los ejercicios 1 y 8 de la unidad 2 del *Libro de ejercicios*.

>3 A través de esta actividad se pretende que el alumno sea capaz de preguntar y de dar información sobre un viaje realizado en el pasado. Diga a los alumnos que van a hablar del viaje más importante que han hecho en sus vidas. Por parejas elaborarán un cuestionario con preguntas a partir de los datos de la ficha. Una vez corregido el cuestionario, se preguntarán sobre el mejor viaje de sus vidas a través de las preguntas que han elaborado.

Posibles respuestas. 2. ¿Cuándo fuiste?; 3. ¿En qué fuiste?; 4. ¿Cuánto duró el viaje?; 6. ¿Dónde te alojaste?; 7. ¿Qué comiste?; 9. ¿Qué lugares turísticos o de interés visitaste?

El cuadro de atención que aparece en la parte inferior de la actividad describe el uso de las preposiciones *a*, *en* y *de*. Asocie las preposiciones a los verbos estudiados en relación con el tema de los viajes, con el objetivo de que el alumno lo sistematice como un conjunto que le será muy rentable a lo largo del trabajo de la unidad.

Si lo desea, puede repasar el uso de las preposiciones a través de una actividad lúdica de mímica. Cada alumno escribe una frase en un papel que contenga la estructura *verbo + preposición*. Algunos ejemplos pueden ser: *Viajé en avión a México, Vine a Barcelona en tren, Salí de clase de español a las seis...* A continuación, divida el grupo en parejas o grupos de tres, según lo crea conveniente. Cada alumno saldrá a la pizarra para representar la frase que ha escrito mediante gestos. A manera de competición, las diferentes parejas o grupos intentarán averiguar cuál es la frase.

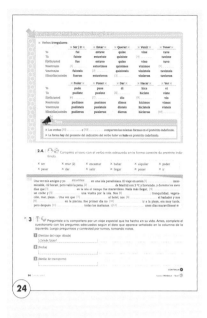

> Para poner en práctica el uso de las preposiciones, puede realizar el ejercicio 2 de la unidad 2 del *Libro de ejercicios*.

3.1. Si desea profundizar en la práctica de la gramática y del léxico, puede hacer que los alumnos, además de corroborar si los datos de la historia son ciertos, corrijan la redacción que su compañero ha escrito. Una vez terminado el trabajo por parejas, se puede hacer la actividad propuesta en la ficha 4.

Ficha 4. ¡Nos vamos de viaje!

Juego de roles que tiene como objetivo encontrar un compañero de viaje adecuado y organizar el viaje ideal.

Dinámica. Reparta las tarjetas de viajeros entre seis de los alumnos y deles unos minutos para que interioricen su papel. Una vez asumidos los rasgos de carácter de cada personaje, pídales que entrevisten a cada viajero y que decidan con quién prefieren viajar. Al mismo tiempo, entregue las tarjetas de los departamentos de la agencia de viajes al resto de los alumnos y dígales que preparen juntos los servicios que ofrece cada uno de ellos. Finalmente, los alumnos viajeros visitarán los diferentes departamentos de la agencia y escogerán el viaje que mejor se adapte a sus necesidades.

>4 Pida a sus alumnos que comparen sus respuestas con las del resto de compañeros y abra una discusión sobre el tema. Podría ser interesante que usted también participara mediante el intercambio de opiniones personales.

Este epígrafe, de carácter cultural, presenta las ciudades de Salamanca (España) y Mérida (Venezuela), como ejemplos paradigmáticos de ciudades universitarias en España e Hispanoamérica. Los estudiantes aprenderán también a expresar semejanza o diferencia entre dos lugares, para cuyo fin se estudiarán los verbos *parecerse* y *diferenciarse*. En relación con el componente estratégico, se trabajará la adquisición de léxico nuevo, a través de la formación de sustantivos y adjetivos a partir de un verbo. La tarea que cierra el epígrafe será la elaboración de un folleto sobre las ciudades universitarias de Santiago de Compostela y Alcalá de Henares.

> **1** Si lo cree conveniente, contextualice la audición con una lluvia de ideas. Escriba en la pizarra *Mis primeros días en la ciudad* y anime a sus alumnos a comentar la razón por la cual eligieron la ciudad en la que estudian español y qué hicieron (o qué están haciendo) esos primeros días.

A continuación, dé a sus alumnos un par de minutos para que lean bien las preguntas y detecten qué información deben buscar en el audio. Si los estudiantes muestran dificultades para encontrar la información que necesitan, puede orientarlos repasando las palabras clave que aparecerán en la audición. Tras la segunda escucha, dígales que comparen sus respuestas con las de sus compañeros. Si lo cree conveniente, entrégueles la transcripción.

| 9 |

Lucía: ¿Dígame?

Miguel: Hola, Lucía, soy Miguel, ¿qué tal?

Lucía: Hola, Miguel. Muy bien, ¿y tú? Te escribí un correo electrónico el jueves pasado.

Miguel: Sí, sí, lo leí ayer, perdóname por no contestar. Me mudé hace dos semanas a Salamanca con Jaime y Blanca y he estado muy ocupado.

Lucía: ¿Y qué tal el viaje?

Miguel: Un poco cansado. Cogimos vuelos diferentes pero nos encontramos en el aeropuerto de Barajas en Madrid, alquilamos un coche y condujimos desde Madrid a Salamanca. Fue un viaje muy pesado así que, nada más llegar, cenamos y nos fuimos a dormir. Estuvimos alojados en el hotel cuatro días.

Lucía: ¿Y después? ¿Qué hicisteis?

1.1. Una vez realizada la actividad anterior, ponga el audio para hacer la corrección.

| 10 |

Miguel: Uf, ¡no paramos! Buscamos alojamiento, hicimos la matrícula de la universidad, visitamos la ciudad, los monumentos más importantes, y conocimos a muchos estudiantes. Salamanca es una ciudad universitaria.

Lucía: ¿Ah, sí? ¡Qué bien!

Miguel: Empezamos las clases el lunes pasado y ya el primer día salimos a tomar tapas por la ciudad. ¡Estudiar aquí es una pasada! ¡Tienes que venir a visitarnos!

Lucía: Pues sí, la verdad...

Miguel: Bueno, Lucía, te dejo porque tenemos que ir a comprar al súper. Adiós. Un beso muy grande.

Lucía: Vale, buena suerte. Te llamo el jueves. Adiós.

1. A través de un correo electrónico, el jueves pasado; 2. Dos semanas; 3. En avión y en coche; 4. Para estudiar en la universidad; 5. Buscaron alojamiento, hicieron la matrícula, visitaron la ciudad y los monumentos más importantes, conocieron a otros estudiantes y fueron a tomar tapas.

> **2** Se procede ahora a comparar la ciudad de Salamanca con otra ciudad hispanoamericana (Mérida) también estudiantil. Esta actividad consta de dos

partes: la lectura de dos textos sobre las ciudades mencionadas, con un ejercicio previo de adquisición de léxico, y la creación por parejas de un folleto informativo sobre dos ciudades españolas.

La actividad inicial se enmarca dentro del trabajo de estrategias para adquirir vocabulario nuevo a partir de la formación de palabras. Es probable que los alumnos, de manera intuitiva y por comparación, se equivoquen en la formación del sustantivo que se deriva del verbo *bautizar* y añadan el sufijo *-ción* en lugar de *-izo*. AclZáreles que en español existe una gran diversidad de sufijos que crean el sustantivo a partir del verbo: con el sufijo *-aje* (*patinar, maquillar, pilotar, hospedar*), con *-ado/-ido* (*doctorar, aullar, vestir, invitar*) o con el sufijo *-anza* (*confiar, vengar, enseñar, ordenar*).

Una vez completado el cuadro, dígales que comparen sus respuestas con las del resto de parejas.

Infinitivo	Definición	Sustantivo	Participio
fundar	Crear una ciudad, una institución o una empresa.	la fundación	fundado/a
declarar	Dar un cargo o un premio a algo o a alguien.	la declaración	declarado/a
situar	Poner en un lugar determinado.	la situación	situado/a
bautizar	Poner un nombre a alguien o algo.	el bautismo	bautizado/a
crear	Hacer que algo exista.	la creación	creado/a

2.1. En la comprensión lectora se introduce el folleto como tipología textual, características que verán en la llamada de atención de la actividad 3, y cuya estructura servirá al alumno de modelo para la tarea final.

Con la finalidad de que los alumnos identifiquen las ideas principales del texto, indíqueles que subrayen o resalten la idea o ideas más importantes y que utilicen el contexto para deducir el significado de las palabras desconocidas.

Salamanca: 1, 3, 4, 7, 10. Mérida: 2, 5, 6, 8, 9.

2.2. A continuación, los alumnos trabajarán estableciendo similitudes y diferencias a través de los verbos *parecerse/diferenciarse*. La práctica de esta estructura se reforzará en la actividad 3.1.

Posibles respuestas. Similitudes: Las dos son ciudades estudiantiles y tienen universidades antiguas, también son ciudades turísticas y con mucho ambiente; Diferencias: Mérida es una ciudad más joven y vanguardista; Mérida tiene un teleférico y un trolebús; Salamanca está situada a la orilla de un río.

>3 Después de leer el cuadro de atención y si lo considera oportuno, pida a los alumnos que identifiquen las partes que constituyen un folleto en los textos sobre Salamanca y Mérida. Otra opción es que los alumnos escojan ellos mismos otra ciudad universitaria que conozcan para elaborar el folleto. Esta alternativa conllevaría una búsqueda más selectiva de información, al no disponer de una ficha con los aspectos más relevantes de las ciudades, pero permitiría un intercambio de información cultural diferenciada. Si trabaja con la actividad siguiendo esta sugerencia, evite la realización del punto 3.2.

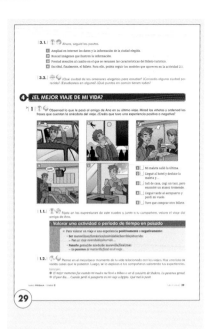

3.1. y 3.2. Después de la realización del folleto, haga una puesta en común en la que cada pareja justifique la elección de los títulos y subtítulos, el texto y las imágenes.

Para la búsqueda y elaboración de información a través de Internet sobre las ciudades de Santiago de Compostela y de Alcalá de Henares, les ofrecemos en la ELEteca ejemplos de direcciones web. Estas páginas le servirán para orientar a sus estudiantes en la búsqueda.

Para finalizar, plantee a la clase las preguntas de la actividad 3.2.

i+ ELEteca

5. Santiago de Compostela y Alcalá de Henares: enlaces web de interés.

4 ¿EL MEJOR VIAJE DE MI VIDA? 29

Este epígrafe tiene como objetivo que los alumnos aprendan a expresar sentimientos tales como la desesperación, la sorpresa, el enfado, la impaciencia y la felicidad a través del lenguaje verbal y no verbal.

> **1** Si lo cree conveniente, puede repasar los adjetivos asociados a los estados de ánimo representados en las imágenes y así evitar la confusión en la actividad 2, la cual recoge los sustantivos y las expresiones verbales correspondientes a esos estados anímicos. Enfatice el uso del verbo *estar* frente al verbo *ser* en estas expresiones, evitando la explicación gramatical, que estudiarán en profundidad durante este nivel. Antes de hacer la actividad, invite a los estudiantes a que digan qué creen que pasó en la historia a través de las imágenes, que aparecen ordenadas.

1. D; 2. E; 3. A; 4. B; 5. C. Parece que la experiencia fue más negativa que positiva.

Como actividad opcional, pida a los estudiantes que continúen la historia a partir de la frase número 2.

1.1. Mediante este cuadro funcional se introduce el uso de la valoración global de experiencias pasadas en pretérito indefinido. Se pretende que los estudiantes asimilen e interioricen este uso asociado al pretérito indefinido, cuya similitud con el uso descriptivo del pretérito imperfecto, el cual estudiarán más tarde, suele confundir a los estudiantes.

Si lo cree conveniente, aporte otros ejemplos para que los alumnos recuerden que cuando se acompaña del nombre de aquello que valoramos, el adjetivo y el verbo mantienen la concordancia, de género, número y persona con ese nombre (*El viaje fue fantástico/Mis últimas vacaciones fueron maravillosas*).

1.2. Puede iniciar la actividad valorando sus propias experiencias. Si lo cree necesario por las características del alumnado, haga la actividad por parejas y que, posteriormente, cada alumno cuente al grupo la experiencia de su compañero. Si prefiere evitar que evoquen recuerdos negativos, indíqueles que valoren actividades o periodos de tiempo positivos o neutros (algunos ejemplos podrían ser relatar una celebración, su primer día en clase de español, contar una anécdota divertida o hablar de un día especial) o anímelos a inventar experiencias ficticias.

> **2** A través de esta actividad se pretende, por una parte, que el alumno aprenda determinados gestos asociados a diferentes estados de ánimo y a utilizarlos de manera natural y, por otra, que el alumno reflexione y establezca el llamado *diálogo intercultural*, cuyo objetivo final es promover actitudes respetuosas entre los alumnos que ayuden a erradicar los estereotipos. Recuerde

a los alumnos que muchas expresiones del rostro y del cuerpo son comunes a muchas culturas, pero que a veces se interpretan de forma diferente.

A. ¡Qué desesperación!; B. ¡Es increíble! He perdido el vuelo; C. ¡Estoy harto!; D. ¡Qué bien!; E. ¡Uf! ¡Esta maleta no llega nunca!

Una vez hayan completado el segundo cuadro, haga una puesta en común con el objetivo de que los alumnos comparen los gestos y expresiones en español con los de los diferentes países representados en las nacionalidades de los estudiantes del grupo.

> Para practicar las expresiones de valoración, proponga la realización de los ejercicios 4 a 7 de la unidad 2 del *Libro de ejercicios*.

2.1. Si lo cree conveniente, realice la dinámica a nivel grupal.

Una opción sería crear un pequeño diálogo por parejas que recoja ese gesto y lo representen, con la posterior valoración del grupo.

Otra alternativa podría ser representar una conversación muda: una vez creado el diálogo por parejas, cada pareja representa su diálogo sin voz, mientras que los compañeros intentan adivinar cuál es la situación. Después, los compañeros vuelven a representar el diálogo para confirmar las hipótesis. Con ello se trabaja tanto la producción como la interpretación del lenguaje no verbal.

>3 La actividad pretende que el alumno conecte sus emociones con el aprendizaje del español.

Otra opción diferente a la ya sugerida, sería la de facilitar a los alumnos una lista de frases y adjetivos que evoquen emociones. También pueden asociar su aprendizaje a un color, cosa o animal y justificar su elección. De esta manera se llevará a cabo una asociación más intuitiva y menos premeditada.

Si observa que los estudiantes pueden presentar dificultades a la hora de justificar sus respuestas, pídales que trabajen en parejas, con la finalidad de que entre ambos puedan encontrar una explicación a cada elección.

5 EL HIATO 30

Este epígrafe tiene como objetivo profundizar en la pronunciación de las palabras que contienen hiato y su acentuación, tarea que continúa el trabajo fonético iniciado en la unidad 1 sobre los diptongos y los triptongos. La finalidad es que los alumnos identifiquen y produzcan la partición en sílabas de las palabras en español.

>1 Una alternativa es trabajar los ejemplos de hiato de manera previa al cuadro de explicación. En la primera escucha, pídales que repitan las palabras. En la segunda, indíqueles que separen las palabras en sílabas. A continuación, haga que los alumnos lean el cuadro y que corrijan el trabajo de partición de palabras que han realizado. Proceda a una tercera escucha si lo cree necesario.

| 11 |

- Saavedra, lee, antiincendios, cooperante.
- Aéreo, mahonesa, chatear, geografía, boa, cohete.
- País, Raúl, vehículo, Seúl, oído, día, ríe, pío, púa, acentúen, dúo.

>2 Insista en la idea de que no es importante saber el significado de las palabras, sino poder identificar el sonido.

| 12 |

País, toalla, freír, búho, filosofía, ahogo, río, héroe, albahaca, leer.

País, toalla, freír, búho, filosofía, ahogo, río, héroe, albahaca, leer.

>3 Esta actividad recoge todo el trabajo realizado a nivel fonético de las unidades 1 y 2. Pida a los alumnos que recuerden qué es un diptongo y un triptongo. Puede remitirlos al epígrafe *Las vocales* de la unidad 1.

 | 13 |

Rehén, buey, seis, iniciáis, cuatro, búho, ahogo, fui, copiáis, coordina, vehículo, gaita, Uruguay, triunfo, ciego, cae, liais, guau, feo.

Diptongo: seis, cuatro, fui, gaita, triunfo, ciego; Triptongo: buey, iniciáis, copiáis, Uruguay, liais, guau; Hiato: rehén, búho, ahogo, coordina, vehículo, cae, feo.

Una alternativa es trabajar el reconocimiento de los diptongos, triptongos e hiatos a través de una dinámica grupal. Para comenzar, divida a sus alumnos en parejas. Dígale a alguno de ellos al oído una de las palabras de la audición y pídale que la reproduzca en voz alta para todo el grupo. Cada pareja tendrá que decidir si es diptongo, triptongo o hiato. Cambie de alumno sucesivamente. Si lo hace a manera de competición, ganará quien tenga más palabras clasificadas correctamente.

Finalmente, puede proponer una relectura de los textos de la actividad 2 del epígrafe (*¡Cuéntame que hiciste!*) e indicar a los alumnos que diferencien entre las sílabas átonas y las tónicas de cada palabra y que localicen los diptongos, hiatos y triptongos que aparezcan.

Para profundizar en la práctica del reconocimiento de diptongos e hiatos puede realizar el ejercicio 9 de la unidad 2 del *Libro de ejercicios*.

 ¿QUÉ HE APRENDIDO? 31

Con este epígrafe, que cierra cada unidad, el estudiante podrá comprobar qué nuevos contenidos ha asimilado y reflexionar sobre su propio proceso de aprendizaje.

>1 Algunas situaciones para las que se podría usar el pretérito indefinido pueden ser: narrar un suceso ocurrido en el pasado, relatar una experiencia importante para nosotros, contar una anécdota, contar hechos o vivencias a modo de intercambio social, valorar experiencias pasadas, hablar de experiencia laboral dentro de una entrevista de trabajo, hablar sobre la vida de uno mismo o de alguien para compartir información personal y hablar de la historia de un país con la finalidad de intercambiar conocimiento cultural.

>2 Posibles respuestas. Responder al teléfono: ¿Diga?, ¿Dígame?; Identificarse: *Me llamo* + nombre, *soy* + nombre; Preguntar por una persona: ¿Puedo hablar con...?, ¿Está...?; Pedir a una persona que se identifique: ¿De parte de quién?; Pedir a una persona que espere: (Espere) un momento, por favor.

>3 1. pude; 2. tuvimos; 3. Visteis; 4. vino; 5. pusiste.

>4 Nos pueden ayudar a entender mejor a nuestro interlocutor.

 ELEteca
COMUNICACIÓN. **Contar un viaje.**
GRAMÁTICA. **El pretérito indefinido (I).**
LÉXICO. **Los viajes.**

ELEteca
¡Lo pasamos fenomenal!

3 / ¡QUÉ DÍA HEMOS TENIDO!

Esta unidad gira en torno a dos temas centrales: hablar de experiencias vividas y de sucesos acontecidos. Para poder expresarse sobre estos temas, el alumno aprenderá el pretérito perfecto de indicativo y el uso de los pronombres de objeto directo e indirecto. En cuanto a los contenidos culturales, se trabaja la evolución de la familia en España y se conocen las becas de estudio Erasmus. En esta unidad se prosigue también con el trabajo estratégico; entre otras, los estudiantes van a desarrollar estrategias para llevar a cabo una exposición oral y saber cómo argumentar sus ideas. El epígrafe sobre fonética está dedicado al sonido /r/.

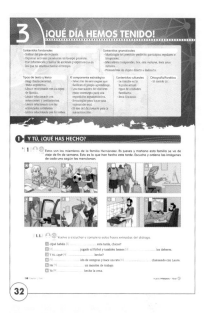

1 ▸ Y TÚ, ¿QUÉ HAS HECHO?　　32

Este epígrafe trata sobre actividades cotidianas y sobre experiencias vividas por estudiantes en el extranjero. A partir de un diálogo familiar, el alumno trabajará la expresión de acciones pasadas en pretérito perfecto. Se introducen el uso y las formas regulares e irregulares de este tiempo verbal, y los marcadores temporales más comunes asociados a él. El epígrafe presenta el programa de becas Erasmus como contenido cultural, e incluye el desarrollo de estrategias relacionadas con el componente afectivo.

> **1** En esta actividad el alumno va a escuchar un diálogo entre miembros de una familia que se reencuentran en casa al final del día. De este modo se introducen las actividades cotidianas y la familia como centros de interés. Asimismo, la audición servirá para presentar el nuevo contenido gramatical: el pretérito perfecto.

Antes de empezar la actividad pregúnteles acerca de la identidad o la relación de las personas de las imágenes, y sobre el contenido de la audición. Pídeles que, por parejas, identifiquen las actividades que realizan los miembros de la familia en cada imagen: *hacer los deberes, jugar al fútbol, ir de compras, chatear, echar gasolina, ir a la peluquería, hacer la cena, ver la televisión.*

Después de la audición, le recomendamos que haga preguntas de contextualización del tipo: *¿De qué temas hablan en la conversación?, ¿Dónde se encuentra la familia?, ¿En qué momento del día se produce la conversación?,* etc. Es de especial relevancia la ubicación temporal, para que el alumno pueda comprender los valores temporal y aspectual del pretérito perfecto.

|14|

Madre: ¡Hola! ¡Ya estoy en casa!

Hijo 1: ¡Hola, mami!

Madre: ¿Qué habéis hecho esta tarde, chicos?

Hijo 2: Hemos jugado al fútbol y también hemos hecho los deberes.

Hija: Hola, mamá. ¿A dónde has ido?

Madre: He estado en la peluquería. Y tú, ¿qué has hecho?

Hija: He ido de compras y hace un rato he estado chateando con Laura…

Padre: ¡Hola, cariño! ¿Qué tal te ha ido?

Madre: Bueno, bien. He tenido un montón de trabajo pero, al salir, he ido a la peluquería, me ha dado tiempo. ¡Ah! Ya he echado gasolina al coche. ¿Qué tal los preparativos del viaje?

Padre: Bien, bien. Ya he hecho la cena y he estado viendo la tele para saber el tiempo de este fin de semana. ¿Qué más tenemos que hacer?

A. 2; B. 1; C. 4; D. 5; E. 6; F. 3; G. 7; H. 8.

1.1. A través de esta actividad se presenta la forma del pretérito perfecto. El alumno puede ahora centrarse en el reconocimiento auditivo de este tiempo verbal.

1. hecho; 2. Hemos; 3. hecho; 4. has; 5. He; 6. he estado; 7. tenido; 8. he.

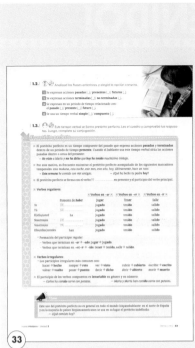

1.2. Antes de realizar la actividad, proporcione al alumno datos necesarios sobre la ubicación temporal: momento del día en el que se da la conversación (presente) y momento sobre el que están hablando (pasado).

1. pasadas; 2. terminadas; 3. presente; 4. compuesto.

1.3. Si lo cree pertinente, comience la actividad con la lectura de los dos primeros puntos del cuadro gramatical y revise las respuestas del ejercicio 1.2. Eso le permitirá focalizar primero la atención en el uso del pretérito perfecto. Una vez hecho esto, retome el cuadro e indique que lo completen y que terminen la lectura.

1. haber; Presente de *haber*: 1. he; 2. has; 3. hemos; 4. habéis.

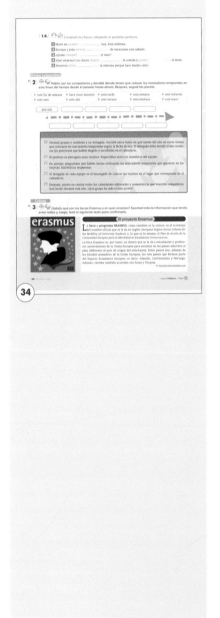

1.4. A continuación se presenta una actividad para trabajar la forma. Indique a los estudiantes que completen el ejercicio y que subrayen al mismo tiempo los marcadores temporales que encuentren. Pídales que razonen la relación que tiene cada uno con el presente y, en caso de que no haya marcadores en la frase, que propongan uno acorde con el contexto.

1. ha comido; 2. han vuelto; 3. ha roto; 4. han hecho, han puesto; 5. hemos abierto.

Después de la corrección, puede llevar a cabo algún tipo de dinámica para practicar los contenidos vistos hasta el momento. Le proponemos dos actividades lúdicas a modo de ejemplos. En primer lugar, pida un voluntario para que salga a la pizarra y, mediante mímica, escenifique una acción que haya hecho esta semana. El resto de compañeros deberá adivinar lo que ha hecho. Otra opción es que divida la clase en dos grupos (A y B) y pídales que cada miembro del grupo elija un verbo y un marcador temporal de pretérito perfecto diferente. Cada miembro del grupo A escribirá estas palabras en la pizarra en la columna del grupo B, y viceversa. Explíqueles que, a modo de competición, cada grupo va a tener que formar el mayor número de frases con los verbos y marcadores temporales que han elegido el otro grupo. Dele tres minutos de tiempo para el desarrollo de esta competición.

Puede continuar la práctica del pretérito perfecto con los ejercicios 1, 2 y 3 de la unidad 3 del *Libro de ejercicios*.

>2 Mediante este ejercicio el alumno aprenderá algunos marcadores temporales de pretérito perfecto. La ordenación en la línea temporal le permitirá trabajar con los nuevos conectores, prestando atención a su significado. Si lo considera conveniente, indique que tomen como referencia el momento en el que están para realizar el ejercicio.

La respuesta dependerá del momento en el que se haga el ejercicio. Posible respuesta: este año; este invierno; este verano; este mes; esta semana; este fin de semana; este lunes; esta mañana; esta tarde; hace cinco minutos.

Además de los marcadores temporales, esta actividad introduce el trabajo cooperativo en equipo dentro de la unidad. Los estudiantes, por grupos, van a elaborar su propio calendario. Mientras desarrollan la tarea, podrán expresar y compartir actividades y experiencias recientes de su vida, al mismo tiempo que ponen en práctica los contenidos trabajados. Recomendamos que en la pregunta del punto 5 (*¿Qué grupo ha sido el más activo?*) proponga un debate en el que deban argumentar la elección y llegar a un acuerdo final.

Ficha 5. Marcadores temporales de pretérito perfecto.

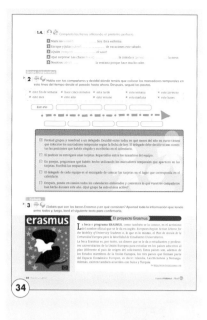

> **3** Comente a sus estudiantes que en la actividad 3.1. van a leer un blog que una estudiante Erasmus en Francia ha escrito a sus amigos. Pregunte si conocen qué son las becas Erasmus. Invítelos a que compartan sus conocimientos previos y a que lean un texto informativo sobre este programa para comprobar sus hipótesis. Preste atención a lo que saben sus estudiantes al respecto, así como también al interés que el tema les suscita.

ELEteca
6. El programa Erasmus.

· ·

3.1. Antes de empezar la lectura, puede proponer que, por parejas, prevean las actividades que una estudiante de Erasmus puede haber hecho a lo largo de un día. Este ejercicio de interacción oral les servirá, además, como práctica libre sobre la expresión en pasado de actividades cotidianas.

Pregúnteles y, si es necesario, aclare el significado de la frase que da título al blog y que tiene un matiz irónico: *¿(Y) se puede saber...?* Esta implica a menudo connotaciones negativas: los hablantes suelen usar esta fórmula para interrogar o culpar a alguien en relación con acciones o hechos que se consideran no deseables (por ejemplo: *¿(Y) se puede saber qué haces aquí tan tarde?*, *¿(Y) se puede saber quién ha roto el vaso?*, etc.).

me he quedado dormida; he tenido que ducharme y desayunar a toda prisa; he comido con los niños y la *nunú*; hemos tenido una invitada; he conseguido comunicarme con Cristal; hemos hablado; hemos perdido el autobús; no hemos podido entrar en clase; hemos tomado un cafecito; He montado en el *Tram*, he conocido a dos españoles.

En el texto, la joven usa expresiones propias de la lengua oral que pueden resultar difíciles de entender (*Vaya, ¡qué digo!, ¡Mal empezamos!, Aviso para navegantes*). Si lo desea, amplíe el trabajo de comprensión lectora centrándose en este aspecto del habla informal y anime a que usen estas y otras expresiones en el ejercicio de expresión escrita de 3.2.

3.2. Como puede observar, en la parte inferior de la actividad aparece un cuadro de atención para la planificación y elaboración de un texto escrito. Si quiere dar énfasis a este aspecto de la tarea, pida que en primera instancia se dediquen únicamente a la elaboración del esquema. A continuación, indique a los miembros de dos grupos distintos que comenten el modo en que han planificado el texto y que comparen el esquema elaborado.

Otra posible dinámica es pedir que elaboren un esquema de contenidos con la consigna de que deberán entregarlo posteriormente a otra pareja y de que será esta la que llevará a cabo la redacción.

La actividad puede ampliarse con una tarea fuera del horario escolar. Anímelos a que expliquen sus experiencias a modo de diario, siguiendo el ejemplo de la actividad 3.1. Sugiérales que inventen un título para su blog y que trasladen allí sus experiencias reales o ficticias. Para realizar la actividad le sugerimos el uso de http://www.blogger.com o de la página para la creación de blogs que usted prefiera.

- -

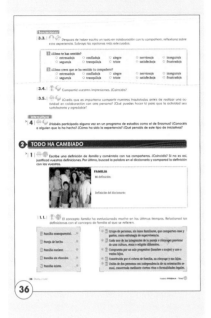

3.3. y **3.4.** Con estas actividades damos espacio al alumno para que tome conciencia y trabaje sobre las propias emociones con respecto al trabajo con los compañeros (trabajo colaborativo). Esto no solo puede ayudarle a potenciar las habilidades en tareas de cooperación, sino también a mejorar la relación con otros estudiantes de la clase.

3.5. El componente afectivo influye sobre el modo de enfrentarse al aprendizaje del español y a cualquier tarea que debamos llevar a cabo. Compartir inquietudes antes de realizar la tarea puede ayudar a crear vínculos de confianza que favorezcan tanto al desarrollo de la actividad como a las relaciones entre los alumnos. Un intercambio positivo de sensaciones puede, entre otros, generar confianza entre los compañeros, reducir el estrés ante la tarea o suscitar interés por resolverla.

>4 Finalice el epígrafe retomando la cuestión del programa Erasmus y plantee una serie de preguntas a través de las cuales el alumno pueda aportar libremente sus opiniones y experiencias al respecto. Si lo considera adecuado, reserve la última pregunta (*¿Qué pensáis de este tipo de iniciativas?*) para una discusión en parejas y una posterior puesta en común. De este modo los estudiantes podrán reflexionar previamente y aportar sus opiniones con mayor fundamento.

2 ▸ TODO HA CAMBIADO   36

Este epígrafe se centra en el aspecto cultural de cómo ha evolucionado el sistema tradicional de familia en la cultura española. Enmarcados en esta cuestión, se tratan también el léxico relacionado con los tipos de familia, la expresión de acciones pasadas en las que no interesa marcar el tiempo (información atemporal) y el empleo de estrategias para llevar a cabo una exposición oral.

>1 Como tarea previa, comience el epígrafe preguntando a los estudiantes qué cosas han cambiado en la sociedad actual y anótelas en la pizarra. Se espera que también hablen de la familia hoy día. Si no es así, propóngalo usted.

La primera actividad del epígrafe plantea una reflexión acerca del concepto de *familia* y, al mismo tiempo, un ejercicio fundamentalmente lingüístico en torno a la definición de palabras. La lectura y escritura de definiciones, y la reflexión sobre su idoneidad, constituirán la base para la contextualización del tema central de este epígrafe.

Le recomendamos que la comparación de definiciones se lleve a cabo por parejas o en grupos reducidos y que luego cada grupo exponga la definición definitiva. Pídales, además, que expliquen y argumenten los cambios que han realizado en las definiciones originales.

Posible respuesta. Familia: conjunto de personas que tienen una relación familiar entre sí.

1.1. Esta es una actividad preparatoria para la lectura del artículo del ejercicio 1.2.

Puede enlazar este punto con el anterior preguntando si consideran que hay diferentes tipos de familia y pidiendo que aporten ejemplos. De este modo, podrá obtener información acerca de cómo la conciben ellos y del interés que les suscita la cuestión. Aclare que en la actividad aparecen tipos de familia existentes en la sociedad española en particular, y que la corrección la realizarán después de leer el texto de 1.2.

1. c; 2. e; 3. d; 4. a; 5. b.

1.2. Para la lectura del texto, pida que intenten extraer las ideas generales y que traten de deducir el significado de las palabras desconocidas por el contexto. Una vez hecho esto, indique que comprueben las respuestas de 1.1. con la información del texto y haga una corrección en grupo abierto.

Al terminar la corrección hágales preguntas para que expresen libremente sus opiniones y conocimientos en relación con el tema del tipo: *¿Habéis conocido alguna familia española?, ¿En cuál de los cinco tipos se puede incluir?, ¿Crees que hay alguno de esos tipos que es mejor que otro?, ¿Por qué?*, etc.

Como actividad extra y a modo de conclusión de estas primeras actividades del epígrafe, proponga que discutan cuáles de los tipos de familia podrían incluirse en la definición que dieron en el punto 1 y cuáles no. Una vez hecho esto, pregúnteles si consideran que sus definiciones son completas y si se corresponden con la realidad española.

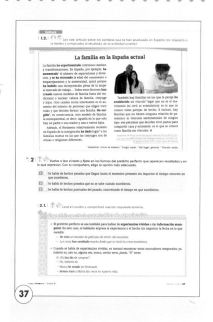

>**2** En esta actividad se retoma el texto anterior para que los estudiantes induzcan otro uso del pretérito perfecto. Corrija esta actividad mediante la lectura del cuadro de 2.1.

1.

2.1. Tenga en cuenta que el uso del pretérito perfecto descrito aquí es válido para preguntar y para hacer referencia a experiencias, pero no para narrar lo sucedido en el transcurso de una experiencia en concreto. Si el hablante tiene que relatar los acontecimientos de una experiencia, deberá elegir entre el uso del pretérito indefinido o del perfecto, según el momento en el que esta se produjo:

Ejemplo1: ● *¿Qué ha pasado?*
　　　　　○ *Pues que ayer **salí** con unos amigos, **me acosté** muy tarde, y ahora estoy muy cansado…*

Ejemplo 2: ● *¿Qué ha pasado?*
　　　　　○ *Pues que me **he levantado** temprano y ahora estoy muy cansado…*

Si lo cree oportuno, advierta a sus alumnos de los límites del uso del pretérito perfecto para hablar de experiencias. Eso evitará que lo estudiado les induzca a error.

Para practicar la conjugación de las formas regulares e irregulares del pretérito perfecto, proponga los ejercicios 4 a 7 de la unidad 3 del *Libro de ejercicios*.

>**3** Esta tarea, con la que concluye el epígrafe, consta de tres partes. La primera (*Preparación*) constituye un trabajo individual de planificación del discurso. Para los dos primeros puntos, recuérdeles el trabajo que hicieron en la proyección 2 de la Unidad 1. Para el tercer punto, remita a los estudiantes al texto que leyeron en 1.2. e indíqueles que extraigan de allí las palabras o expresiones que puedan serles útiles en la exposición.

La segunda parte de la actividad consiste en la exposición del tema. Le recomendamos que deje tiempo a los estudiantes para poner en práctica los diferentes consejos que aparecen en la actividad bajo el apartado *La exposición*. Se trata de estrategias que pueden ayudarles ahora y en adelante a realizar un discurso en público. Antes de empezar con las presentaciones, puede ofrecerles la ficha 6, y comentar en grupo abierto los diferentes criterios de valoración que incluye. Esto les permitirá tomar conciencia de los aspectos sobre los que van a ser evaluados.

La última parte, que se reserva para la actividad 3.1., consiste en la valoración de las exposiciones.

Ficha 6. Ficha de evaluación de una exposición oral.

3.1. El alumno adopta ahora el papel de evaluador y debe trasladar su crítica al resto de compañeros. Le recomendamos que, antes de dar por terminada la actividad, dé espacio a una reflexión sobre las estrategias para emitir un discurso. Proponga una reflexión en parejas sobre las estrategias que les hayan resultado más útiles y sobre posibles formas de actuación en futuras exposiciones.

Como actividad extra al final de este epígrafe, puede utilizar la proyección 5.

Proyección 5. Tu amor en un clic.

Esta proyección está pensada como una reflexión en torno a las relaciones de pareja, a modo de continuidad de lo visto hasta ahora con respecto a la familia. A través de esta actividad el alumno tendrá la oportunidad de hablar sobre experiencias pasadas y trabajará, asimismo, el vocabulario relacionado con la familia y las relaciones de pareja.

Dinámica. Proyecte las actividades 1 y 2, e inicie una reflexión alrededor del concepto de *pareja*, según las indicaciones del primer enunciado. Empiece con una discusión por parejas y luego prosiga el debate en grupo abierto. A continuación, dé paso a la actividad 2. Asegúrese de que los alumnos disponen de diccionarios suficientes para poder comparar sus definiciones. Una vez hechas las modificaciones pertinentes, pida que lean las versiones definitivas. Proyecte, seguidamente, el cuestionario de 3 y pregunte, antes de empezar, si saben qué es un formulario de registro. Cuando se haya aclarado el concepto, los alumnos deberán preguntarse por parejas y anotar las respuestas que reciban por parte del compañero. Finalmente, proyecte los enunciados de 4 y 5 y proponga la discusión y el debate a partir de las preguntas que aparecen en ambos.

El tema central sobre el que trata este epígrafe son los sucesos, y más especialmente los robos. El estudiante trabajará el vocabulario relacionado con este tema, profundizará en la expresión de acciones ocurridas en un pasado reciente, y aprenderá el uso de los pronombres de objeto directo y objeto indirecto.

> **1** En este primer punto se contextualiza el tema central del epígrafe a partir de tres fotografías. Pida que identifiquen el contenido de las imágenes para enlazar esta actividad con el punto 1.1., que servirá para verificar las hipótesis sobre dicho contenido.

Si lo cree conveniente, proponga una lluvia de ideas relacionada con las fotos y con el tema de los robos: *robar, crimen, entrar en casa de alguien, ladrón, cómplice, testigo, alarma, conectar/desconectar la alarma, llamar/avisar a la policía, caja fuerte, joyas, cosas de valor, denunciar un crimen, tomar las huellas, pasar/tener miedo*, etc. Tenga en cuenta que el vocabulario que trabaje con el grupo puede servir de apoyo para las actividades siguientes, especialmente las de comprensión auditiva de 1.2. y de expresión escrita de 1.4.

Un robo.

1.1. 1. c; 2. a; 3. d; 4. b.

1.2. Dé la consigna a sus alumnos de que, en la primera escucha, se concentren en comprobar las respuestas de 1.1. Una vez las hayan corregido, indique que escuchen la audición fijándose en los aspectos generales para poder reconstruir lo sucedido en el crimen.

|15|

● Yo creo que han entrado por la puerta. Han hecho un agujero, han roto la cerradura y han entrado a robar.

○ ¿Habéis llamado a la policía?

● Sí, han venido esta mañana.

○ ¿Y qué han hecho?

● Han entrado en la casa y han visto que los ladrones han desconectado la alarma y han revuelto todo, buscando las cosas de valor.

○ ¿Y qué? ¿Han robado algo?

● Parece que sí, que han abierto la caja fuerte y se han llevado el dinero y las joyas.

○ ¿Han avisado a los Hernández?

● Sí, mira, ya están aquí. ¡Luisa! ¡Luisa!

Posible resumen: Los ladrones han entrado en la casa haciendo un agujero en la puerta y rompiendo la cerradura. La policía ha entrado esta mañana en la casa y ha visto que los ladrones han desconectado la alarma y que han revuelto todo, buscando cosas de valor. Parece que han abierto la caja fuerte y se han llevado el dinero y las joyas.

1.3. Esta última escucha de la conversación entre los vecinos sirve para que los estudiantes identifiquen algunas de las formas irregulares del pretérito perfecto.

Recuérdeles que en el punto 1.3. del primer epígrafe disponen de la mayoría de participios irregulares y que pueden ampliar la lista con los verbos de esta actividad.

1. abierto; 2. hecho; 3. visto; 4. roto; 5. revuelto.

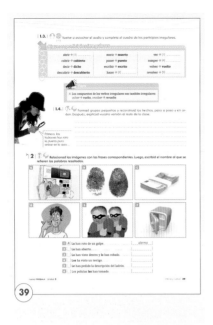

1.4. El alumno parte de los hechos que conoce sobre el robo para relatar de forma libre y con detalle lo ocurrido. Puesto que conocen los hechos más relevantes del crimen, anímelos a usar la imaginación para ampliar la historia.

En la segunda parte de la actividad, cuando los estudiantes expliquen sus relatos, le recomendamos potenciar la escucha activa por parte de los compañeros oyentes, mediante algún tipo de dinámica. Por ejemplo, dígales que los alumnos que cuentan el relato son testigos de lo sucedido y que ellos son policías que investigan el robo. Pídales que escuchen con atención para realizar luego una pregunta que les ayude a esclarecer lo ocurrido. Cuando todos los grupos hayan terminado su exposición, cada alumno comentará cuál de las versiones cree que es la más verídica.

>2 En esta actividad se presentan una serie de enunciados relacionados con el crimen que ha servido de hilo conductor en este epígrafe. Si lo considera oportuno, indíqueles que se tratan de frases extraídas del informe policial. Se presentan aquí los pronombres de objeto directo y de objeto indirecto atendiendo a su forma y a su significado.

2. F, caja fuerte; 3. C, dinero; 4. E, ladrones; 5. D, testigo; 6. B, huellas.

2.1. Esta es una actividad de presentación explícita de los pronombres que los alumnos deben completar con la ayuda del ejercicio anterior. Si lo considera necesario, aclare previamente el concepto de objeto, para evitar que los alumnos lo confundan con el sujeto oracional.

1. la; 2. los; 3. las; 4. le.

2.2. 1. Los hemos comprado; 2. Cómpralos, tómalo; 3. La tengo; 4. ¿Le has mentido?; 5. Les estoy escribiendo; 6. La voy a ver/Voy a verla.

Antes de continuar, le sugerimos que realice alguna dinámica para que los alumnos practiquen el uso de los pronombres. Le proponemos la siguiente actividad: explique que el grupo va a dividirse en ladrones, testigos y víctimas. Un grupo reducido de estudiantes, por ejemplo dos o tres, va a actuar como ladrones. El resto de compañeros de clase permanece en su sitio, pero los que hacen de víctimas estarán con los ojos cerrados. Los alumnos que hacen de ladrones se levantarán y cogerán al menos un objeto que pertenezca a los que hacen de víctimas. A medida que cojan los objetos, los irán colocando en un punto de la clase previamente determinado; por ejemplo, en la mesa del profesor. Una vez los ladrones hayan terminado de colocar los objetos, se pedirá a las víctimas que abran los ojos y se les indicará que tienen que descubrir al autor del robo y el objeto robado, preguntando a los testigos. Para finalizar, hágales preguntas del tipo: *¿Quién te ha robado el/la...?*, *¿El/La..., quién te lo ha quitado?*, etc., y pida que expliquen el porqué de sus suposiciones. Si lo desea, indique que la devolución de los objetos personales se haga también mediante enunciados como: *¿Puedes devolvérmelo/a?* o *Devuélvemelo/la, por favor*, etc.

Puede continuar la práctica con los ejercicios 8 a 10 de la unidad 3 del *Libro de ejercicios*.

>3 Esta es una actividad de comprensión lectora enmarcada en el tema central del epígrafe, los sucesos, y constituye asimismo la introducción para las próximas cuatro actividades.

Para enlazar esta actividad con las anteriores, pregunte si conocen otros tipos de delito, aparte de los robos, como por ejemplo: asesinato, estafa, amenaza, agresión, fuga o vandalismo. Comente que van a leer una noticia, donde se recoge el titular y un extracto de la declaración de uno de los testigos. Luego dé comienzo a la actividad siguiendo las indicaciones del enunciado.

1. Sobre las catorce horas; 2. Veinte minutos; 3. Nadie; 4. La asfixia.

3.1. Esta actividad es un ejercicio de comprensión lectora y al mismo tiempo un refuerzo del uso del pretérito perfecto. Además, va a servir como paso previo para el ejercicio oral de 3.3.

se ha levantado; Se ha llevado; he visto; he oído; ha estado; he visto; han robado.

3.2. En la primera audición corrija la actividad anterior. A continuación, pídales que, sin leer las declaraciones, escuchen a las cuatro personas y que consideren si están diciendo o no la verdad. Indíqueles que pueden tomar notas acerca de las conclusiones que saquen de cada testigo. Si lo cree oportuno, deje un tiempo entre cada declaración para que puedan escribir las anotaciones.

| 16 |

Esta mañana, como todos los días, se ha levantado pronto y ha salido hacia su oficina a las siete de la mañana. Se ha llevado un bocadillo y una bolsa de maíces tostados.

No he visto ni he oído nada extraño. Lo normal: todos los días, a la hora de comer, se oye al señor Pérez diciendo varias veces: "¡Kiko!", y su loro responde: "¡Mío!".

Creo que el señor Pérez ha estado toda la mañana en su despacho. Lo he visto sobre las ocho.

No falta nada en el despacho y la puerta está cerrada. No han robado nada.

3.3. En este ejercicio de expresión oral, anime a sus estudiantes a poner en práctica tanto los marcadores del discurso que aparecen en el cuadro de atención del *Libro del alumno*, como los contenidos vistos a lo largo del epígrafe.

Si lo considera necesario, introduzca un ejercicio previo de práctica de los marcadores discursivos. Pídales, por ejemplo, que escriban una frase para cada tipo de marcador que se refiera a los testigos del crimen. Por ejemplo: *Seguro que la mujer del señor Pérez no es la asesina porque solo lo ha visto por la mañana y, **además**, no ha salido de casa en todo el día* (para añadir información); ***Aunque** el vecino de la oficina de al lado dice que no ha visto ni oído nada, su declaración parece muy sospechosa* (para contrargumentar); *El portero ha tenido que estar toda la mañana en la portería, **en consecuencia** creemos que no ha sido él el asesino* (para expresar consecuencia); *Seguro que no ha sido ella, **ya que** los policías han llegado al lugar del crimen después de la llamada de los vecinos* (para justificar).

A continuación, proponga la realización del ejercicio 11 de la unidad 3 del *Libro de ejercicios* para que los alumnos sigan practicando los marcadores del discurso.

3.4. Con este ejercicio se concluye la serie de actividades que se inició en el punto 3. Se trata de una comprensión lectora con la que los estudiantes tendrán respuesta a las hipótesis que propusieron en la actividad anterior. Por otro lado, se propone una práctica libre de uso de los pronombres de objeto directo e indirecto.

Corrija la actividad con una puesta en común en la que los alumnos puedan justificar sus respuestas y razonar tanto el uso de los pronombres como la necesidad o no de explicitar los elementos que se repiten a lo largo del texto.

Posibles respuestas. La autopsia ha revelado que el Sr. Pérez ha muerto a causa de un maíz tostado. Al comerlo se ha atragantado. Al llegar al despacho, como cada día, el señor Pérez ha abierto el balcón, ha cogido la jaula de su loro Kiko y lo ha sacado al balcón. A las 14:00 horas, después de

trabajar toda la mañana, ha hecho un descanso para comer un bocadillo. Después de comerlo, como todos los días, ha jugado con su loro.

El señor Pérez le muestra un maíz tostado. Kiko lo mira. El señor Pérez le dice: "¡Kiko!" y su loro responde: "¡Mío!". Entonces el señor Pérez se lo da, lanzándolo al aire. Después, lanza otro maíz y lo coge con la boca al vuelo. Esta mañana el señor Pérez ha lanzado un maíz y lo ha cogido al aire, pero se ha atragantado. El pobre ha muerto ahogado. Ha intentado llamar por el móvil y ha pedido ayuda a su loro. Ha repetido: "¡Kiko!, ¡Kiko!". Y su loro ha contestado todo el tiempo: "¡Mío!, ¡mío!". Ha sido una muerte accidental.

Si quiere realizar una práctica extra, puede utilizar la proyección 6.

Proyección 6. ¡Policía, policía, ayuda!

Con esta proyección se pretende que los estudiantes inventen un posible suceso y que a partir de este creen un hipotético diálogo en una comisaría de policía. Esta actividad constituye una práctica oral y escrita en la que se requiere el empleo del pretérito perfecto y de los pronombres, así como de vocabulario del campo léxico de los sucesos.

Dinámica. La actividad consta de dos fases. En la primera, proyecte las imágenes e infórmeles de que se trata de instantáneas sacadas en el transcurso de un suceso. Pídales que por parejas, o en grupos reducidos, imaginen lo que ha ocurrido y puntualice que, para ello, solamente pueden prescindir de una de las imágenes. Anímelos a ser creativos y aclare que no existe una única versión o una versión correcta.

En la segunda fase de la actividad, deberán imaginar que un miembro de la pareja es la víctima del suceso inventado, y que el otro es un policía. Explíqueles que la víctima se ha dirigido a la comisaría de policía y que va a denunciar lo ocurrido. Teniendo esto en cuenta, cada pareja recreará la situación escribiendo un diálogo en el que consten todos los elementos a los que se han referido en la primera fase de la actividad. Para terminar, haga que lean o representen los diálogos.

Si lo desea, y para darle mayor naturalidad e improvisación a los diálogos, puede asignar un papel sorpresa a un estudiante de otro grupo para que salga mientras sus compañeros estén representando esta situación. Este personaje sorpresa será el de un testigo que va a contradecir la versión de la víctima.

>**4** Esta actividad presenta cuestiones de reflexión sobre el aprendizaje relacionadas con los contenidos de este epígrafe y con el modo de trabajarlos. Es importante generar un clima adecuado para que el alumno se exprese con libertad y confianza. Recuerde, además, la utilidad de recabar información sobre las impresiones, sensaciones y opiniones respecto a las clases, respondiendo en la mayor medida posible a las necesidades de los estudiantes.

El trabajo sobre fonética de esta unidad está dedicado a la pronunciación de las vibrantes simple /ɾ/ y múltiple /r/.

> **1** La actividad que abre el epígrafe se centra en el reconocimiento de ambos fonemas cuando aparecen entre vocales. Asegúrese de que los alumnos son capaces de diferenciar el uno del otro.

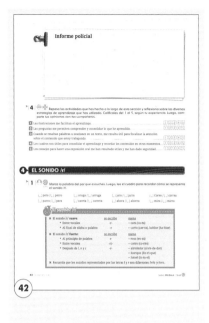

A continuación, le sugerimos que lleve a cabo una lectura conjunta del cuadro. Encárguese de leer usted mismo los ejemplos y dé la oportunidad de que ellos reproduzcan los sonidos. Si sus alumnos tienen problemas para distinguir estos sonidos, le recomendamos acceder a la siguiente página: http://www.uiowa.edu/~acadtech/phonetics/spanish/frameset.html. En ella encontrará representados el modo y el punto de articulación de todos los sonidos del español. Se pueden ver y escuchar, mediante una ilustración animada del aparato fonador, qué órganos intervienen y cómo se colocan en la pronunciación de cada sonido.

Estos fonemas pueden llegar a confundirse con otros de articulación cercana como /l/ o /ð/. Si ese es el caso de sus alumnos, amplíe el trabajo de reconocimiento y producción con pares de palabras como *pala/para*, en el primer caso, o *cada/cara*, en el segundo.

| 17 | Pero, parra, oruga, carreta, jara, ahora, correa, mirra.

pero, parra, oruga, carreta, jara, ahora, correa, mirra.

· ·

> **2** Después de la primera escucha, vuelva a poner la audición. Pida a los estudiantes que repitan las palabras después de escucharlas y que se fijen en el lugar que ocupa la letra *r* y en la combinación de esta con otras consonantes.

| 18 | Clon, sigla, cero, limón, fruta, plaza, rusa, cereza, guerra, alrededor, astur, Enrique.

clon, sigla, cero, limón, fruta, plaza, rusa, cereza, guerra, alrededor, astur, Enrique.

> **3** En este ejercicio el alumno debe reconocer los dos fonemas trabajados y escribir la grafía correspondiente teniendo en cuenta la posición que ocupan dentro de la palabra y las letras que las acompañan.

En caso de querer proseguir con la práctica de la pronunciación del sonido /r/, le recomendamos que recurra a textos orales con transcripciones, como los que puede encontrar en este manual.

Una alternativa más lúdica o motivadora puede ser ofrecer trabalenguas o poemas en los que predomine el uso de la consonante *r*, como por ejemplo: *Margarita amarra un amargo amor para Morgana* y *Mario oye resonar el murmullo del mar marciano un martes de marzo.*

Paciente: Hola, buenas tardes. ¿Puedo pasar? Vengo a recoger mis análisis.

| 19 | **Médico:** Hola, Enrique. Sí, pasa, pasa... ¿qué tal estás?

Paciente: Bueno... Sigo con molestias.

Médico: Mira, te comento. Te ha subido bastante el colesterol. Tienes que empezar una dieta lo antes posible. Te voy a dar un modelo, a ver cómo te va, probamos un mes y vuelves a mi consulta.
Para el desayuno, tienes que tomar una rebanada de pan con mermelada y un café.

Para la comida, una ensalada de berros o un plato de cardo con almendras y pollo a la plancha. De postre, puedes tomar un zumo de naranja o fresas. La merienda también es importante. Puedes tomar, por ejemplo, un yogur de frutas del bosque.

En la cena puedes elegir entre estas tres opciones: dorada con espárragos y arroz blanco, calamares a la romana con verduras al horno o merluza a la plancha con coliflor o repollo.

Paciente: De acuerdo, muchas gracias, doctor. Hasta dentro de un mes.

rebanada, mermelada, berros, cardo, almendras, naranja, fresas, Yogur, frutas, Dorada, espárragos, arroz, calamares, romana, verduras, horno, merluza, coliflor, repollo.

Después de la actividad 3, proponga la realización de los ejercicios 12 y 13 de la unidad 3 del *Libro de ejercicios*.

>> ¿QUÉ HE APRENDIDO? 43

En este epígrafe el alumno va a evaluar el alcance de su aprendizaje en torno al estudio del pretérito perfecto y de los pronombres de objeto directo e indirecto. Además, va a reflexionar sobre las estrategias para la corrección de errores en el uso del vocabulario.

> **1** El pretérito perfecto se forma con el verbo *haber* en presente y el participio del verbo principal.

> **2** Posibles respuestas. Participio regulares: jugado, tenido, salido; Participios irregulares: roto, visto, abierto.

> **3** Posibles respuestas. Este año, este mes, este fin de semana.

> **4** Posibles respuestas. Alguna vez, nunca, ya.

> **5** 1. e; 2. d; 3. a; 4. f; 5. b; 6. c.

> **7** Después de elegir las estrategias que han usado, puede recomendar a sus alumnos que elijan al menos una de las que consideren útiles y que no hayan utilizado o no utilicen habitualmente. Tenga en cuenta que este apartado es un espacio en el que la reflexión y la evaluación personales no son supervisados o valorados por el profesor.

ELEteca
COMUNICACIÓN. ¿Qué ha pasado?
GRAMÁTICA. Los pronombres de objeto.
LÉXICO. Los jóvenes y el tiempo libre.

ELEteca
¡Qué susto!

4 TODA UNA VIDA

En esta unidad el alumno aprenderá a relatar momentos importantes en la vida de una persona, así como a hablar de las experiencias vividas hasta el momento presente. Para ello se introducen el contraste en el uso del pretérito indefinido y el pretérito perfecto y los marcadores que permiten relacionar temporalmente acciones del pasado. Estos contenidos se trabajan a través de los tres grandes ejes temáticos que articulan la unidad: la historia y la arquitectura, la biografía y el mundo laboral. A nivel estratégico, se aprenderá a elaborar un currículum vítae y a redactar una carta de presentación para poder solicitar un empleo. En lo que se refiere al contenido cultural, el alumno conocerá la vida y obra del arquitecto Antoni Gaudí, estudiará la arquitectura hispanomusulmana y profundizará en la comunicación no verbal dentro de la entrevista de trabajo. El aspecto fonético se centra en la identificación y correcta pronunciación de los fonemas /p/ y /b/.

1 ¡VAYA HISTORIA! 44

En este epígrafe los alumnos conocerán las construcciones más emblemáticas de la época musulmana en España y del arquitecto catalán Antoni Gaudí, y estudiarán el léxico relacionado con la historia y la arquitectura. También aprenderán a narrar momentos importantes en la vida de una persona, así como a relacionar acciones ocurridas en el pasado. Finalmente, se introduce el grupo de verbos irregulares en pretérito indefinido que tienen un cambio vocálico en la tercera persona del singular y del plural.

> 1 Esta primera secuencia de actividades está pensada para que los alumnos se familiaricen con algunas estructuras lingüísticas que le permitirán relatar hechos importantes de la historia.

Tal y como aparece en el epígrafe, pida a los alumnos que, por parejas, intenten relacionar las imágenes con los nombres de las obras arquitectónicas. Si tiene conexión a Internet, propóngales que encuentren la respuesta correcta en la Red.

Como alternativa a esta dinámica, solicite a los estudiantes que observen las imágenes de forma previa a la lectura del enunciado y que, por parejas, hagan hipótesis sobre estas construcciones: dónde pueden estar, de qué época deben de ser, bajo qué cultura se han construido y qué parecido encuentran entre ellas. Haga una puesta en común sobre las conclusiones obtenidas.

A. 4; C. 1; D. 3; E. 2. El monumento intruso es B (Acueducto de Segovia, construido en época romana durante los siglos I y II d.C.).

ELEteca
7. La arquitectura hispanomusulmana.

1.1. Esta tarea, planteada como preactividad a la comprensión lectora de 1.2., tiene como objetivo la presentación de léxico relacionado con la arquitectura y sus funciones.

Una vez resuelta la actividad, diga a los estudiantes que, por parejas, piensen si las edificaciones de la actividad anterior pertenecen a algunas de estas tipologías. Los alumnos confirmarán o rectificarán sus suposiciones tras la lectura del texto de la actividad 1.2.

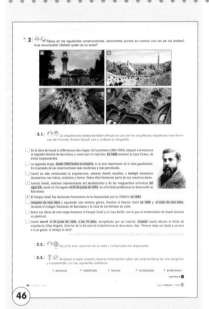

Para terminar, pregunte a sus alumnos si existen estos arquetipos arquitectónicos en sus ciudades de origen y si tienen similitud con los de las imágenes estudiadas.

1. c; 2. b; 3. e; 4. d; 5. a.

1.2. Si desea profundizar en el contenido histórico y artístico de la actividad, proponga como tarea de casa que cada alumno elabore una ficha sobre uno de estos edificios o de uno de los más emblemáticos de su país de origen, en la que hable de la época o periodo artístico en el que se enmarca la construcción y de los rasgos que lo caracterizan.

1. Mezquita de Córdoba; 2. Giralda de Sevilla; 3. Alhambra de Granada; 4. Torre de San Martín.

A continuación, pida a los alumnos que lean el cuadro de atención, que se centra en el sistema de numeración romana. Dado que no existe en todas las culturas, puede hacer las aclaraciones al respecto que crea pertinentes.

i+ ELEteca
8. La numeración romana.

1.3. Lleve a cabo una puesta en común en la que los alumnos compartan las posibles influencias que otros pueblos hayan ejercido sobre la cultura de sus países.

>2 Con esta actividad se inicia una secuencia de actividades cuyo objetivo final será la redacción de una biografía. Las imágenes de las obras de Gaudí servirán para introducir el modelo de biografía que trabajarán a continuación.

Pídales que comparen su respuesta con la de los compañeros y que reflexionen sobre el uso que podría darse a esos edificios.

Las imágenes pertenecen a varias de las obras del arquitecto catalán Antoni Gaudí. Su obra muestra una gran influencia de la arquitectura islámica: mosaicos…

Puntos en común con los árabes: mosaicos de cerámica policromada, fragmentos de azulejos recompuestos; A. El Capricho; B. Parque Güell; C. Sagrada Familia; D. Casa Batlló.

i+ ELEteca
9. La obra de Gaudí.

2.1. y **2.2.** Con esta actividad el alumno estudiará el uso del pretérito indefinido en un contexto personalizado, como es el de la biografía.

En la comprensión lectora se estudian aspectos de la biografía, la obra y la figura del arquitecto Antoni Gaudí. Por una parte, el ejercicio es una forma de presentar la tipología textual de la biografía y, asimismo, dicha presentación servirá como preparación para la redacción de una biografía. El texto, además, tiene la función de introducir los verbos irregulares con cambio vocálico en las terceras personas y los marcadores temporales para relacionar acciones pasadas en la vida de alguien.

Después de la actividad, ponga la audición para que comprueben sus respuestas.

 | 20 | Antoni Gaudí nació en Tarragona en 1852, y se considera el máximo representante del modernismo español. Fue un artista total que utilizó en sus obras elementos de las artes decorativas: vidrio, cerámica, hierro…

En su obra se pueden distinguir claramente dos etapas. La primera etapa de su obra se desarrolló desde 1883 hasta 1900. A los treinta y un años empezó a trabajar en la construcción de la Sagrada Familia de Barcelona y, en 1888, terminó la Casa Vicens, que tiene influencia árabe. En 1889 finalizó el Palacio Güell y, al cabo de tres años, concluyó el Colegio Teresiano de Barcelona.

También en ese año terminó la Casa de Los Botines en León.

La segunda etapa, la más personal y productiva de la obra gaudiniana, va de 1900 a 1926. En esta época diseñó el Parque Güell y la Casa Batlló, la cumbre de su obra. Gaudí murió a los 74 años. El Parque Güell fue declarado Patrimonio de la Humanidad por la UNESCO en 1984.

3, 5, 2, 1, 7, 4, 6, 8.

2.3. Este punto profundiza en aspectos de contenido y formales de la biografía, que el alumno necesitará posteriormente para elaborar un texto de este tipo.

1. personal; 2. profesional; 3. tercera; 4. indefinido; 5. terminadas.

2.4. A través de la biografía de Gaudí se presentan algunas irregularidades del pretérito indefinido no trabajadas hasta ahora. Si lo cree necesario, disponga a sus alumnos en parejas para resolver la actividad.

E>I: sentir, mentir, preferir, servir, elegir, corregir, medir, reír; O>U: dormir; VOCAL + E, I > VOCAL + Y: destruir, construir, concluir, oír, poseer, creer, huir.

Como actividad lúdica para practicar esta irregularidad, juegue a "hundir la flota". Pida a sus estudiantes que escriban en sus cuadernos un cuadro similar a este y señalen en él sus tres barcos. En parejas, su compañero debe adivinar dónde los ha colocado, conjugando los verbos.

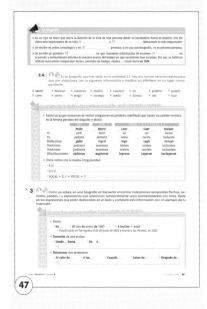

	Yo	Tú	Él/Ella	Nosotros/as	Vosotros/as	Ellos/as
sentir						
creer			🚢			
servir						
morir						🚢
caer						
pedir				🚢		
preferir						
huir						
elegir						
construir						

Para consolidar los conocimientos adquiridos hasta ahora, puede realizar los ejercicios 1, 2 y 3 de la unidad 4 del *Libro de ejercicios*.

>3 Invite a sus estudiantes a colocar en el cuadro las expresiones destacadas en el texto. Aclare especialmente las siguientes estructuras utilizadas para expresar las fechas: *En* + año, mes… y *El* + día + *de* + mes + *de* + año.

Proyección 7. Marcadores temporales de pretérito indefinido.

Proyección de contenido gramatical que presenta los marcadores temporales que habitualmente acompañan al pretérito indefinido.

Dinámica. Tras completar el cuadro gramatical del *Libro del alumno* y con el objetivo de iniciar una reflexión más profunda sobre los nuevos marcadores, proyecte la imagen y haga las explicaciones oportunas.

Como actividad extra, pida a sus alumnos que, en parejas, dibujen una línea cronológica con los años y los hechos más relevantes de su vida. A continuación, su compañero tratará de conectar los hechos y los años de la manera más adecuada.

Para la práctica de los marcadores temporales, puede realizar el ejercicio 4 de la unidad 4 del *Libro de ejercicios.*

>4 Mediante esta actividad el alumno usará todos los recursos aprendidos para elaborar un texto biográfico. Con esta finalidad, retomará el léxico, los marcadores temporales y el conjunto de formas del pretérito indefinido vistos hasta el momento.

Una alternativa a la expuesta en el enunciado es que el alumno incluya varios datos falsos en su redacción. Cuando terminen de elaborarlas, el profesor las recoge y las vuelve a repartir, de manera que cada uno de ellos tenga la biografía o autobiografía de un compañero. A continuación, se lee cada una en voz alta. El resto de alumnos intentará averiguar cuál es la información inventada.

Otra opción para seguir practicando con la biografía es que cada alumno dibuje una estrella y que escriba en cada vértice una fecha que cambió sus vidas de alguna manera. Los compañeros, formularán preguntas con respuesta *sí* o *no* para averiguar qué pasó en esa fecha. También puede realizar la actividad de la proyección 8.

Proyección 8. La historia de nuestras vidas.

Práctica controlada para practicar los verbos de biografía y los conectores de pretérito indefinido.

Dinámica. Pida a sus alumnos que imaginen que estamos en el año 2060. A partir de aquí, harán hipótesis sobre cómo habrá sido la vida de los compañeros. Una vez formuladas las hipótesis, pida a los alumnos que dibujen la imagen de la proyección y dígales que pongan su nombre en el centro de la flor y que recorten su silueta. A continuación, en uno de los pétalos, escribirán su fecha y lugar de nacimiento. Pasarán la hoja al estudiante de su derecha, quien escribirá en el siguiente pétalo, siguiendo las agujas del reloj, otra fecha y acontecimiento importantes en la vida del compañero, y así hasta completar todos los pétalos. Finalmente, y a manera de regalo, el dueño recibirá su biografía, la recogerá y la leerá en voz alta, relacionando las diferentes fechas a través de los conectores adecuados.

Aparte del carácter funcional de la actividad, se pretende potenciar el aspecto afectivo, para que el alumno se sienta emocionalmente comprometido dentro del proceso de enseñanza-aprendizaje. Este proceso favorecerá que se sientan significantes y valorados a nivel personal, y como consecuencia, mejorará la dinámica de grupo.

4.1. Para concluir la biografía que han elaborado, los alumnos utilizarán el pretérito indefinido en su uso de valorar acciones o periodos de manera global y asociarán la biografía a emociones representadas a través de los colores, como en el ejemplo.

Una alternativa es que los alumnos, por parejas, enumeren una lista de colores y al lado escriban el nombre de personajes famosos que vinculan a esos colores. Haga una puesta en común, donde cada pareja razone su respuesta.

4.2. Una variante de esta actividad, es que los alumnos reflexionen sobre su aprendizaje asociando cada destreza del español a un color en relación con su experiencia. De esta manera, el alumno siempre podrá evocar emociones positivas frente a las posibles inseguridades que sienta con respecto a algunas formas del uso de la lengua.

---

② ¿TIENES AGENDA? 49

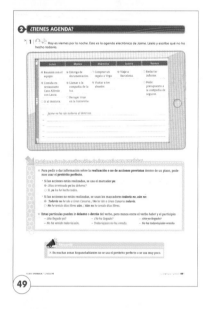

En este epígrafe el alumno retomará la función de hablar de experiencias vividas y de relatar acciones pasadas relacionadas con el momento actual. Con esa finalidad, se repasa el uso del pretérito perfecto y de sus marcadores temporales frente al uso del pretérito indefinido, usado en el español peninsular para hablar de acciones pasadas sin relación con el momento presente.

>1 y **1.1.** A partir de esta actividad y hasta 2.3. el alumno repasará los diferentes usos del pretérito perfecto, ya estudiados en profundidad en la unidad 3. La primera función que se revisa es la de hablar de la realización o no de las acciones previstas, dentro del uso de las experiencias vividas, y el uso de los marcadores *ya*, *aún no*, y *todavía no*.

Comience la actividad haciendo la pregunta del epígrafe y pidiendo que digan qué cosas se suelen apuntan en las agendas. A continuación, pida que resuelvan la actividad.

Todavía no ha recogido el traje en la tintorería; Todavía no ha comprado un regalo a Vega; Todavía no ha redactado el informe; Todavía no ha pedido presupuesto a la compañía de seguros.

Tras el análisis del cuadro de reflexión, advierta a sus estudiantes del uso de estructuras diferentes para expresar esta función: *No* + verbo + *todavía no/aún no* o *Todavía no/aún no* + verbo.

Como actividad extra, vuelva a la agenda y pida a los alumnos que digan las cosas que Jaime ya ha hecho esta semana: *Jaime ya se ha reunido con el equipo; Jaime ya ha comido en el restaurante Casa Alfredo con Laura; Jaime ya ha entregado la documentación; Jaime ya ha llamado a la compañía de la luz; Jaime ya ha visitado a sus abuelos; Jaime ya ha viajado a Barcelona.*

A continuación, divida la clase en pequeños grupos y lleve a cabo la actividad 1.1.

>2 Esta actividad lúdica sirve para introducir otro uso del pretérito perfecto: hablar de experiencias vividas sin importar la fecha en que ocurrió.

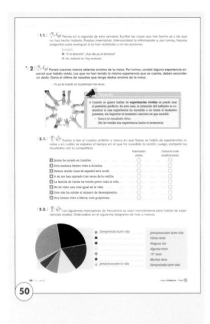

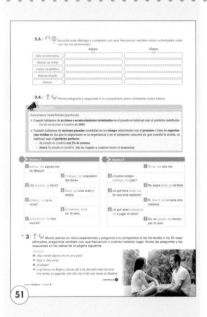

Después de llevar a cabo esta dinámica, lea con ellos el cuadro de atención y haga las explicaciones oportunas.

2.1. Se pretende ahora que los alumnos trabajen el contraste entre los dos usos del pretérito perfecto estudiados: por una parte, el referido a hablar de un pasado reciente, y por otra, el uso concerniente a la realización o no de las acciones previstas y de las experiencias vividas que han visto en la actividad anterior.

Experiencias vividas: 1, 4, 5, 6; Tiempo en el que sucedió la acción: 2, 3, 7, 8.

Puede seguir practicando el léxico relacionado con las actividades propias de los viajes y las expresiones *ya* y *todavía no* con los ejercicios 8 y 9 de la unidad 4 del *Libro de ejercicios*.

2.2. Con esta actividad se revisan los marcadores temporales de pretérito perfecto cuando hablamos de experiencias vividas, unos marcadores que a su vez constituyen las palabras clave de la audición de 2.3., en la que dos personas dialogan sobre experiencias vividas a lo largo de sus vidas.

Siempre/toda la/mi vida; muchas veces; algunas veces; varias veces; "X" veces; ninguna vez; Jamás/nunca/en la vida.

2.3. Si lo cree pertinente, haga que los alumnos trabajen previamente con la información que escucharán en el audio. Para ello, pida que, por parejas, se pregunten si han tenido o no alguna de las experiencias que aparecen en la actividad y, en el caso de haberlas tenido, el número de veces.

| 21 |

Clara: ¿Qué te parece si hacemos este test de la revista Cosmopolitana?

Jaime: Pregunta, venga, aunque ya sabes que no me gustan mucho este tipo de cuestionarios.

Clara: Empiezo… Primera pregunta: ¿Has salido alguna vez en televisión, Jaime?

Jaime: Sí, ya te lo he contado muchas veces. He salido cuatro veces en televisión en entrevistas que me hicieron en la calle. ¿Y tú?

Clara: Todavía no… A ver la segunda. ¿Has plantado un árbol alguna vez?

Jaime: Muchas veces, porque mis padres tienen una casa con jardín. ¿Y tú, Clara?

Clara: No, no he plantado ninguno.

Jaime: ¿Y has cantado alguna vez en público?

Clara: Tres veces, en un karaoke.

Jaime: Pues yo, todavía no. Todavía no he entrado en ninguno… Espera, aquí hay una pregunta para ti: ¿te has teñido el pelo alguna vez? Yo, desde luego que no, jamás.

Clara: Bueno, alguna vez que otra.

Jaime: ¿Alguna vez que otra? ¡Si te pasas la vida cambiando de color!

Clara: Vale, varias veces… Y la última. Esta es muy divertida. ¿Roncas? Yo, algunas veces.

Jaime: Sí, toda mi vida he roncado.

	Jaime	Clara
Salir en televisión	cuatro veces	ninguna vez/nunca
Plantar un árbol	muchas veces	ninguna vez/nunca
Cantar en público	jamás/nunca	tres veces
Teñirse el pelo	jamás/nunca	varias veces
Roncar	toda su vida	algunas veces

2.4. Actividad de interacción oral por parejas que sirve para introducir el contraste entre el pretérito indefinido y el pretérito perfecto, y los diferentes usos asociados a cada tiempo: acciones terminadas en el pasado frente a acciones pasadas relacionadas con el presente y experiencias vividas.

Si lo desea, pida que antes de la producción oral cada estudiante escriba en su tabla las frases con los verbos conjugados.

Alumno A: 1. Has estado; 2. Trabajé; 3. has visitado; 4. He salido; 5. Has hecho; 6. Comencé; 7. Dormiste.

Alumno B: 1. Sí, he estado; 2. trabajaste; 3. he estado; 4. has salido; 5. he hecho; 6. comenzaste; 7. pude.

Finalmente, elija varios voluntarios y hágales las siete preguntas que aparecen en las tablas. De esta forma les está preparando para la siguiente tarea.

Para fijar los conocimientos adquiridos sobre el contraste indefinido/perfecto proponga los ejercicios 5, 6 y 7 de la unidad 4 del *Libro de ejercicios*.

> **3** Con esta actividad de interacción oral, se pretende que los alumnos pongan en práctica el uso del pretérito indefinido y pretérito perfecto de manera guiada.

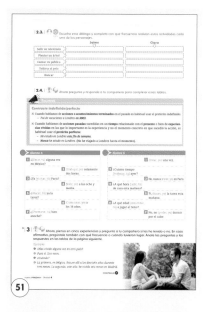

En primer lugar, pida que planifiquen las preguntas que van a hacer. El alumno escribirá las cinco preguntas referidas a experiencias generales en pretérito perfecto e improvisará otras que hagan referencia a datos concretos dentro de cada una de las vivencias en pretérito indefinido. A continuación, tomarán notas a partir de las respuestas del compañero. Haga una puesta en común, y pida a los alumnos que trasladen al resto de la clase la experiencia que les haya interesado o sorprendido más de la vida del compañero y que cuenten los detalles.

Si quiere realizar una práctica extra, utilice la ficha 7.

Ficha 7. El juego de la verdad.

Actividad para reforzar el uso de los marcadores asociados al pretérito perfecto y pretérito indefinido.

Dinámica. Divida a sus alumnos en dos grupos y disponga las tarjetas boca abajo en el centro de su mesa. Por turnos, un miembro de cada grupo tomará una tarjeta con un marcador y usted, a su vez, le enseñará una de las tarjetas con las frases *Di una verdad* o *Di una mentira*. El alumno tendrá que hacer una frase cuyo contenido sea verdadero o falso, según la tarjeta que les haya mostrado usted. Este proceso se repetirá de manera sucesiva con todos los miembros de cada grupo. El ritmo de la actividad ha de ser ágil, así que dígales que tienen quince segundos como máximo para elaborar la frase. El otro grupo decidirá si la frase es verdadera o falsa. Ganará el grupo que consiga más respuestas correctas.

Como su título indica, este epígrafe se centra en el mundo laboral, concretamente en la entrevista de trabajo. Para ello el alumno aprenderá a hablar de su formación académica y experiencia profesional pasadas, alternando los dos tiempos de pasado estudiados hasta el momento. Se trabaja la redacción de ofertas de trabajo, la elaboración de una carta de presentación y del currículum vítae, y los gestos corporales que se analizan en una entrevista, para finalmente realizar un simulacro de entrevista de trabajo.

> **1** A modo de lluvia de ideas, pida a los alumnos que discutan por parejas los pasos necesarios para poder conseguir un trabajo. Tras la puesta en común, lleve a cabo una reflexión en grupo abierto sobre las diferentes formas de localizar ofertas de empleo (páginas web, tablones de anuncios, las oficinas del INEM, agencias de trabajo temporal, etc.). Después, presente a la clase las distintas ofertas de trabajo y pida que expliquen esta elección.

Una alternativa a la sugerida en el enunciado es dividir la clase en dos grandes grupos y que los alumnos decidan qué oferta de trabajo es más conveniente para cada compañero, teniendo en cuenta las aptitudes, habilidades e intereses de cada uno de ellos.

Si usted lo cree necesario, focalice la atención en las estructuras de lengua habituales en ofertas de trabajo que aparecen en los textos (*buscamos, necesitamos, se precisa, se requiere*…) y el vocabulario o expresiones referidas a requisitos (*se valorará, dispuesta a, imprescindible, no es necesaria experiencia*…).

La elección de la oferta de trabajo por parte del alumno determinará el contenido de las actividades subsiguientes: la elaboración de la carta del currículum vitae y la carta de presentación. Por esa razón, como alternativa, pida a los alumnos que piensen en el trabajo que les gustaría tener en el futuro y que redacten una oferta de trabajo conforme a ese empleo. Finalmente, dígales que cuelguen los anuncios en la clase. A través de esta nueva versión, el alumno trabajará siempre orientado a sus intereses y necesidades reales hasta la tarea final: la entrevista de trabajo.

1.1. Tras el análisis de las ofertas y de los pasos necesarios para encontrar trabajo, el alumno se dispondrá a preparar el currículum vitae, a partir de la plantilla que ofrecemos como modelo.

1.2. A continuación, el alumno estudiará la estructura de la carta de presentación, reflexión que le permitirá la elaboración de la suya propia en la actividad 1.3. Indíqueles que busquen la información en el cuadro de atención situado a la izquierda del modelo de carta de presentación que ofrecemos.

Presentación: "Estimados señores… mis conocimientos"; Cuerpo: "Desde que comencé… una copia de mi expediente académico"; Cierre: "Espero tener la oportunidad… su equipo de trabajo".

1.3. A través de esta actividad, el alumno elaborará una carta de presentación como paso previo a la entrevista de trabajo.

Una vez redactada la carta de presentación, indique a los alumnos que, por parejas, corrijan la de su compañero. Para ello, puede pedir a un miembro de la pareja que se ponga en el papel de responsable de Recursos Humanos de una empresa y que decida si realizaría o no una entrevista a su compañero, justificando su decisión.

> **2** Dentro de las experiencias de los alumnos, no se interese solo por el aspecto cultural, sino también por el personal y emocional en un proceso tan duro

como puede ser una entrevista de trabajo. Pregunte si se han sentido cómodos en las que han realizado a lo largo de sus vidas e incítelos a comentar sus puntos débiles y fuertes a la hora de someterse a ellas. El resto de los alumnos puede dar consejos para superar las inseguridades o trabajar estos aspectos negativos desde una perspectiva más optimista.

2.1. 1. e; 2. c; 3. f; 4. b; 5. a; 6. d.

2.2. Si lo considera pertinente, aclare que en la audición se sigue el orden de las frases dadas en la primera columna. A continuación, pida a los alumnos que comparen sus respuestas con las de sus compañeros. Finalmente, haga una puesta en común en la que se reflexione sobre el lenguaje no verbal, enlazando esta actividad con la 2.3., donde se trabaja la entrevista desde un enfoque intercultural.

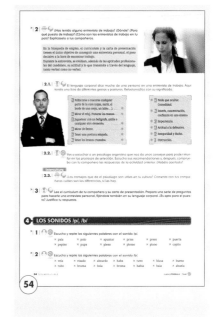

| 22 |

El lenguaje corporal revela muy bien cuál es nuestro estado de ánimo en situaciones de estrés. Una de estas situaciones es, sin duda, cuando estamos en una entrevista de trabajo.

Debe evitar pellizcarse o rascarse cualquier parte de la cara como las cejas, la nariz, el borde de una oreja o morderse el labio, porque esto denota inseguridad y dudas.

Cuidado con frotarse demasiado las manos o mirar el reloj repetidamente: es signo de impaciencia.

Las personas que juguetean con un bolígrafo o con su anillo son personas que están distraídas. Lo contrario de las personas que miran al frente, que demuestran interés, concentración, confianza en sí mismos. Preste atención a este aspecto.

Lo ideal es mantener una postura relajada que deje ver al entrevistador que no tenemos nada que ocultar, que estamos cómodos ante las preguntas, porque los movimientos basculantes del cuerpo demuestran tensión y dudas, y tener los brazos cruzados indica que estamos a la defensiva. Pero, cuidado, una postura demasiado cómoda nos convierte en candidatos arrogantes.

Bueno, estos son solo algunos apuntes. ¡Suerte con su entrevista de trabajo!

2.3. Además de analizar el lenguaje no verbal en la entrevista, los alumnos también pueden consensuar consejos sobre cómo preparar una entrevista y qué información dar durante esta.

>3 A través de esta actividad, planteada como tarea final, el alumno pone en práctica todo el contenido de la unidad mediante una situación comunicativa real: la entrevista de trabajo.

Como preactividad, forme parejas e indíqueles que se den consejos sobre los aspectos que cada alumno piensa que tendría que mejorar de cara a la entrevista.

Una alternativa a la propuesta del enunciado es hacer las entrevistas por grupos de cuatro estudiantes: dos son los entrevistadores y dos los entrevistados. En este caso, los entrevistadores analizarán los dos currículum vítae de los entrevistados y elaborarán las preguntas de forma conjunta. A la hora de la entrevista, un entrevistador preguntará mientras el otro toma notas sobre la información que aporta cada entrevistado y el lenguaje corporal que utiliza.

Puede proponer puestos originales y cómicos, como: becario Director General de Agencia, probador de comida canina, diseñador/a de trajes para Barbie, corrector de Sudokus, etc. Todos discutirán para conseguir el trabajo, destacando su experiencia, aptitudes y expectativas, mientras el otro grupo analiza a los candidatos.

Para concluir el epígrafe, haga una puesta en común, en la que los alumnos valoren su propio aprendizaje con relación a la búsqueda de empleo, preparación y realización de entrevistas de trabajo.

4 ▸ LOS SONIDOS /p/, /b/

Con este epígrafe se pretende profundizar en la diferencia entre la pronunciación de /p/, representado por la letra *p*, y /b/, correspondiente a los grafemas *v* y *b*, sonidos que se caracterizan por el bloqueo del flujo de aire.

> **1** Tras la primera escucha, lleve a cabo un ejercicio para facilitar la pronunciación de /p/. Pida a los alumnos que lean las palabras en voz alta y que, mientras las pronuncien, acerquen la palma de la mano a un centímetro de la boca. El alumno detectará el aire expulsado sobre la mano.

🔊 | 23 | Pala, pepino, polo, pupa, apuntar, pleno, prisa, plomo, preso, plano, puerta, copito.

> **2** El fonema /b/ puede pronunciarse en español de dos maneras. En el primer caso, /b/ tiene un sonido más fuerte y recibe el nombre de oclusiva [b]; aparece siempre después de pausa y detrás de las consonantes *n* o *m*. En el segundo, recibe el nombre de fricativa [ƀ] y se produce cuando /b/ se encuentra detrás de vocal y de consonante que no sea *n* o *m*. El sonido de [ƀ] es más suave. Si lo cree conveniente, practique ambos sonidos a través de la repetición de palabras que contengan los sonidos [b] (*Barcelona, verde, vino, barco, invitado, hombre, inventor, envidia,* etc.) y [ƀ] (*cerveza, cabeza, favor, jabón, obrero, desván, cebolla, hierba,* etc.).

Después de la primera audición, pídales que lean las palabras del ejercicio y haga que noten que la salida de aire que podían sentir en /p/ apenas es perceptible en /b/. Si sus alumnos tienen problemas para distinguir estos sonidos, le recomendamos acceder a la siguiente página: http://www.uiowa.edu/~acadtech/phonetics/spanish/frameset.html y realizar la ficha 8.

🔊 | 24 | Vela, tubo, visado, bruma, absurdo, bola, haba, broma, tuvo, había, blusa, bala, bueno, abuela.

✏️ **Ficha 8.** La pronunciación de /b/ y /p/. Oyes-dices.

Actividad de comprensión auditiva y expresión oral mediante el uso de pares mínimos, es decir, pares de palabras que se distinguen únicamente por un fonema.

Dinámica. Divida a los alumnos en grupos de cuatro y reparta a cada grupo un juego de tarjetas. Comience diciendo en voz alta la primera palabra de la columna OYES de la tarjeta A: *perro*. Los alumnos le escucharán y si encuentran la palabra dicha en su columna de OYES, dirán en voz alta la palabra que hay justo al lado, en la columna DICES: *berro*. El juego termina cuando el alumno B oiga la palabra *fin*.

>3 En una primera escucha, pida a los estudiantes que focalicen su atención en la percepción de los sonidos. En una segunda escucha, pídales que completen los huecos con las palabras que faltan.

| 25 |
¡Me encanta este país! He hecho un viaje por toda España y estoy muy feliz. Os voy a contar mis aventuras aquí. He conocido a gente muy interesante y he visitado lugares increíbles: las ciudades de Palencia, Burgos y Pamplona en el interior, y en la costa cantábrica, Bilbao y San Sebastián. He hecho senderismo por los Pirineos y de ahí he llegado a Barcelona. Me ha gustado muchísimo ver la obra de Gaudí. También he ido en barco por las Islas Baleares hasta llegar a Ibiza, una isla muy bella. He viajado por Andalucía y he visto Córdoba y sus maravillosos patios árabes, y Puerto Banús, en Marbella, donde comí el famoso pescaíto frito. De vuelta a casa, visité las playas de Benidorm y Calpe, ¡y me comí una estupenda paella! Venid a España, ¡es maravillosa!

¡Me encanta este país! He hecho un viaje por toda España y estoy muy feliz. Os voy a contar mis aventuras aquí. He conocido a gente muy interesante y he visitado lugares increíbles: las ciudades de Palencia, Burgos y Pamplona en el interior, y en la costa cantábrica, Bilbao y San Sebastián. He hecho senderismo por los Pirineos y de ahí he llegado a Barcelona. Me ha gustado muchísimo ver la obra de Gaudí. También he ido en barco por las Islas Baleares hasta llegar a Ibiza, una isla muy bella. He viajado por Andalucía y he visto Córdoba y sus maravillosos patios árabes, y Puerto Banús, en Marbella, donde comí el famoso pescaíto frito. De vuelta a casa, visité las playas de Benidorm y Calpe, ¡y me comí una estupenda paella! Venid a España, ¡es maravillosa!

Puede continuar la práctica de los sonidos /p/ y /b/ con los ejercicios 10 y 11 de la unidad 4 del *Libro de ejercicios*.

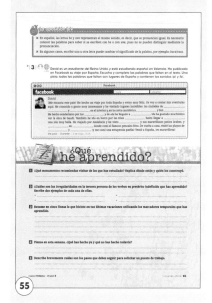

>> **¿QUÉ HE APRENDIDO?** 55

>1 Los monumentos recomendados de la época musulmana en España podrían ser la Mezquita de Córdoba, la Alhambra de Granada y la Giralda de Sevilla. En relación con la arquitectura de Gaudí, ejemplos serían el Capricho, situado en Comillas (Cantabria), el Parque Güell, la Sagrada Familia y la Casa Batlló, construidos estos últimos en Barcelona.

>2 Posible respuesta. E>I: sentir, elegir; O>U: dormir, morir; VOCAL + E, I>VOCAL + Y: leer, construir.

>5 Primero, hay que enviar el currículum acompañado de una carta de presentación, después, si se ponen en contacto con nosotros, acudir a una entrevista o participar en las pruebas de selección para el puesto.

 **ELEteca**
COMUNICACIÓN. **En pasado.**
GRAMÁTICA. **El pretérito indefinido (II).**
LÉXICO. **Biografías.**

ELEteca
¡Qué nervios!

En esta unidad los estudiantes conocerán algunas informaciones curiosas sobre tres grandes temas (las nuevas tecnologías, las costumbres y tradiciones en las bodas hispanas y las normas sociales en España) y van a escribir una crónica sobre una feria de novedades tecnológicas, hacer una presentación en la que compararán las bodas en su país con las de España e Hispanoamérica y, finalmente, crear un decálogo de las normas que consideran que hay que seguir en clase. Para ello estudiarán los distintos usos de los verbos *ser* y *estar*, los pronombres de relativo *que* y *donde*, algunos recursos de la lengua para hacer comparaciones, y formas de expresar obligación, permiso y prohibición. Por lo que respecta al léxico, trabajarán el vocabulario relacionado con la descripción de novedades tecnológicas y con las bodas.

En cuanto al trabajo estratégico, destaca la reflexión sobre los beneficios de trabajar en grupo cooperativo y, en relación con el componente afectivo, el alumno expresará sus sentimientos a la hora de aprender y de comunicarse en español. Finalmente, el apartado sobre fonética lo dedicamos a la diferenciación entre los sonidos /t/ y /d/.

1 ¡ES MUY INTERESANTE! 56

Para empezar la unidad, el alumno leerá textos informativos sobre el invento de Google conocido como *Google Glass*, las golosinas Peta Zetas y los beneficios de tomar el sol. Las nuevas tecnologías son el tema central del epígrafe, que termina con una tarea final en grupo cooperativo: elaborar la crónica de una feria. Con este objetivo, el alumno trabajará la diferencia entre *ser* y *estar*, y el uso de las oraciones de relativo con los pronombres *que* y *donde*. La tarea y el epígrafe concluyen con una reflexión sobre la utilidad y las ventajas del trabajo en equipo.

> **1** El enunciado de esta actividad está constituido por una serie de preguntas directamente relacionadas con las tres imágenes que aparecen debajo. Se introducen, de esta forma, los tres artículos relacionados con el ocio que encontrará en el siguiente punto. Cada imagen ilustra el tema de uno de los textos. La primera, en la que se observa una persona usando un móvil y una Tablet al mismo tiempo, introduce el tema de las nuevas tecnologías. Este tema hará de hilo conductor a lo largo de este epígrafe, por lo que le recomendamos que preste especial atención a su desarrollo en estas primeras actividades.

Pida a los alumnos que, en primer lugar, describan las fotos y que piensen qué aspecto de la vida reflejan. Pueden complementar la tarea proponiendo un título para cada una. A continuación, realice las preguntas que aparecen en el enunciado de la actividad.

Finalmente, invítelos a que elijan una de las imágenes, aquella con la que se sientan más identificados o que coincida en mayor medida con sus intereses. De esta forma, conectarán las imágenes consigo mismos y se sentirán más implicados en la lectura de 1.1. Le recomendamos que presten atención al empleo de los verbos *ser* y *estar*. Esto les será de utilidad para la actividad 2.

1.1. Antes empezar la lectura, informe a sus estudiantes de que los textos que van a leer están adaptados de fuentes reales y que, por tanto, es probable que encuentren vocabulario desconocido. Anímelos a extraer el sentido general del texto y a concentrarse en deducir el significado por el contexto o a través de las imágenes.

Le proponemos una dinámica alternativa para llevar a cabo la actividad. Pida que formen grupos de tres según los intereses que hayan expresado en la actividad anterior, de forma que cada miembro del grupo haya manifestado su predilección por una foto diferente. Una vez estén formados los grupos, haga que cada alumno elija el artículo correspondiente a su tema y que lo lea individualmente. Cuando hayan terminado de leer, deberán resumir el contenido del artículo a los otros dos miembros del grupo. Después de escuchar, los compañeros podrán hacerle preguntas al respecto. A continuación, cada estudiante intenta demostrar el interés de su artículo y convencer al resto de miembros de que la suya ha sido la mejor elección. Para terminar, deben llegar a un acuerdo final y trasladar la opinión consensuada a toda la clase.

 ELEteca
10. *Google Glass* y los *Peta Zetas*.

1.2. El objetivo de esta actividad es que los alumnos comprueben, individualmente, si han comprendido los textos de 1.1. Cuando hayan completado el ejercicio, puede hacer que comparen sus respuestas y que vuelvan al texto en caso de que estas no coincidan.

1. V; 2. F, las gafas tienen un diseño futurista; 3. F, son las burbujas de CO_2; 4. V; 5. V; 6. F, es bueno tomar el sol a las doce del mediodía y durante un máximo de ocho minutos.

>2 Si lo cree conveniente, puede realizar un primer acercamiento a la diferencia de uso entre los verbos *ser* y *estar*, en la que el alumno pueda extraer una percepción general de su significado. Esto le ayudará a concebir los usos pormenorizados de ambos verbos.

Pida primero que lean la información que aparece en el cuadro de atención encabezado por *Fíjate*. Para facilitar la comprensión de la diferencia entre lo interior (características propias del sujeto), expresado por *ser*, y de lo exterior (características que no forman parte de la naturaleza del sujeto), expresado por *estar*, puede proponerles el siguiente ejercicio. Dígales que dibujen dos círculos similares a los que aparecen más abajo, y que luego lean las frases del cuadro. A continuación, tienen que identificar el sujeto de cada frase y decidir si lo que se expresa sobre ellos es algo que forma parte intrínseca de él o no. Agrúpelos por parejas para que discutan al respecto y coloquen el sujeto y la característica en el círculo correspondiente.

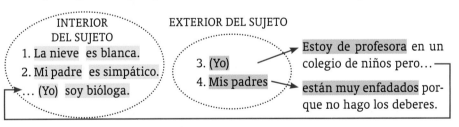

INTERIOR DEL SUJETO
1. La nieve es blanca.
2. Mi padre es simpático.
… (Yo) soy bióloga.

EXTERIOR DEL SUJETO
3. (Yo) → Estoy de profesora en un colegio de niños pero…
4. Mis padres → están muy enfadados porque no hago los deberes.

Después de este primer acercamiento, prosiga con la actividad indicando que completen el cuadro de los usos de *ser* y *estar*.

Puesto que a cada uso le corresponden funciones diferentes, puede recomendar a sus alumnos que piensen qué forma o formas tienen para expresar lo mismo en su lengua materna o en otra segunda lengua. Si lo desea, puede pedir que incluyan ahora las frases de la actividad 2 en los círculos.

1. Google es una de las empresas más conocidas a nivel internacional; 3. La empresa que los fabrica es española; 4. …que fue científico gastronómico; 5. El sol a mediodía es bueno para la salud; 6. son las doce del mediodía;

8. La empresa está en Barcelona; 9. ¡Ahora sí están listos para comer!; 11. Están muy bien; 12. Estamos en verano; 13. Ferrán Adriá está desarrollando recetas.

2.1. 1. es, es (valorar); 2. Son (decir la hora y la fecha); 3. está (localizar lugares); 4. está (hablar del estado anímico); 5. es (decir la nacionalidad); 6. estamos (situarnos en el tiempo); 7. es (referirse a la celebración de un acontecimiento); 8. es (decir la profesión), está (trabajo temporal); 9. está (acción en desarrollo); 10. es (decir la fecha), está (valorar); 11. Es (hablar de características inherentes de una persona); 12. está (resultado de una acción); 13. está (hablar de características no inherentes); 14. es (referirse a la celebración de un acontecimiento), es (identificar).

2.2.

Ficha 9. Juego de *ser* y *estar*.

Actividad grupal para consolidar lo aprendido hasta el momento.

Dinámica. Divida la clase en grupos de cuatro alumnos. Reparta seis tarjetas a cada alumno del grupo. Un alumno "lanza" una tarjeta a un compañero del grupo y este tiene que decir si la frase es correcta o no, justificando la respuesta. Gana el alumno que más aciertos consiga.

Las frases corregidas son:
Guadalupe está en Córdoba; Hoy es miércoles; Ahora Juan está trabajando con su padre; La cena en el restaurante ha estado bien; Manu está enfadado conmigo; Mi padre es de Valencia y mi madre es de Uruguay; El bolígrafo está encima de la mesa; ¿Puedes encender la luz? Es de noche; Carmen está muy contenta con su trabajo; La casa es muy grande y hermosa; ¿Qué hora es? Son las 17.00; Ahora que estoy de vacaciones, estoy muy tranquilo; Estamos a 2 de marzo; El concierto es en el Palacio de la Ópera de Valencia; Mi madre está preparando la paella para nosotros.

Puede continuar la práctica de los verbos *ser* y *estar* con los ejercicios 7, 8 y 9 de la unidad 5 del *Libro de ejercicios*.

>3 Antes de empezar la audición, avise de que van a escuchar dos diálogos y pídales que, a partir de las imágenes situadas en la parte izquierda de la actividad, prevean el contenido de la conversación: *¿De qué creen que trata la audición?* Si lo considera conveniente, dedique la primera escucha a que confirmen o rectifiquen sus hipótesis.

Luego, organice a los alumnos por parejas y pida que cada uno lea las preguntas que correspondan a su rol (alumno A y alumno B). Aclare, por otro lado, que para responderlas deben atender solamente a uno de los diálogos, como se indica en el *Libro del alumno*.

Diálogo 1

|26| **Juan:** ¡Qué contento estoy de estar aquí, en esta feria de novedades tecnológicas! Lo vamos a pasar muy bien.

María: Sí, Juan. Yo también estoy muy contenta. ¿Entramos ya y vemos lo que hay?

Juan: Sí, por supuesto. Estoy muy interesado en conocer las novedades.

María: Y yo. ¡Anda, mira!, ¿aquel no es Jaime, tu profesor de Matemáticas?

Juan: Sí, sí. Es mi profesor. ¿Sabes quién es esa mujer tan guapa que está a su lado?

María: Es la profesora de Historia de cuarto curso. Es también la directora del departamento. Me parece que es egipcia, pero no estoy segura. ¡Y sí que es guapa!

Juan: Bueno, pero no tan guapa como tú.

María: Anda, vamos.

Diálogo 2

María: ¡Madre mía, qué ambiente! Esta feria es como el mundo del futuro. ¡Mira, Juan! ¿Qué es eso?

Juan: Es un pequeño robot multifunción. Está pensado para los niños. Habla con ellos en varios idiomas y les ayuda con los deberes. También informa del tiempo y de los eventos más importantes del día en la ciudad. Además, es de un material muy flexible. Así que es seguro y difícil de romperse.

María: ¡Qué maravilla! Oye, vamos allí. Estoy viendo una televisión gigante. El cartel de información dice que es la televisión más grande del mundo.

Juan: Pues yo no la veo. ¿Dónde está?

María: Está allí, al fondo.

Juan: ¡Ah, sí! ¡Ya la veo! Vamos, María.

María: ¡Tiene ciento diez pulgadas! Es de la marca Mapple.

Juan: ¡Qué pasada! Estamos en el siglo veintiuno, pero aquí me siento como en el veinticinco.

María: ¿Ves a ese hombre, el de unas gafas extrañas? ¿Qué está haciendo?

Juan: Parece que son unas gafas de visión nocturna con muy buena resolución. Fíjate, son curvas, grandes y muy oscuras, pero son muy buenas para ver cualquier cosa en la oscuridad.

María: Por cierto, ¿qué hora es? Tengo que estar en la facultad a las tres.

Juan: Son las dos y media. Mañana es jueves, así que podemos volver mañana.

María: Sí, volveremos. Esta feria está muy bien. Todo está organizado de maravilla.

Juan: Vale. Además, yo también tengo que irme. Estoy de camarero en el bar de la facultad y empiezo a trabajar a las tres y media. ¿Volvemos juntos?

María: ¡Claro!

Alumno A: 1. Dos compañeros de facultad; 2. En una feria de novedades tecnológicas; 3. El profesor de Matemáticas y la profesora de Historia de cuarto curso; 4. Muy guapa, es egipcia, es profesora de Historia y también la directora de departamento en la facultad; 5. Entrar en la feria; 6. Como el mundo futuro, con mucho ambiente; 7. Contentos e impresionados.

Alumno B: 1. Un pequeño robot multifunción, una televisión gigante y unas gafas de visión nocturna; 2. Muy innovadoras, una pasada; 3. De un material muy flexible, seguro y difícil de romperse; 4. Está muy bien; 5. Camarero; 6. En la facultad; 7. A las dos y media, porque María tiene que estar en la facultad y Juan tiene que trabajar.

3.1. Probablemente los estudiantes no sean capaces o tengan dificultades para responder a las preguntas del alumno contrario. Lo importante de esta ac-

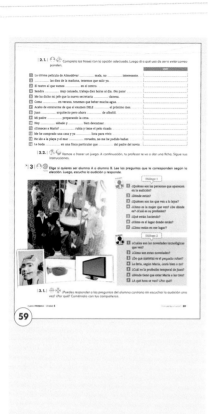

tividad no es que consigan responderlas, sino que sean conscientes de que disponer de una batería de preguntas para captar la información de un texto oral hace que la audición sea más selectiva. El hecho de cuestionarnos datos o elementos sobre lo que escuchamos nos ayuda a procesar y a discriminar la información. Con la pregunta *¿Por qué?*, del enunciado, se pretende activar la conciencia del alumno con respecto a esta estrategia de comprensión auditiva.

A continuación, como actividad preparatoria para la 3.2. se propone la realización de la ficha 10.

Ficha 10. Crónica de una visita a la feria del libro.

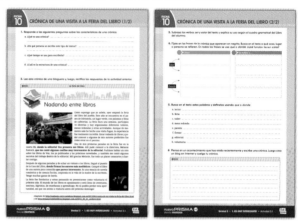

Esta ficha tiene como objetivo que el alumno sea capaz de escribir una crónica sobre un acontecimiento vivido. Para ello, se reflexiona acerca de este tipo de texto y se ofrece un ejemplo de crónica sobre una feria del libro. En esta actividad también se revisa la diferencia entre *ser* y *estar*, y se pone en práctica el uso de los relativos *que* y *donde*.

Dinámica. Entregue la ficha y lleve a cabo la primera actividad. Con ella se pretende activar los conocimientos previos del alumno sobre este género periodístico. A continuación, lleve a cabo la lectura del texto de la actividad 2 y revise luego las respuestas de la actividad 1. Puede, asimismo, plantear preguntas de carácter más general, relacionadas con el contenido del texto. En la actividad 3, proponga un trabajo por parejas, para que puedan discutir sobre el uso de los verbos *ser* y *estar*, y luego haga una puesta en común que dé lugar a que razonen las respuestas y a que planteen sus dudas. Seguidamente, realice las actividades 4 y 5. La primera está pensada para que los alumnos induzcan el uso de los pronombres relativos *que* y *donde*; la segunda es un ejercicio de práctica relacionado con los pronombres y, además, una actividad de trabajo de vocabulario aparecido en el texto. Antes de nada, remita a sus alumnos al cuadro gramatical que aparece en la actividad 3.2. sobre las oraciones de relativo y dé las explicaciones oportunas. Para terminar, en la actividad 6, proponemos que los estudiantes redacten la crónica de algún acontecimiento vivido o inventado, según lo que han aprendido y tomando como modelo la crónica de la ficha.

1. a. **Posible respuesta.** Es un género periodístico en el que el autor da información o explica acontecimientos que ha vivido o que conoce a través de fuentes directas; b. Se escribe en primera persona, porque el autor relata hechos vividos o presenciados por él mismo; c. La crónica se escribe en pasado y los hechos se narran cronológicamente; d. Habitualmente, la crónica consta de una introducción, que presenta aquello que se va a contar, del desarrollo temporal de los acontecimientos, y de una conclusión.

3. la experiencia <u>fue</u> realmente increíble (valorar un hecho); <u>Estar</u> rodeada de libros (hablar de características no inherentes a una persona); poder conocer a algunos de mis autores preferidos <u>fue</u> como estar en el paraíso (valorar un hecho); Una de mis primeras paradas en la feria <u>fue</u> en la case-

ta 86 (identificar); <u>fue</u> todo un placer conocerte y charlar contigo (valorar un hecho); La última parada <u>fue</u> en la caseta de la Casa del Libro (referirse a la celebración de un acontecimiento o suceso); <u>Es</u> una mezcla de novela romántica y de ciencia ficción (identificar); La feria <u>fue</u> fantástica (valorar un hecho); <u>Estoy</u> pensando en presentarme como voluntaria el próximo año (referir una acción en progreso); El mundo de los libros <u>es</u> apasionante (valorar una cosa); <u>Está</u> lleno de aventuras, sonrisas, lágrimas, de enseñanza y aprendizaje (hablar de características no inherentes a una cosa).

4.

Frase		Se refiere a...
Que	- que me contó algunas cosillas muy interesantes de la editorial	- Melanie Rostock
	- que parece interesante	- el libro de una autora poco conocida
Donde	- donde la editorial Voz presenta sus libros	- la caseta 86
	- donde firman los autores más mediáticos	- el puesto de la Casa del Libro

Los pronombres *que* y *donde* sirven para unir dos frases y añadir información sobre los nombres a los que estos pronombres se refieren.

5. **lector**: persona que lee o que tiene hábito de leer; **feria**: fiesta con un mercado donde hay expuestos productos para su venta; **taller**: escuela o curso donde se enseñan artes o habilidades; **mesa redonda**: grupo de personas conocedoras de una materia que se reúnen para exponer sus opiniones y debatir; **parada**: lugar o sitio donde se para; **firmar**: acción que consiste en escribir a mano el propio nombre; **editorial**: empresa que edita y publica obras en papel; **voluntaria**: persona que hace algún trabajo o servicio sin esperar ninguna recompensa.

i+ ELEteca

11. La crónica periodística.

3.2. El trabajo realizado sobre el contenido de la audición de la actividad 3 sirve de punto de partida para esta actividad, que tiene como objetivo la redacción de una crónica. Con ello se pretende simular una situación comunicativa real y profundizar en el uso de la lengua para presentar y describir objetos o acontecimientos. La tarea requiere el empleo de los verbos *ser* y *estar*, así como el uso de oraciones de relativo para añadir información sobre aquello de lo que se está hablando.

En el paso 1 de la tarea, forme los grupos de modo que en cada uno haya un número similar de alumnos A y alumnos B. Esto servirá a los estudiantes para que contrasten la información que han recabado en el ejercicio anterior. En el paso 3, indíqueles que acuerden un número determinado de novedades y que creen una lista para ofrecerla posteriormente al resto de compañeros.

Cuando llegue el momento de exponer el trabajo hecho, en el paso 6, anime a los estudiantes oyentes a que asuman el papel de periodistas y que muestren interés por alguno de los inventos de la feria. Haga que tomen notas y que realicen un turno de preguntas cuando termine la exposición.

3.3. A modo de conclusión del epígrafe, se trabaja el componente estratégico en lo referente al aprendizaje en trabajo cooperativo. El alumno reflexionará individualmente sobre los posibles beneficios de trabajar en grupo a partir de la experiencia de la actividad 3.2. Puede ampliar la reflexión reagrupando a los alumnos del mismo modo que lo hizo en el ejercicio anterior y animándolos a compartir sus reflexiones en una puesta en común final.

Este segundo apartado de la unidad está dedicado a las costumbres y tradiciones vinculadas a la celebración de una boda en diferentes países de habla hispana. El título del epígrafe, que se usa a menudo para concluir un cuento con final feliz, pretende recoger el sentimiento de felicidad de los recién casados, que concluyen su vida de novios para empezar una nueva etapa de vida conyugal. El alumno trabajará aquí el vocabulario relacionado con la celebración de una boda y recursos de la lengua para expresar comparación. A modo de conclusión, los estudiantes explicarán las similitudes y diferencias entre su cultura y la de los países de habla hispana, respecto al tema central del epígrafe.

> **1** Actividad de trabajo de vocabulario que introduce el acontecimiento de las bodas como tema central del epígrafe.

A continuación, pregunte con qué cultura o culturas identifican los cinco elementos de las imágenes y si conocen la función de cada uno de ellos en la boda. Aporte la información que considere necesaria de estos elementos y aclare que todos ellos forman parte de una boda tradicional española.

A. tarta nupcial; B. arras; C. anillos; D. pétalos y arroz; E. ramo.

 ELEteca
12. Las arras, los anillos, el arroz, el ramo y la tarta nupcial.

1.1. Esta es una actividad de comprensión auditiva que muestra las costumbres del enlace matrimonial en el estado mexicano de Morelos. Además, servirá de *input* para trabajar estructuras comparativas en 1.2. y 1.3.

Antes de empezar la actividad, le sugerimos que plantee, por parejas y a modo de lluvia de ideas, una reflexión sobre las diferentes fases que puede implicar el hecho de casarse. Atienda, asimismo, al vocabulario que usan y que pueden encontrar o necesitar al tratar sobre este tema.

A continuación, introduzca la actividad 1.1. y dé tiempo para la lectura de los ítems. Avise a sus estudiantes de que van a escuchar hablar a dos hombres con acentos diferentes: un español y un mexicano.

 | 27 |

Joaquín: Hola, Ignacio, ¿qué tal? ¿Cómo estás?

Ignacio: Muy bien. Oye, enhorabuena por la boda. Yo creo que nos lo pasaremos muy bien.

Joaquín: Gracias. Estoy muy contento. Por cierto, he oído que en la región de Morelos casarse es especial. Tú eres de allí y te casaste allí, ¿no?

Ignacio: Sí, sí, hace dos años...

Joaquín: ¿Ah, sí? Cuéntame...

Ignacio: Pues verás... Primero, nosotros les informamos a nuestros padres.

Joaquín: Bueno, claro, eso es igual que en España... Hay que decírselo a la familia...

Ignacio: Claro, claro... Después, mis papás visitan a la familia de mi novia, para conocerse y platicar sobre la decisión que tomamos. Después de varias opiniones, nos dan la conformidad, decidimos la fecha para el casamiento y programamos todos los preparativos.

Joaquín: ¿Sí? Ese paso no se da en España. Es menos formal que allí. No se necesita la conformidad, simplemente se anuncia y ya está.

Ignacio: Ya, ya... pero no es tan diferente. En realidad, es una tradición que viene de antiguo pero no conozco a nadie que no haya tenido la conformidad de su familia, ¿te imaginas? Después de unos días, se produce una nueva visita a la familia de la novia, se llevan regalos, los anillos y así queda formalizado el compromiso de matrimonio. Al final tomamos café con tamales.

Joaquín: Sí, todo se celebra comiendo, eso es tan importante como en España. ¿Y luego?

Ignacio: Bueno, el día antes de la boda se hace una fiesta en casa de la novia. Llega el novio, acompañado de su familia y amigos, y a las doce de la noche se hace la ceremonia de la velación.

Joaquín: ¿Velación? ¿Eso qué es?

Ignacio: Es una ceremonia en la que se cubre a los novios, que están de rodillas, con un velo ante un altar de la casa. Los familiares piden a Dios que el matrimonio sea un éxito.

Joaquín: No lo sabía, qué curioso, es completamente diferente a lo que ocurre en España... En Morelos es más tradicional que aquí. ¿Y la boda?

Ignacio: Bueno, la boda es similar a la de aquí, la iglesia, la lluvia de arroz y pétalos de rosa... y la celebración en casa del novio.

Joaquín: Sí, bueno, es como aquí, parecido. Eso sí, aquí se celebra en un salón de bodas o en un restaurante. Es raro que se celebre en casa...

3, 5, 1, 10, 4, 9, 6, 7, 8, 2.

En la audición aparecen términos, expresiones y realidades culturales propias de México que puede utilizar para trabajar aspectos de la variedad del español, en caso de creerlo conveniente:

-*papá*: en América se emplea corrientemente para referirse al padre entre interlocutores adultos. En España, en cambio, solo es normal para referirse a él en la conversación entre miembros de la misma familia, en la conversación entre niños pequeños o cuando un adulto se dirige a un niño de pocos años. En la conversación entre adultos, fuera del núcleo familiar se emplea el término *padre*.

-*platicar*: equivale a *conversar* y su uso es literario o anticuado, salvo en Guatemala y México.

-*tamales*: es el nombre genérico dado a varios platos americanos de origen indígena preparados generalmente con masa de maíz rellena de carne, vegetales, chiles, frutas, salsas y otros ingredientes, envuelta en hojas de mazorca de maíz o de plátano, y cocida en agua o al vapor.

1.2. En este ejercicio el alumno encontrará diferentes formas de expresar comparación. Además de las estructuras comparativas de igualdad, inferioridad y superioridad, se presentan otras expresiones habituales en las que se usan adjetivos (*igual, diferente, parecido* y *similar*) o las que empleamos con el adverbio *como*.

1, 4, 5, 8, 9, 10, 12, 14, 16.

• •

1.3. Esta actividad servirá para corregir el ejercicio anterior. En ella se presentan explícitamente las estructuras mencionadas, que más adelante va a necesitar el alumno para explicar las similitudes y diferencias entre las bodas hispanas y las de su país.

Si cree necesario consolidar las estructuras para hacer comparaciones y conocer curiosidades de otros acontecimientos sociales, puede llevar a cabo las actividades 3 a 6 de la unidad 5 del *Libro de ejercicios*.

1.4. Actividad de comprensión de lectura para consolidar los contenidos presentados anteriormente.

1. como; 2. que; 3. más; 4. tan.

Una vez los estudiantes hayan completado el texto con las palabras del cuadro, pídales que identifiquen aquellos elementos que marcan la diferencia entre unas ceremonias y otras: los anillos, las arras, complementos de carác-

ter simbólico como un lazo, una cinta o un rosario, los bailes, o la comida. Mándeles hacer una lista con estos y otros elementos que se les ocurran. Esto le servirá para llevar a cabo la actividad del punto 3 de este epígrafe, donde deben comparar el rito en su país con el de los países de habla hispana.

Si lo desea, a modo de conclusión de este bloque de actividades, pídales que compartan con el resto de la clase algún elemento tradicional o común en las bodas de su país y, si lo saben, que expliquen también su simbología.

A continuación, proponga la realización de los ejercicios 10 y 11 de la unidad 5 del *Libro de ejercicios* para que los alumnos conozcan otras costumbres.

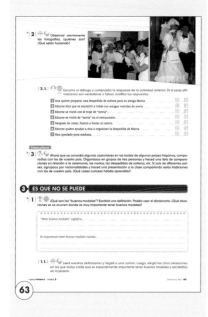

> **2** Se presenta aquí el último aspecto relacionado con la celebración de una boda: la despedida de soltero/a. Procure que los alumnos exploten al máximo las fotos que acompañan la actividad, describiendo el lugar, las personas, las actividades o la ropa que se observan.

Un grupo de amigas celebrando una despedida de soltera.

2.1. La conversación que van a escuchar hace referencia a la despedida de solteras ilustrada en la actividad anterior. Recomiéndeles, en la primera escucha, que se apoyen en ese material visual durante la audición.

A continuación, pida que comprueben sus hipótesis sobre las preguntas de la actividad 2 y explique en qué consiste una despedida de soltero/a. Diga que antes de la ceremonia del enlace, los amigos del novio, por un lado, y los de la novia, por el otro, organizan una fiesta o una serie de actividades y espectáculos de distinta índole para los prometidos. En las imágenes del *Libro del alumno* se puede identificar a una chica con un traje de novia y con el velo (formado, en realidad, por un gorro de baño, un velo y una fregona), el ramo de flores y unos guantes de cocina. El resto de amigas lleva sombreros, camisas o camisetas blancas y pantalones negros, bigotes postizos y pajaritas. Una de ellas tiene una huevera de plástico simulando un bolso. Están riendo y pasándolo bien, realizando alguna de las actividades preparadas por ellas. Posiblemente se encuentren en algún local, como un restaurante o una sala reservada para la ocasión, o quizá en casa de alguno de los participantes de la despedida. A menudo en estas fiestas se hace pasar a los novios por situaciones divertidas o embarazosas, algo que puede desprenderse de las imágenes.

En la audición el alumno ha escuchado referencias a algunos de los elementos descritos más arriba. Téngalo en cuenta de cara a la realización de la segunda parte de la actividad.

Pida ahora que, en una segunda escucha, lean las frases e intenten responder a la actividad.

| 28 |

Ana: Oye, Edurne, ¿puedes contarme cómo fue tu despedida de soltera? Es que el próximo mes es la boda de Marta, la chica que te presenté el otro día, ya sabes, y queremos organizarle algo especial.

Edurne: ¡Claro! ¡Encantada! Mira, yo no sabía nada. Pero mis amigas organizaron una fiesta increíble. Llegaron a mi casa todas vestidas de novio. Todas iguales.

Ana: ¡No me digas!

Edurne: Entonces, sacaron algo de una bolsa enorme que traían: ¡era un vestido de novia! Una de ellas, que es modista, se encargó de hacer el traje.

Ana: ¿Ah, sí? ¿Cómo era? ¿Era de papel?

Edurne: No, no. Era de tela. Estaba hecho como el de una novia con cosas recicladas de la cocina. Precisamente tengo aquí la fotografía. Mírala, el vestido es blanco y con flores amarillas. En la cintura tiene un lazo del que cuelgan utensilios de cocina como un colador, un rayador, un filtro de grifo, una cuchara… y en la cabeza un gorro de piscina que, por detrás, tiene un velo de novia y, por delante, una fregona.

Ana: ¡Ay, sí! ¡Qué graciosa estás!

Edurne: Además, como ves, ellas llevan también el pelo recogido y un bigote, como los hombres.

Ana: Y en las manos, ¿qué llevas?

Edurne: Pues… unos guantes largos de fregar y, de bolso, una caja de huevos de plástico con un asa.

Ana: ¡No!

Edurne: ¡Sí, sí! Figúrate, así me hicieron salir de mi casa, así. Y, de allí, nos fuimos a un restaurante… ¡Qué vergüenza pasé!

Ana: Me lo imagino… Pero fue divertido, ¿no?

Edurne: Muchísimo. Cenamos y nos fuimos de marcha al casco viejo, donde bailamos sin parar y nos lo pasamos bomba. Ha sido una de las mejores noches de mi vida.

Ana: ¡Me lo imagino! A ver si a mí se me ocurre una fiesta tan divertida… Bueno, Edurne, nos vemos.

Edurne: Sí, llámame si necesitas ayuda. A mí estas cosas me encantan…

1. V, "el próximo mes es la boda de Marta y queremos organizarle algo especial"; 2. F, llegaron vestidas de novio; 3. V, Edurne sale con el vestido de novia en la foto de la despedida que ve Ana; 4. F, "me hicieron salir de mi casa, así. Y, de allí, nos fuimos a un restaurante…"; 5. V, "Cenamos y nos fuimos de marcha al casco viejo"; 6. V, "llámame si necesitas ayuda. A mí estas cosas me encantan…"; 7. F, se despiden pero no quedan para ningún día.

Termine la actividad preguntando si han participado en alguna despedida de solteros e invítelos a contar su experiencia a los demás compañeros.

>3 Para llevar a cabo la actividad, pídales que en primer lugar se pongan de acuerdo en la lista de aspectos que van a tratar. Pueden retomar la lista cuya elaboración le sugerimos en el punto 1.4. Si no tuvo en cuenta esa sugerencia, anímelos a revisar el epígrafe para que encuentren un número determinado de aspectos que considere usted adecuado.

Puede, asimismo, plantear la actividad como una presentación en la que los alumnos busquen imágenes ilustrativas de los diferentes elementos y las expongan frente al resto de la clase; por ejemplo, mediante una presentación con PowerPoint.

Como actividad extra de final del epígrafe puede realizar la proyección 9.

Proyección 9. Comparando hábitos y costumbres.

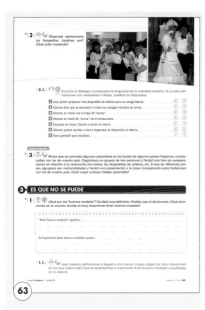

Con esta proyección el alumno practica la descripción de hábitos y costumbres, y compara los que aquí se presentan con los suyos propios o los de su país.

Dinámica. Explíqueles que van a ver imágenes sobre otros hábitos y costumbres relacionados con España. Proyecte las imágenes y agrupe a los estudiantes por parejas, para que identifiquen los hábitos a los que se refiere cada foto y para que las describan. Explique que la descripción de las imágenes es libre y abierta, que pueden responder a preguntas del tipo: *¿Dónde están?, ¿Qué están haciendo?, ¿Quiénes son y de dónde?, ¿Cómo son?*, etc. Después de identificar los hábitos (*ver el fútbol en un bar, salir con amigos, asistir a la escuela, jugar a los videojuegos…*), pida que comparen los que hay en la foto con los suyos propios o los de sus países. Si lo considera necesario, ponga un ejemplo: *En mi país el fútbol es tan importante como en España.*

A modo de conclusión, anímelos a hacer una presentación en la que comparen la forma de vida española y la propia o de sus países.

3 ▸ ES QUE NO SE PUEDE   63

Epígrafe dedicado fundamentalmente a las normas sociales en España, que darán pie a tratar los modales y las formas de expresar obligación, permiso y prohibición, y a realizar una tarea final: un decálogo de normas en clase. El epígrafe incluye la lectura de un texto normativo en forma de artículo y el apartado de ▌Sensaciones▐, para que los estudiantes expresen cómo se sienten ante diferentes respuestas del interlocutor u otros oyentes.

> **1** Antes de empezar la actividad pregunte si saben en qué situación se diría la frase del título del epígrafe: *Es que no se puede.* La frase *No se puede* introduce una acción o actividad y expresa que no está permitido realizarla. En ocasiones se antepone el conector *es que* a la prohibición, para suavizarla y que el interlocutor la interprete como una excusa o una justificación. Por tanto, la frase se suele usar cuando se quiere dar cuenta de la inconveniencia de realizar ciertas actividades o adoptar determinadas actitudes como: fumar, hacer ruido, entrar en un lugar privado, poner los pies encima de la mesa, etc.

Posible respuesta. "Tener buenos modales" significa comportarse de modo correcto y con buena educación, siguiendo unas normas o reglas de conducta establecidas. Es importante tener buenos modales cuando estamos sentados a la mesa (cuando hay invitados, en un restaurante…), en lugares públicos (cine, teatro, museo, transportes públicos…), en celebraciones o eventos (bodas, conferencias…), en entornos laborales (puesto de trabajo, reuniones…), etc.

1.1. Los modales son normas que por su naturaleza social cambian según variables como la zona geográfica, el tiempo, el espacio físico donde nos encontramos o el estrato social, entre otras. En esta actividad, el consenso sobre las cinco situaciones que requieren tener buenos modales es especialmente relevante porque la diversidad cultural genera también disparidad de puntos de vista sobre lo que es correcto o aceptable. El hecho de que surjan discrepancias puede ser una buena oportunidad para que conozcan costumbres de otros países y reflexionen sobre la relatividad de esas normas.

> **2** Como preactividad, le recomendamos que les dé la consigna de pensar cuáles son los modales que se suelen seguir en países hispanohablantes en una comida formal.

Si lo considera necesario, aclare que el título del artículo, *¡Esos modales!*, es una exclamación que se usa para advertir a alguien de que se está comportando de forma descortés y para que corrija, así, su comportamiento.

2, 6 y 10. Son recomendaciones que debemos seguir cuando estamos en clase.

>3 El alumno va a trabajar, a través del cuadro de la actividad, estructuras para expresar obligación, permiso y prohibición.

Cuando hayan terminado de leer y completar el cuadro, proponga que, por parejas, comparen el listado de normas del artículo con la realidad de sus países. Para tal objetivo deberán recurrir a las estructuras estudiadas. Si considera que lo necesitan, proporcióneles algún ejemplo: "1. *Pues en mi país no está mal visto comer con la televisión encendida*" o "1. *En mi país es igual, está totalmente prohibido comer con la televisión encendida*".

Para consolidar los contenidos vistos hasta ahora, puede realizar los ejercicios 1 y 2 de la unidad 5 del *Libro de ejercicios*.

3.1. Las siguientes actividades tienen como objetivo la creación de un decálogo de normas de clase.

Comience señalando las tres normas que por error se habían incluido en la actividad 2. Estas pueden servir para contextualizar esta actividad. Pregunte si están o no de acuerdo con ellas.

A continuación, pida a los grupos que se cuestionen la necesidad de las normas a medida que las incluyan en el decálogo. Eso los ayudará a presentar y argumentar su elección en la siguiente actividad.

3.2. y 3.3. Si en la actividad anterior optó por la dinámica alternativa, haga que un representante de cada equipo salga a la pizarra. El secretario de los alumnos escribe el decálogo de su grupo a un lado de la pizarra, y al otro lado hará lo mismo el de los profesores. A medida que el secretario escriba las normas, el resto de miembros del grupo las presentará y defenderá. El equipo contrario, basándose en los intereses de su rol, debe contrargumentar y proponer modificaciones o descartar esas normas. El objetivo final es llegar a un acuerdo para un decálogo de alumnos y profesores, y plasmarlo todo en un cartel.

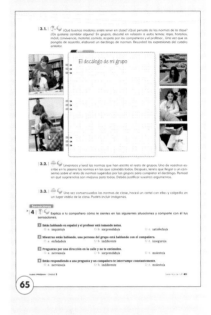

Para seguir practicando las funciones para expresar obligación, permiso y prohibición, puede realizar el ejercicio 12 de la unidad 5 del *Libro de ejercicios*.

>4 En esta actividad el alumno va a reflexionar sobre sus sentimientos en situaciones específicas del uso de la lengua y del aprendizaje del español. Todas ellas tienen en común que plantean las sensaciones que tiene el aprendiente ante la reacción del interlocutor o de otras personas presentes en el acto comunicativo.

Como actividad final del epígrafe, proponemos la proyección 10.

Proyección 10. ¿Buenos o malos modales?

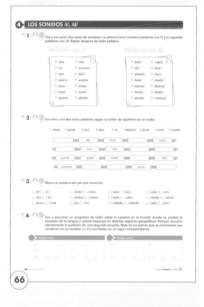

A través de esta proyección los alumnos van a opinar sobre lo que consideran que es educado y lo que no lo es. Proponemos una actividad en la que se practican las formas para expresar obligación, permiso y prohibición estudiadas en el epígrafe, y compartir sensaciones que haya generado el intercambio de opiniones.

Dinámica. Agrupe a la clase en grupos de tres y proyecte la imagen. Cada miembro del grupo deberá preguntar a los otros dos compañeros sobre las diferentes situaciones que se plantean y tomar notas de las respuestas. Indique que el objetivo es que, al terminar las preguntas, puedan hacer un resumen valorativo sobre los modales de cada compañero. Dé un ejemplo para aclarar la tarea: *Pienso que para ti es muy importante el respeto a las personas mayores, porque…*

Dadas las características de la actividad, le sugerimos que, antes de empezar, abra un debate acerca de la importancia de ser constructivo a la hora de valorar, así como de aprender a recibir y aceptar la crítica de los compañeros.

---

4 ▸ LOS SONIDOS /t/, /d/   66

Este apartado dedicado a la fonética se centra en la pronunciación correspondiente a los sonidos /t/ y /d/. Dentro del epígrafe se incluye, además, una audición relacionada con la importancia del español como lengua en el mundo, así como también una actividad de práctica de trabalenguas.

> 1 Los dos fonemas trabajados aquí se caracterizan porque se pronuncian colocando la punta de la lengua en el mismo lugar (en la cara posterior de los incisivos superiores) pero dejando salir el aire de forma diferente (la /t/ la producimos mediante una especie de explosión con la que interrumpimos inmediatamente el flujo de aire, mientras que con /d/ no dejamos de emitir aire).

Antes de escuchar las palabras con /d/, pídales que presten atención a cómo suena según la posición que la letra *d* ocupe dentro de la palabra. En posición intervocálica esta se pronuncia con la punta de la lengua entre los dientes pero sin llegar a tocarlos, y dejando salir aire de forma ininterrumpida (ejemplos: *además, adivino*). Sin embargo, cuando *d* se encuentra después de una pausa, o detrás de *n-* o *l-*, se pronuncia liberando el aire de golpe (ejemplos: *daba, conducir*). Finalmente, cuando aparece a final de palabra y con pausa, se pronuncia de la misma forma, pero obstaculizando el paso del aire (ejemplos: *sed, coged*).

🔊 | 29 | Taba, tía, toro, puerta, tuna, tema, antena, roto, aceituna, dátil, aceptar, atinar, aceite, abierta.

Daba, sed, además, dolor, adivino, deuda, abordo, coged, dado, duro, abedul, Madrid, diablo, conducir.

>2

🔊 | 30 | Taco, día, timo, dato, tema, dedal, toro, don, tú, duna, puerta, ayuda, meter, acorde, tino, adivinar, corto, gordo, actúa, Madrid.

Taco, dato, dedal, tú, duna, acorde, corto, gordo, Madrid.

>3

🔊 | 31 | Té, tos, duna, tomo, domar, tía, rada, salto, soldado, codo, tienta, seda.

Té, tos, duna, tomo, domar, tía, rada, salto, soldado, codo, tienta, seda.

En caso de que perciba dificultades para la diferenciación entre los fonemas, le recomendamos que amplíe el ejercicio con otros pares de palabras: *data-dada, sota-soda, bota-boda, rota-roda, tela-dela, tiente-diente*, etc.

> Para la práctica de los sonidos /t/ y /d/, puede realizar los ejercicios 13 y 14 de la unidad 5 del *Libro de ejercicios*.

>4 En la primera escucha pregúnteles sobre el tema general de la audición: la importancia de la lengua española en el mundo. Pídales también que identifiquen aspectos que se mencionan para destacar su importancia: el número de usuarios, la relevancia como medio de comunicación, el número de conocedores de la lengua, y el número de estudiantes.

| 32 |

El español tiene unos 500 millones de hablantes. Actualmente es, después del chino, el segundo idioma del mundo en cuanto a número de usuarios. Es, también, detrás del inglés, la segunda lengua de comunicación internacional. Hay 23 países donde se habla español. México, España, Colombia y Argentina tienen más de 40 millones de hispanohablantes, siendo México el país con mayor número de hablantes, 112 millones. Algunos de los países que tienen entre 10 y 30 millones de hablantes son, en orden decreciente, Perú, Guatemala, Ecuador, Cuba y República Dominicana. Por último, Honduras, El Salvador, y Puerto Rico tienen entre 1 y 8 millones de hablantes de español. En Estados Unidos, más de 36 millones de personas dominan nuestra lengua y en la Unión Europea más de 15 millones tienen un nivel de lengua básico. En la región de Asia-Pacífico (China, Hong Kong, Japón y la India) el español tiene una progresión muy rápida: unos 25 000 universitarios chinos aprenden español, casi todas las universidades de Hong Kong lo ofrecen como asignatura, más de 2000 centros de bachillerato dan clases de español en Japón, y, en la India, hay unos 4250 alumnos matriculados en la universidad, en la asignatura de español. También lo hablan en Australia y Gibraltar.

Países con *t*: Argentina, Guatemala, Puerto Rico, Estados Unidos, Australia, Gibraltar; Países con *d*: Ecuador, República Dominicana, Honduras, El Salvador, Estados Unidos, la India.

>5 Actividad que integra la práctica de la fonética y el componente lúdico. El tipo de ejercicio aquí propuesto pueden prepararlo ellos mismos, buscando trabalenguas en Internet que contengan los fonemas trabajados. Ofrézcales algunas direcciones web para que puedan extraer de allí al menos un trabalenguas. Posibles páginas son:
http://www.acertijos.net/trabalenguas.htm
http://www.uebersetzung.at/twister/es.htm
http://www.angelfire.com/ne/bernardino/trabalen.html

El ejercicio puede tener como objetivo la presentación del material que hayan encontrado o, por ejemplo, la grabación de un trabalenguas para que el resto de estudiantes lo escuche y elija cuál es el más divertido o mejor interpretado.

¿QUÉ HE APRENDIDO?   67

En este epígrafe dedicado a la autonomía del aprendizaje, el alumno encontrará actividades referentes a los contenidos de la unidad y también un ejercicio de evaluación de su proceso de aprendizaje. Se concluye con una reflexión sobre la importancia del componente cultural a la hora de estudiar la lengua extranjera.

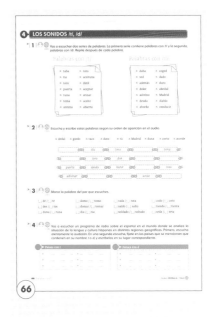

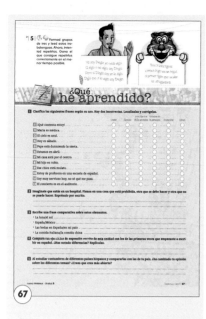

> **1** Lugar: 7, 12; Tiempo: 4, 6; Descripción de la persona: 8, 9; Estados de la persona: 1, 5, 11; Profesión: 2, 10; Otros: 3; Frases incorrectas: 9, lo correcto es "Ese chico es mulato" y 11, lo correcto es "Estoy muy nervioso…".

> **2** Posible respuesta. Está prohibido: fumar; Se debe hacer: guardar silencio; No se puede hacer: ruido, molestar a los enfermos.

> **3** Posible respuesta. La luna está más cerca de la Tierra que el sol; En España hay menos habitantes que en México; Las bodas en España son tan tradicionales como en mi país; La comida china es muy distinta a la comida italiana.

> **4** Con este ejercicio, se pretende que el alumno no solamente tenga en cuenta lo que ha aprendido en la unidad, sino que valore también la evolución en su proceso de aprendizaje. Esto le ayudará a tomar conciencia del punto en el que se encuentra en ese proceso y a plantearse cómo darle continuidad.

> **5** Esta es una actividad en la que el alumno va a reflexionar sobre la relación entre el aprendizaje de la cultura y el hecho de comprender, conocer y aceptar, en mayor medida, a una comunidad y a sus hablantes. Se trata de entender que la comunicación no solo depende del dominio de la lengua y que una mayor comprensión de la cultura meta puede mejorar el entendimiento con los individuos que integran esa cultura.

 ELEteca
COMUNICACIÓN. **Describir un lugar.**
GRAMÁTICA. **Los comparativos.**
LÉXICO. **Las bodas.**

 ELEteca
Exprésate.

En esta unidad el estudiante aprenderá a describir personas, cosas y acciones habituales en el pasado, además de comparar hábitos y costumbres del pasado con los del presente. Con esta finalidad, se introduce un nuevo tiempo verbal, el pretérito imperfecto, así como también su uso y los marcadores temporales que generalmente lo acompañan. Con respecto a los contenidos culturales, los alumnos conocerán algunos juegos y objetos tradicionales españoles y la evolución de los teléfonos móviles, además de estudiar algunos aspectos de la sociedad y la cultura en los años 80 en España y Chile. En relación al contenido estratégico, se reflexiona, entre otras cuestiones, sobre la utilidad de comparar las formas de transmitir la información en español con las estructuras usadas en la lengua materna para asimilar el uso de los tiempos verbales. Desde el punto de vista de la fonética y la ortografía, se incide en el contraste de los sonidos /k/ y /g/ y en las reglas que rigen el uso de las letras *c*, *qu*, y *k* a nivel escrito.

1 ¿CÓMO ERA LA VIDA SIN MÓVIL? 68

En este epígrafe, se introduce el pretérito imperfecto para describir personas, cosas y acciones en el pasado, además de hablar de hechos y hábitos del pasado comparados con el presente. En lo que respecta al contenido cultural, se reflexiona sobre la evolución técnica que ha experimentado el móvil desde su nacimiento hasta la época presente y las consecuencias que estos avances han tenido sobre las relaciones humanas. En cuanto al contenido estratégico, el alumno contrastará formas de transmitir cierta información en español con las de su lengua materna.

> 1 Las imágenes pretenden evocar recuerdos y activar las ideas y el vocabulario relacionados con el tema del teléfono móvil. Asimismo, sirven para preparar la audición de 1.1. y, en general, para las actividades siguientes, ya que el móvil, su evolución y su impacto sobre la vida de las personas constituyen el contenido que articula todo el epígrafe.

Estos teléfonos móviles son ya muy antiguos, comparados con los teléfonos de última generación. La imagen intenta expresar el paso del tiempo, también para la tecnología.

Si lo cree conveniente, lleve a cabo una lluvia de ideas sobre las características que pueden tener los dispositivos que aparecen en las imágenes, la época en la que fueron creados, las marcas más populares y el uso que se les daba y se les da actualmente. Con ello se anticiparán algunas de las palabras clave que van a aparecer en la audición.

Una vez compartida la información, pídales que, por parejas, intenten pensar cuáles podrían ser las características de la primera (1G), la segunda (2G) y la actual generación (3G/4G) de móviles. Finalmente, haga una puesta en común en la que compartan las ideas que han trabajado. Escuchar la audición los ayudará a rectificar o completar la información recogida.

1.1. En esta audición aparece por primera vez el pretérito imperfecto, utilizado aquí para describir las características de las primeras generaciones de teléfonos móviles. En la primera escucha, indíqueles que tomen nota de las características de su evolución. En la segunda escucha, pídales que se concentren en el tiempo al que se refiere la audición y que intenten anotar las formas verbales que escuchen. Ponga el audio por tercera vez si lo considera necesario. Puesto que la información aportada por la audición se puede fragmentar en tres partes, detenga el audio en cada sección para hacer la actividad.

| 68 |

🔊 ¿Sabías que el primer teléfono móvil de la historia, Motorola, apareció por
|33| primera vez en el año de 1983? Era bastante pesado, unos 780 gramos. Ob-
viamente, era analógico, la batería solo duraba una hora y la calidad de sonido era muy mala. Era pesado y poco estético, pero aun así, había personas
que pagaban los 3995 dólares que costaba por tenerlo, lo cual lo convirtió
en un objeto de lujo. Los primeros en utilizarlos fueron hombres de nego-
cios, ejecutivos y personas con un alto poder adquisitivo.

La segunda generación de teléfonos móviles hizo su aparición en la década
de los 90. En su mayoría eran de tecnología digital, la batería duraba más
y tenían una mejor calidad de sonido. Estos teléfonos ya contaban con la
posibilidad de envío y recepción de mensajes de texto, los SMS.

A finales de esa década, se produjo la fiebre de los teléfonos móviles. El
producto se abarató debido a la competencia entre las diferentes compañías
telefónicas y la demanda de estos aparatos se disparó, alcanzando unas
cifras increíbles.

Hasta ese momento, el teléfono se usaba para hablar y enviar y recibir mensajes de texto. Actualmente, el teléfono móvil se ha convertido en un ordenador que permite llamar, ejecutar aplicaciones, conectarse a Internet,
hacer fotografías, vídeos, ver televisión y muchas cosas más.

Primer móvil: Motorola, apareció en 1983. Era bastante pesado, unos 780
gramos, analógico, la batería solo duraba una hora y la calidad de sonido
era muy mala. Era poco estético y un objeto de lujo solo al alcance de unos
pocos, costaba 3995 dólares; Segunda generación de móviles: apareció en
la década de los 90. La mayoría eran de tecnología digital, la batería duraba más y tenían una mejor calidad de sonido. Ya podían enviar y recibir
mensajes de texto; Móviles actuales: se han convertido en un ordenador
con múltiples utilidades, como llamar, ejecutar aplicaciones, conectarse a
Internet, hacer fotografías, vídeos o ver televisión.

1.2. Para concluir esta actividad, y si lo desea, proponga una reflexión intercultural sobre el uso de los móviles en los países de origen de los alumnos.

· ·

>2 Con esta comprensión lectora se introduce el pretérito imperfecto en un contexto real como es un foro de Internet. Frente al uso puramente descriptivo
del pretérito imperfecto en las actividades anteriores, en esta actividad se
profundiza en el contraste entre este tiempo verbal y el presente de indicativo, usando los marcadores temporales *antes* y *ahora*, con el objetivo de comparar cualidades y acciones y establecer diferencias entre pasado y presente.

Comience haciendo la pregunta del epígrafe, *¿Cómo era la vida sin móvil?*, y
pidiendo que respondan en clase abierta. A continuación, introduzca la actividad 2. Si lo cree oportuno, divida la clase en parejas para realizarla.

2.

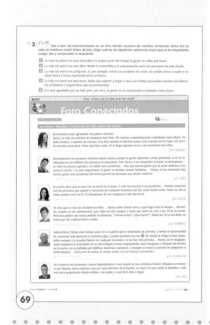

| 69 |

2.1. Indique a los alumnos que anoten las frases que se refieran a diferentes aspectos del uso del móvil siempre que sea posible.

Posibles respuestas. ANTES (sin móvil): 1. La gente aprendía a tener pacien-
cia, si no te localizaban en un teléfono fijo, esperaban; 2. No estabas cons-
tantemente controlado como ahora; 3. No interrumpíamos a horas inapro-
piadas; 4. No se hablaba por teléfono mientras se comía; 5. Solo había un
número de teléfono por familia; AHORA (con móvil): 1. Puedes contactar con
las personas en cualquier momento y lugar; 2. Estamos más tensos, algunas
personas, si no les responden al móvil, se desesperan; 3. Hay personas más

pendientes del móvil que de la persona que tienen enfrente; 4. Estamos disponibles siempre y nos pueden llamar en cualquier momento; 5. Tenemos un teléfono por cada miembro de la familia.

Finalmente puede hacer una puesta en común, en la que los alumnos comenten con qué usuario se sienten más identificados y por qué.

2.2. Esta actividad, centrada en la forma del pretérito imperfecto, supone el inicio de una reflexión gramatical que concluirá con los usos y los marcadores temporales que van asociados a este tiempo. La finalidad es que los alumnos infieran las formas que faltan a partir de las personas ya conjugadas.

1. estaba; 2. estaban; 3. tenías; 4. teníamos; 5. salía; 6. salíais; 7. erais; 8. iba; 9. veíamos.

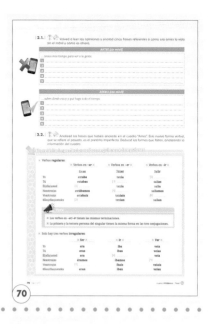

> Para fijar los conocimientos adquiridos sobre la forma y usos del pretérito imperfecto proponga los ejercicios 1, 2 y 3 de la unidad 6 del *Libro de ejercicios*.

2.3. Esta actividad tiene el objetivo de consolidar y memorizar las formas del pretérito imperfecto mientras completan los ejemplos del cuadro, al mismo tiempo que aprenden sus usos y los marcadores temporales que normalmente los acompañan.

Junto con el pretérito indefinido y el pretérito perfecto, el imperfecto es el tercer tiempo para expresar acciones en el pasado que estudian los alumnos. Si lo considera oportuno, realice alguna aclaración respecto a las particularidades de este tiempo frente a las del indefinido y el perfecto. Coménteles que en las actividades anteriores han visto los dos primeros usos del cuadro: la expresión de acciones habituales y la descripción de personas, cosas o lugares. Si lo ve conveniente, introduzca el uso referido a la expresión de dos acciones simultáneas, que verán en la actividad 3 del segundo epígrafe, *¡Tantos recuerdos!*

era, tenía, vivíamos, tenía, interrumpías, estaban, aprendía, podían, era, hablaba, comíamos, regresábamos, olvidaba.

>3 Esta actividad, de carácter estratégico, tiene como objetivo que los alumnos contrasten la forma de transmitir información en español con la de sus lenguas maternas. Con este propósito, pensarán en las similitudes y diferencias que existen entre ellas para cada uso del pretérito imperfecto.

>4 Con esta tarea final de epígrafe, los alumnos aprenderán a escribir una entrada en un foro de Internet.

Después de leer el cuadro de reflexión, pídales que creen un grupo en alguna red social, si disponen de acceso a Internet, y que redacten sus entradas. Una vez escritas, puede imprimir en una hoja todos los mensajes del foro y dar una copia a los estudiantes para que los corrijan. Si no se dispone de este medio, puede hacer que los escriban en un mural simulando las entradas en un foro.

Para finalizar y si lo cree interesante, puede organizar un debate. Divida a los alumnos en dos grupos: aquellos que piensan que la vida ha mejorado con el uso del teléfono inteligente y un segundo grupo, cuyos miembros piensen que ha empeorado. Cada grupo se dividirá a su vez en parejas, quienes trabajarán los argumentos para defender su posición y rebatir la del otro grupo. Una vez realizado el trabajo por parejas, cada grupo pondrá en común las ideas para sostener sus opiniones. Ganará el debate el equipo que argumente mejor y se sirva de más razones para defender la posición adoptada.

Una actividad extra para seguir profundizando en la importancia que algu-

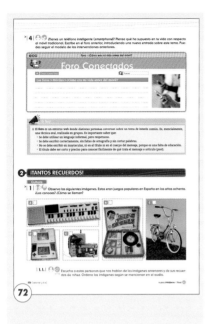

nos objetos o acontecimientos tienen para las personas es que pida a los alumnos que piensen en algo que cambió sus vidas (puede ser un objeto, una persona, una idea, un acontecimiento, un animal, etc.). Cada uno describirá cómo era su vida antes de ese cambio y los compañeros adivinarán de qué cosa se trata. Si sus clases son numerosas, pueden escribir los cambios en la pizarra para agilizar la dinámica de la actividad.

Si cree que sus alumnos necesitan practicar más, realice la ficha 11.

Ficha 11. Inventos universales.

Actividad lúdica para practicar el pretérito imperfecto y hablar de cómo era la vida antes de la invención de determinados objetos.

Dinámica. Divida la clase en dos grupos y ponga las tarjetas con los inventos en una bolsa. Cada grupo elige por consenso a un estudiante como el encargado de describir el invento de la tarjeta a los miembros de su grupo. Para ello, debe elaborar frases que hagan referencia a cómo era la vida antes de la aparición de este invento, sin mencionar su nombre. Cuando un compañero del grupo acierte la palabra, vuelve a sacar otra tarjeta hasta que pase un minuto. El alumno tiene la opción de cambiar de tarjeta todas las veces que quiera si su grupo no consigue acertarla, pero ha de volver a meterla en la bolsa. Pasado el minuto, el grupo cederá el turno al equipo contrario. Una vez que se hayan acabado todas, se hace un recuento y gana el grupo que tenga más tarjetas.

2 ¡TANTOS RECUERDOS! 72

En este epígrafe se pone en práctica el pretérito imperfecto para evocar recuerdos del pasado y hablar de acciones simultáneas. Para tal fin, el alumno conocerá algunos juegos muy populares en los años 80 en España y rememorará sentimientos y sensaciones que experimentaba en su infancia en determinadas situaciones.

> **1** Las imágenes de los juegos infantiles españoles tienen como objetivo activar el vocabulario necesario para entender la audición y, sobre todo, traer a la memoria emociones de la infancia de los alumnos.

A. órgano o teclado electrónico; B. Los *Juegos reunidos* de Geyper o juegos de mesa; C. La bicicleta BH; D. una maquinita o videoconsola; E. *walkman* o reproductor de audio estéreo portátil.

ELEteca
13. Juegos populares en la década de los ochenta en España.

1.1. Como estrategia para afrontar la comprensión auditiva, divida a los alumnos por parejas y pídales que escriban una lista con el mayor número de palabras que podrían aparecer en el audio referidas a cada uno de los objetos. Tras la primera escucha, pregúnteles qué palabras les han ayudado a identificar el objeto del que habla cada persona en la audición y si en el audio aparece alguna palabra de sus listas. Abra una reflexión sobre la utilidad de crear listas de palabras para prever contenidos de las audiciones. Proceda a una segunda escucha y corrija la actividad con la ficha 12. Finalice con una puesta en común en la que se enumeren las características de cada objeto.

| 34 |

1. ¡Eran los regalos estrella de cumpleaños y reyes, porque no solo disfrutaban los niños, sino toda la familia. Preguntas, pruebas, habilidad... pero, sobre todo, muchas risas alrededor de una mesa. Con la familia o con los amigos, las tardes no eran lo mismo sin estos juegos de mesa.

2. Probablemente fue el regalo más caro de mi infancia y también el que más aproveché. Ella y yo éramos inseparables y era imposible imaginar un verano si no era pedaleando. Recuerdo perfectamente cuando los Reyes Magos me la trajeron. Todavía me acuerdo de la marca, el modelo y el color.

3. Recuerdo uno de los primeros, con el que jugaba de pequeña. Era muy moderno y yo me sentía una gran compositora. Realmente lo único que sabía tocar era el cumpleaños feliz y poco más. Pero todos soñábamos con ser grandes músicos.

4. Hoy tenemos todo tipo de aparatitos electrónicos para comunicarnos y escuchar música. Pero no siempre fue así. ¡Cómo me gustaba ir por la calle con él! Me hacía sentir el más guay del barrio y todos mis amigos me lo pedían. Siempre llevaba varias cintas para ir cambiando de vez en cuando. ¡Cómo sonaba Mecano o Alaska! ¡Anda que no ha cambiado la vida!

5. Me acuerdo perfectamente de que la compramos en un viaje a Ceuta, cuando en aquellos tiempos estaba de moda ir a Ceuta y traerse aparatos electrónicos porque allí era todo más barato que en la Península. Era un juego de un vampiro que iba caminando y, según caminaba, le caían del cielo palos, rayos de sol, gotas de agua... Tenías que atravesar el camino y entrar en una torre, y así sucesivamente. ¡Qué tiempos aquellos! Creo que aún debe de estar ese juego en casa de mi madre.

A. 3; B. 1; C. 2; D. 5; E. 4.

 Ficha 12. Juegos infantiles.

Actividad de práctica controlada sobre las formas del pretérito imperfecto a partir del texto de la audición.

1. 1. Eran, disfrutaban, eran; 2. éramos, era, era; 3. jugaba, Era, sentía, sabía, era, soñábamos; 4. gustaba, hacía, pedían, llevaba, sonaba; 5. estaba, era, Era, iba, caminaba, caían, Tenías.

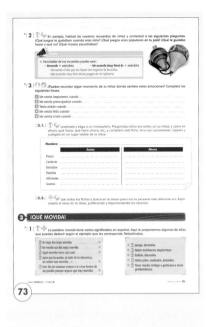

>2 Con esta actividad los alumnos rememorarán, por parejas, objetos y vivencias del pasado haciendo uso de las estructuras *recordar* algo y *acordarse de* algo. Se pretende que se sientan implicados emocionalmente gracias al poder evocador de los objetos que les hicieron felices cuando eran pequeños.

Tras el trabajo por parejas, lleve a cabo una puesta en común sobre los juguetes favoritos de la infancia de los alumnos. Además, puede ampliar el tema para que hablen sobre su escuela, quién era su mejor amigo, cómo era esta persona, cómo eran sus profesores, qué asignatura le gustaba más, etc. Si la clase está formada por estudiantes de diferentes edades, se puede organizar la información por décadas y países para, además, intercambiar información sobre sus culturas de origen.

>3 Esta actividad tiene como objetivo recordar épocas o momentos del pasado utilizando el marcador *cuando*.

Si lo cree conveniente, puede realizar la actividad por parejas. Indique a los alumnos que añadan otras emociones a las ya propuestas y oriéntelos para que estos sentimientos sugeridos sean de carácter positivo (por ejemplo, *Me sentía confiado/a, emocionado/a, orgulloso/a, contento/a, cariñoso/a*, etc.). A continuación, puede invitar a los alumnos a comentar los paralelismos y las diferencias existentes entre ellos y su manera de gestionar las emociones.

Como actividad opcional, puede realizar la ficha 13.

 Ficha 13. Recuerdos de la infancia.

Actividad lúdica con tarjetas recortables para practicar y consolidar el pretérito imperfecto y sus marcadores temporales.

Dinámica. Cada tarjeta contiene un comienzo de frase que hace referencia a alguno de los usos estudiados del pretérito imperfecto. Entregue a sus alumnos un mínimo de una tarjeta por persona, dependiendo del tiempo que desee emplear en la actividad y dígales que escriban el final de la frase de la tarjeta que les haya tocado, tomando como base su propia infancia. A continuación, uno de los alumnos lee el comienzo de su tarjeta y el resto, uno por uno, imagina el contenido final de la frase. Cuando se hayan formulado todas las hipótesis, el autor lee la frase original en voz alta. Gana un punto la persona cuya frase guarde más similitud de sentido con la original. Se continúa igual con el resto de los alumnos. Gana el alumno que al final haya obtenido más puntos.

3.1. y **3.2.** Práctica escrita y oral para describir, comparar cualidades y establecer similitudes y diferencias entre el presente y el pasado.

Una variante a la propuesta del enunciado es que anime a sus estudiantes a encontrar a la persona con la que tengan más cosas en común o la que tuvo una infancia más divertida.

Como actividad extra, realice la proyección 11.

Proyección 11. ¡Cómo hemos cambiado!

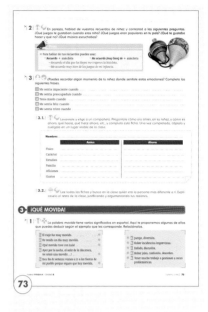

Actividad oral controlada para practicar la comparación de hechos, hábitos y costumbres en el pasado con el presente mediante el uso del pretérito imperfecto.

Dinámica. Disponga a los alumnos por parejas y dígales que copien en una hoja los temas de la columna de la izquierda y que señalen aquellos aspectos en los que han cambiado. Después, indíqueles que se intercambien la hoja con su compañero. Ahora deben escribir tres preguntas (de respuesta *Sí/No* y utilizando el pretérito imperfecto) en aquellos temas que su compañero haya marcado, con la intención de averiguar en qué exactamente ha cambiado. Por ejemplo, si ha cambiado físicamente, se le puede preguntar: *¿Llevabas el pelo largo?*, *¿Estabas más delgado?*, *¿Llevabas piercing?*, etc. Vuelven a intercambiar las hojas para responder a las preguntas con *sí* o *no*. A partir de las respuestas dadas por su compañero, cada alumno imaginará qué cambio ha experimentado este. Si su respuesta es correcta, tendrá un punto.

Para consolidar estos contenidos, puede realizar los ejercicios 4 y 5 de la unidad 6 del *Libro de ejercicios*.

3 ¡QUÉ MOVIDA!   73

En relación con el contenido cultural, de gran importancia en este epígrafe, el alumno estudiará algunos aspectos sociales de la década de los 80 en España y Chile. Descubrirá acontecimientos sociales y políticos de gran importancia en estos países, conocerá la movida madrileña y entenderá cómo vivían en aquella época. A nivel gramatical, se introduce la estructura *soler* + infinitivo para expresar acciones habituales en el presente y pasado.

> **1** Reflexión inicial de una secuencia de actividades que analiza el concepto de *movida*, un término con varias acepciones y que el alumno trabajará para poder llevar a cabo las actividades subsiguientes.

Por parejas, los alumnos tratan de deducir la acepción que corresponde a cada ejemplo dado. También puede sugerirles que identifiquen la categoría gramatical de la palabra (en las dos primeras es adjetivo y en el resto es sustantivo). Antes de realizar la puesta en común, pídales que comparen sus respuestas con las del resto de parejas. Una vez resuelto el ejercicio, invítelos a que propongan otros ejemplos que se correspondan con esos significados.

1. b; 2. e; 3. c; 4. d; 5. a.

1.1. A, D y F corresponden a la expresión *¡Hay movida!* (en su acepción referida a *juerga* o *diversión*).

>**2** Comprensión lectora sobre la *movida madrileña*, donde el alumno resumirá la idea principal de cada párrafo. Si lo prefiere, puede realizar la actividad en parejas. Pídales que consensúen la idea principal de cada párrafo y, a continuación, en clase abierta, que intenten llegar a un acuerdo con el resto de parejas.

Antes de iniciar la actividad y con el objetivo de activar conocimientos, pregunte si conocen este movimiento, a qué época en España corresponde, por qué creen que es muy conocida, etc. En primer lugar, proponga una lectura rápida del texto para comprobar sus hipótesis. Es en una segunda lectura cuando deberán anotas las ideas principales.

Segundo párrafo: aparece la juventud como grupo diferenciado, reivindicando su propio modo de pensar, actuar y expresarse; Tercer párrafo: este movimiento cultural, conocido como la movida madrileña, se inició a través de la música pero se extendió a otras formas artísticas; Cuarto párrafo: la movida nace en Madrid, pero se extendió a otras ciudades de España, cambiando radicalmente la sociedad de los 80.

2.1. Actividad de grupo cooperativo y de carácter estratégico, que tiene como objetivo que el alumno reflexione sobre cómo puede afectar el cambio de un término, en este caso un antónimo, al sentido de una unidad mayor como es la textual.

A continuación, puede consolidar el uso de la sinonimia y antonimia con los ejercicios 6 y 7 de la unidad 6 del *Libro de ejercicios*.

>**3** y **3.1.** Haga uso de las imágenes para activar el vocabulario relacionado con el tema antes de leer las preguntas.

A continuación, proceda a la primera escucha. Deje tiempo para que comparen sus respuestas con las de sus compañeros. Lleve a cabo una segunda escucha y corrija los resultados en clase abierta. Dígales que reflexionen sobre la utilidad de las preguntas que han trabajado de forma previa a la escucha.

Si desea proporcionar material audiovisual a los alumnos para que conozcan más a fondo el movimiento de *la movida madrileña*, acceda en YouTube al documental sobre la movida madrileña "La Nueva Ola en Madrid" o proyecte este otro documental: http://www.rtve.es/alacarta/videos/el-documental/frenesi-gran-ciudad-movida-madrilena/1216132/

|35| **Locutor:** Bueno, estamos aquí con Luis y Marta, una pareja que vivió la movida madrileña. Contadnos, ¿cuántos años teníais en esta época? ¿Qué hacíais?

Luis: Pues yo tenía veinticuatro, y trabajaba en una librería en el centro de Madrid.

Marta: Sí, yo era más jovencita, tenía dieciocho, y aún estudiaba… eh… estudiaba Derecho en la Universidad Complutense de Madrid.

Locutor: ¿Vivíais en casa de vuestros padres?

Marta: ¡No!, ninguno de los dos vivíamos en casa de nuestros padres. Yo compartía piso con unas compañeras de la facultad y él estaba en un apartamento en Moncloa.

Locutor: ¿Y cuándo os veíais?

Marta: Al principio nos veíamos todos los fines de semana y después también entre semana, porque salíamos mucho por ahí.

Locutor: Y eso, ¿por qué?

Luis: ¡Porque era la época de la movida! ¿No te acuerdas?

Locutor: ¡Ajá! ¿Y en qué consistía exactamente?

Marta: Pues íbamos a los bares de Chueca y Malasaña, que entonces eran dos barrios que estaban de moda para salir por Madrid.

Luis: Escuchábamos música, bailábamos… bueno, que había movida…

Locutor: ¡Ah! ¿Y qué tipo de música escuchabais?

Marta: Pues todos los grupos que empezaban a ser famosos en esos años: Alaska y los Pegamoides, Miguel Bosé, Nacha Pop, no sé…

Luis: También Radio Futura, Los Inhumanos… Y, luego, en cine, las películas de Pedro Almodóvar que fueron una auténtica revolución…

Locutor: Sí, es cierto, Pedro Almodóvar… ¿Y cómo vestíais?

Luis: Nos poníamos ropa de cuero combinada con ropa de colores…

Marta: …faldas cortas, pantalones estrechos, mallas y medias rotas, hombreras…

Luis: ¡Lo mejor era cómo llevábamos el pelo! Nos poníamos el pelo de punta, ¿te acuerdas? Ahora cuando veo las fotos… Y teñido con muchos colores. Muchos chicos llevábamos el pelo largo.

Marta: ¡Y el maquillaje! Nos maquillábamos con colores fuertes y llamativos. La verdad es que nos divertíamos mucho.

Luis: El espíritu de la movida madrileña era la libertad después de la muerte de Franco; se veía reflejado en el aspecto físico, en la diversión, y también en la cultura y en las artes…

Marta: ¡Qué tiempos!

1, 5, 6, 8.

Puede continuar la práctica con el ejercicio 9 de la unidad 6 del *Libro de ejercicios*.

3.2. Si los alumnos desconocen movimientos culturales importantes en la historia de sus países, pregunte directamente por otras épocas más populares del imaginario colectivo, como puede ser la década de los 60.

>4 La imagen de Pinochet introduce la sección final del epígrafe, centrada en Chile.

Augusto José Ramón Pinochet (1915-2006), fue un militar chileno que encabezó la dictadura en este país entre 1973 y 1990, a partir de un golpe de estado que derrocó al gobierno del presidente Salvador Allende. La dictadura de Pinochet ha sido ampliamente criticada y rechazada, tanto en su país como en el resto del mundo, por las graves y diversas violaciones de los derechos humanos cometidas en ese periodo. (De Wikipedia).

i+ ELEteca
14. Biografía de Augusto Pinochet.

4.1. Comprensión lectora sobre algunos sucesos y costumbres en los años ochenta en Chile, en la que se introduce en contexto la estructura *soler* + infinitivo para hablar de acciones habituales en el pasado.

Comente a sus alumnos, que en los años 80 mientras en España tenía lugar el florecimiento del movimiento de la *movida madrileña* tras la muerte de Franco y el fin de la Dictadura, en Chile había un régimen totalitario encabezado por Pinochet.

Contextualice el texto señalando que van a conocer algunos sucesos y costumbres de Chile en estos años. Diga a los estudiantes que se concentren en las ideas generales del texto y anímelos a preguntar a sus compañeros el significado de palabras o expresiones que no conozcan.

4.2. Indique a los alumnos que comparen sus respuestas con las de sus compañe-

ros y, a continuación, en clase abierta, pídales que alcancen un acuerdo y decidan cuál es la información relevante referida a cada uno de los tres puntos.

1. El Mundial de fútbol de 1982 (por sus malos resultados), el violento terremoto de 1985 o el atentado a Augusto Pinochet en 1986; 2. Cuando se aplicaba el toque de queda, las fiestas se organizaban en casas y duraban hasta la mañana siguiente, cuando se podía volver a salir a la calle; 3. Los padres intentaban mejorar la situación económica del hogar, mientras las mujeres se ocupaban de los hijos y la casa. Existían más vínculos entre vecinos y afecto entre amigos, sintiéndose la gente más protegida. También eran muy importantes los ritos y celebraciones familiares.

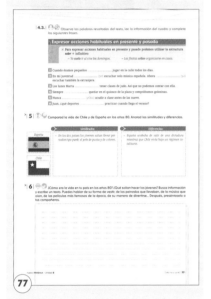

4.3. Mediante esta actividad se presenta el verbo *soler* para expresar acciones habituales tanto en el pasado como en el presente.

Si lo desea, puede pedir a los alumnos que infieran la estructura y el significado de *soler* + infinitivo a partir de las palabras resaltadas del texto y de manera previa a la lectura del cuadro de reflexión.

1. solíamos; 2. solía, suelo; 3. suele; 4. solíamos; 5. suele; 6. sueles.

Para ver el grado de asimilación de esta estructura por parte de los estudiantes, hágales preguntas del tipo: *¿Qué solías hacer de pequeño/a que ahora no haces? ¿Sueles hacer deporte? ¿Solías ir en verano a la playa?, ¿Sueles ir en verano a la playa?*, etc.

Puede seguir practicando la estructura *soler* + infinitivo con el ejercicio 8 de la unidad 6 del *Libro de ejercicios*.

>5 Anime a los alumnos a utilizar los marcadores de pretérito imperfecto estudiados en la unidad para redactar las similitudes y las diferencias entre España y Chile.

Posibles respuestas. Similitudes: Los lugares de diversión entre los jóvenes eran bares y discotecas; llevaban peinados estilo *punk*; Diferencias: España había salido de una dictadura pero Chile vivía bajo la de Pinochet. En España había una gran libertad de expresión en todos los ámbitos de la cultura, y en Chile existía la censura. En España los jóvenes gozaban de una gran libertad, y en Chile, cuando se aplicaba el toque de queda, los jóvenes no podían salir a divertirse y hacían fiestas en las casas.

>6 El trabajo realizado en la actividad 5 sirve como base para llevar a cabo la tarea final del epígrafe: una redacción sobre los años ochenta en sus países y la posterior presentación en clase.

Como actividad extra, realice la dinámica de la proyección 12.

Proyección 12. Viaje al pasado.

Actividad de práctica oral para hablar de hábitos y estilos de vida en épocas pasadas.

Dinámica. Pregunte a los alumnos si saben quiénes son los personajes históricos de las imágenes. Después, ya recabada la información, dígales que escojan su personaje favorito y que, a continuación, formen grupos de tres según sus preferencias. Cada grupo trabajará diferentes aspectos de la vida de la gente coetánea a los personajes y expondrá su reflexión a los compañeros. Para concluir el ejercicio, los alumnos decidirán en clase abierta qué época fue la más interesante.

A. Adriano, emperador del Imperio romano siglo II d.C.; B. Emiliano Zapata, líder revolucionario mexicano, principios del siglo XX; C. John Lennon, cantante del grupo The Beatles, años 60; D. María Antonieta, reina de Francia, siglo XVIII.

---

4 ▶ **LOS SONIDOS /k/, /g/. LAS LETRAS *c, qu, k* 78**

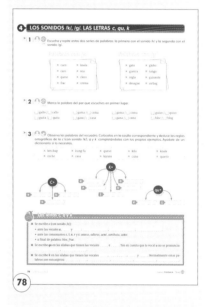

En este epígrafe los alumnos trabajarán los fonemas /k/ y /g/ y las letras *c, qu* y *k*, a través de actividades de percepción fonética y de reproducción de estos sonidos.

> 1 Actividad de percepción y distinción de los sonidos /k/ y /g/.

Para pronunciar la consonante /k/, se coloca la parte posterior de la lengua en el velo del paladar. Lleve a cabo la primera escucha y pida a los alumnos que repitan las palabras.

En el segundo cuadro, referido al grupo de palabras con el sonido /g/, aparece un término con diéresis, *desagüe*. Si lo cree conveniente, aclare a sus alumnos que la diéresis es un signo ortográfico que se coloca sobre la *u* para indicar que esta vocal debe pronunciarse, pero que en cualquier caso no afecta a la pronunciación del sonido /g/. El fonema /g/ puede pronunciarse en español de dos maneras: con un sonido más fuerte [g], si aparece en inicio de palabra o después de *n*, o con un sonido más suave [ɣ], si aparece detrás de vocal u otra consonante que no sea *n*. Si lo cree conveniente, puede practicar ambos sonidos mediante la repetición de palabras que contengan los sonidos de [g] (*gallina, guerra, Granada, guitarra, guapo, tango, guantes, ninguno*, etc.) y [ɣ] (*agosto, fuego, sagrado, lugar, hogar, juego, musgo, cargo, algo*, etc.).

 Cuco, caro, queso, frac, koala, oca, cloro, crema.
| 36 | Gato, guerra, regla, desagüe, globo, tango, guisante, airbag.

> 2 Trabajo de reconocimiento fonético a través de pares mínimos.

Si la distinción de /g/ y /k/ presenta problemas, detenga la audición después de cada palabra y anímelos a repetirla, para proceder a la identificación del sonido en clase abierta. Realice una segunda escucha si lo cree necesario.

 Callo, gallo, guita, quita, cama, gama, gasa, casa, coma, goma, cana, gana,
| 37 | guiso, quiso, bloc, blog.

Callo, guita, cama, gasa, coma, cana, guiso, bloc.

> 3 A continuación, los alumnos trabajarán un esquema y un cuadro de reflexión para deducir las reglas que rigen los sonidos de las letras *c* (con sonido /k/), *q* y *k*.

Los alumnos observarán que la diferencia ortográfica entre *c* y *qu* es patente, mientras que para conocer cuándo una palabra se escribe con *k*, a veces es necesario consultar el diccionario. La letra *k* aparece sobre todo en voces extranjeras.

C + a. casa; o. coche; u. cuna; K + a. kárate; e. kétchup; i. kilo; o. koala; u. kung-fu; QU + e. queso; i. quiero.

Posible respuesta.

✗ Se escribe **c** (con sonido /k/):
  • Ante las vocales a, o y u: cama, cosa, cuento.

✗ Se escribe **qu** en las sílabas que tienen las vocales e e i. [...] quemar, quince.

✗ Se escribe **k** en las sílabas que tienen las vocales a, e, i, o y u. Normalmente estas palabras son extranjeras: kamikaze, Kenia, kiwi, Kosovo, sudoku...

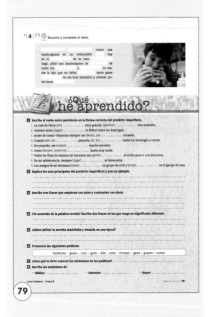

>4 Comprensión auditiva centrada en el sonido /k/ donde los alumnos, además de identificar las palabras, reflexionarán sobre su ortografía.

En la primera escucha, pídales que se concentren en completar las palabras que faltan en el texto. Después, dígales que comparen con sus compañeros sus respuestas y que pongan atención en la ortografía. Proceda a una segunda audición y, para finalizar, haga una puesta en común.

 |38|

Quique quería comer una hamburguesa en un restaurante que hay en la esquina de su casa. Cuando llegó, pidió una hamburguesa de carne de cerdo con kétchup y queso. Su madre le dijo que no debía comer tanta grasa porque no era muy saludable y, además, podía tener acné.

Quique quería comer una hamburguesa en un restaurante que hay en la esquina de su casa. Cuando llegó, pidió una hamburguesa de carne de cerdo con kétchup y queso. Su madre le dijo que no debía comer tanta grasa porque no era muy saludable y, además, podía tener acné.

Si lo considera conveniente, continúe la práctica de las letras *c*, *qu* y *k* con el ejercicio 10 de la unidad 6 del *Libro de ejercicios*.

¿QUÉ HE APRENDIDO?   79

>1 1. era, parecía; 2. jugaba; 3. sentía; 4. era, iba; 5. costaba; 6. dormíamos; 7. pedía; 8. jugaba; 9. tenían, tocaban.

>2 Expresar acciones habituales en el pasado; describir personas, cosas o lugares en el pasado, expresar dos acciones simultáneas en el pasado.

>5 Posible respuesta. Fue un movimiento cultural protagonizado por los jóvenes que querían reivindicar su modo de entender el mundo y su cultura propios, a través de diferentes formas artísticas, principalmente la música.

>8 Hablar: callar; Destruir: construir; Hacer: deshacer.

ELEteca
COMUNICACIÓN. **Eran otros tiempos.**
GRAMÁTICA. **El pretérito imperfecto.**
LÉXICO. **Palabras sinónimas.**

ELEteca
¡Qué tiempos aquellos!

En esta unidad se presentan la estructura, los rasgos característicos y los recursos lingüísticos de un cuento con la finalidad de que los alumnos escriban uno de invención propia. Para este mismo objetivo, se introduce el léxico relacionado con la descripción de personas cosas y lugares, y con los cuentos infantiles.

El alumno aprenderá, asimismo, a relatar acontecimientos curiosos, a explicar una noticia y a describir las circunstancias en las que sucedieron. Para ello se retoma el contraste entre el pretérito indefinido y el imperfecto y se presenta el uso en pasado de la estructura *estar* + gerundio.

En cuanto a las estrategias de aprendizaje, destacamos la reflexión sobre la utilidad del componente lúdico en el proceso de aprendizaje y, en relación con el componente afectivo, el alumno valorará cómo le hace sentir el hecho de hablar con acento extranjero. Finalmente, el apartado de fonética se centra esta vez en la pronunciación de los fonemas /s/ y /θ/, y se da cuenta de la existencia del fenómeno del seseo y el ceceo.

1 ¡QUÉ CURIOSO! 80

Introducimos la unidad planteando los hechos curiosos, casuales o sorprendentes como marco para que los alumnos aprendan a narrar acontecimientos del pasado y a describir el contexto en el que tuvieron lugar. Con este fin, se trabaja el contraste entre el pretérito indefinido y el pretérito imperfecto en el relato de experiencias vividas.

>1 Las coincidencias y los hechos curiosos van a ser el pretexto para que el alumno exprese las circunstancias en las que se desarrolla un acontecimiento del pasado.

En las imágenes se observan efectos visuales sorprendentes u originales y coincidencias que pueden darse de manera espontánea en la vida. Intente, primero, que describan cuál es el efecto visual curioso de cada foto. Si es necesario, adjudique cada imagen a un alumno o grupo de alumnos. Seguidamente, plantee los interrogantes del enunciado.

Puede ampliar la actividad sugiriéndoles que busquen fotografías de estas características y que luego las presenten en clase, explicando cuándo, dónde y con quién las sacaron.

A modo de alternativa lúdica, recoja las fotos y luego repártalas aleatoriamente entre el grupo. Pida que cada alumno presente la imagen que le ha tocado y que, una vez terminada la explicación, traten de adivinar quién es su dueño.

>2 Se presenta una comprensión lectora relacionada con el tema del epígrafe, que va a servir también como contextualización del audio de 2.1.

Indíqueles que lean el texto individualmente y que luego identifiquen y expliquen el hecho casual de la historia. Puede preguntarles también si habían oído antes este suceso o si conocen alguno similar.

2.1. A partir de esta audición, el alumno trabajará otra de las funciones asociadas al pretérito imperfecto, la descripción de circunstancias que rodean un acontecimiento. Además, la actividad presenta el uso contrastado de este tiempo verbal y del pretérito indefinido, que se trabaja explícitamente en el siguiente punto.

Coménteles que, en una primera escucha, intenten completar la columna de los acontecimientos o acciones, señalando qué pasó, dónde cayó el rayo o qué le quemó. A continuación, en una segunda escucha, pídales que completen la otra columna, señalando dónde se encontraba o qué hacía en ese momento.

Dígales que esto es fruto de la casualidad, pero que según la ciencia, hay más probabilidad de que te caiga un rayo si te encuentras bajo un árbol o conduciendo un coche. Quizás su trabajo de guardabosques al aire libre y en muchos lugares tormentosos ha colaborado para ello.

 |39| El guardabosques Roy Sullivan sobrevivió al impacto de un rayo en ¡cinco ocasiones!

La probabilidad de que una persona reciba la descarga de un rayo a lo largo de su vida es de una entre tres mil. Y, sin embargo, a él le sucedió.

En 1942, Sullivan se encontraba en un mirador del Parque Nacional Shenandoah, en Virginia, Estados Unidos. Allí recibió su primera descarga eléctrica; el rayo impactó sobre su pierna y perdió la uña del dedo gordo del pie.

En 1969, un rayo cayó sobre su camión mientras conducía por un camino de montaña. El rayo le quemó las cejas por completo y perdió el conocimiento.

En 1970, mientras se encontraba en el patio de su casa, un rayo lo alcanzó inesperadamente, provocándole quemaduras en el hombro izquierdo.

En 1972, otro rayo cayó sobre Sullivan cuando se encontraba en su casita del bosque, y le quemó el pelo.

Finalmente, el último rayo que cayó sobre el desafortunado Sullivan lo hizo en 1977, mientras se encontraba pescando en el lago del parque, y tuvo que ser hospitalizado con quemaduras en el pecho y el estómago.

Acontecimiento o acción. 1969: Un rayo cayó sobre su camión, le quemó las cejas y perdió el conocimiento; 1970: Un rayo lo alcanzó inesperadamente; 1972: Otro rayo cayó sobre Sullivan y le quemó el pelo; 1977: Le cayó el último rayo y tuvo que ser hospitalizado. Circunstancia o contexto. 1969: Conducía por un camino de montaña; 1970: Se encontraba en el patio de su casa; 1972: Se encontraba en su casita del bosque; 1977: Se encontraba pescando.

2.2. A partir del trabajo de identificación de 2.1., el alumno debe ahora inducir los usos del pretérito imperfecto y del indefinido, y el contraste entre ambos cuando se emplean en la narración de un acontecimiento.

1. indefinido; 2. imperfecto; 3. indefinido; 4. imperfecto.

Si lo considera relevante, pregúnteles cómo traducirían los ejemplos de la actividad anterior a su lengua materna o a otras lenguas extranjeras que conozcan, y si encuentran alguna coincidencia en el uso de los tiempos de pasado.

2.3. En este segundo ejercicio de comprensión lectora el alumno tendrá que discernir entre el uso de los dos tiempos trabajados para completar la historia. Tras la lectura, invítelos de nuevo a explicar en qué consiste el hecho casual.

1. recorría; 2. se encontró; 3. Cogió; 4. enseñó; 5. recordaba; 6. abrió; 7. descubrió; 8. Era; 9. leyó.

Si cree que sus alumnos necesitan practicar más, puede realizar la ficha 14.

Para practicar la combinación de acciones con circunstancias, proponga la realización del ejercicio 7 de la unidad 7 del *Libro de ejercicios*.

Actividades de práctica controlada para llevar a cabo de modo individual.

Dinámica. Reparta la ficha entre los alumnos para que completen los textos donde se combinan acciones con circunstancias. Puede ser realizada como trabajo extraescolar. Otra posibilidad es que, en parejas, cada estudiante complete uno de los textos. Después, deben contar su historia al compañero y practicar así la expresión e interacción orales.

Texto A. 1. separaron; 2. fueron; 3. vivían; 4. llamaron; 5. crecieron; 6. fueron; 7. gustaba; 8. se casaron; 9. tenían; 10. tuvieron; 11. se divorciaron; 12. discutían; 13. se casaron; 14. se llamaban; 15. tenían. Texto B. 1. Era; 2. se encontraba; 3. encontró; 4. pertenecieron; 5. se llamaba; 6. actuaba; 7. era; 8. recibió; 9. contaba; 10. se encontró.

>3 En las siguientes actividades y hasta el final del epígrafe se pone en práctica lo aprendido partiendo del relato de experiencias personales curiosas.

En este primer ejercicio se plantean casos de posibles casualidades con el objetivo de que traigan a la memoria vivencias del pasado que les sirvan de base para su narración escrita. Recomiéndeles que expliquen primero a un compañero qué hecho van a contar y qué posibles circunstancias pueden referir al respecto. En cuanto hayan tomado una decisión sobre ambos aspectos, pueden ponerse a escribir su historia.

3.1. El alumno va a recordar cuatro hechos de su vida y a preparar datos relacionados con ellos de cara a la actividad oral de 3.2. Acláreles de que se trata de pensar solo en los acontecimientos ocurridos y que ello requerirá el uso del pretérito indefinido. Con este ejercicio damos la oportunidad para que se impliquen afectivamente en la tarea.

3.2. El objetivo de esta actividad es reconstruir la historia en parejas: uno va contando los acontecimientos que le ocurrieron y el otro debe recordarle las circunstancias o contextos en los que sucedieron.

Si lo cree conveniente, elija a varios voluntarios para que cuenten su historia al resto de la clase, incluyendo ahora las circunstancias en las que ocurrieron.

Puede complementar esta actividad retomando la alternativa que le ofrecimos en el ejercicio 1 de este epígrafe. Pida que recuperen las fotos curiosas que presentaron entonces, a fin de que los compañeros puedan ahora hacer preguntas sobre las circunstancias en las que fueron tomadas. Otra opción es realizar la actividad de la ficha 15.

Puede continuar la práctica con los ejercicios 4, 5 y 6 de la unidad 7 del *Libro de ejercicios*.

Ficha 15. Lugares curiosos de Hispanoamérica.

Actividad de comprensión lectora y expresión oral que presenta lugares curiosos o interesantes de algunos países hispanoamericanos.

Dinámica. Disponga varios juegos de tarjetas iguales a partir de la ficha. Divida la clase en varios equipos de cuatro alumnos y ofrezca un juego de tarjetas por grupo. Pida que repartan una tarjeta por alumno y que lean la información que les ha tocado. Cuando las hayan leído, indíqueles que imaginen que son turistas que han viajado a ese país y que han visitado aquello que se presenta en la tarjeta. La imagen es una foto que ellos mismos sacaron durante el viaje. Explíqueles que la actividad consiste en decir a los compañeros a qué ciudad y país fueron. El resto de miembros del grupo deberá descubrir qué es lo que visitaron. Para tal objetivo, preguntarán acerca de las actividades que hicieron en ese lugar interesante o curioso y las circunstancias que rodearon a la visita. A estas preguntas el estudiante solo podrá responder *sí* o *no*.

2 ▶ ¡VAYA NOTICIA!   82

En este epígrafe se va a seguir trabajando sobre cómo narrar hechos ocurridos en el pasado; no obstante, se centra ahora en dos tipos de texto informativo: la noticia y la crónica. Se presenta, en este contexto, la estructura *estar* + gerundio en pretérito imperfecto, para referirse a acciones interrumpidas que rodearon a un acontecimiento. Además, el alumno reflexionará sobre sus sentimientos asociados al hecho de hablar con acento extranjero.

La expresión que da título al epígrafe pretende reflejar la extrañeza o admiración que puede manifestarse al conocer una noticia. El hablante usa la exclamación *¡vaya* + sustantivo!* precisamente para mostrar sorpresa hacia la realidad vinculada a ese sustantivo. En el epígrafe 3 se estudiarán otras expresiones para reaccionar ante una noticia.

> **1** Para realizar la tarea dé la consigna de que durante un minuto imaginen lo que ha sucedido, a partir del titular de la noticia. Luego, prosiga con una puesta en común y con las preguntas que aparecen en el enunciado.

Si los estudiantes desconocen las particularidades del síndrome, aclare que es un trastorno de origen neurológico, habitualmente consecuencia de una lesión cerebral, que provoca que los afectados pronuncien su lengua materna como lo haría un hablante foráneo. Hay pocos casos documentados en el mundo y quienes lo han padecido aparentemente no tenían relación con la cultura cuya pronunciación adoptaban.

1.1. En este punto se prosigue el acercamiento a cómo narrar vivencias o acontecimientos pasados.

Antes de proceder a la lectura y resolución de la actividad, pregunte en qué tiempo de pasado aparecen los verbos y por qué. Indíqueles que lean el texto y comprueben sus hipótesis de la actividad 1. A continuación, deben leer las frases extraídas de la noticia e intentar prever en qué orden aparecen. Para ello, necesitan imaginar cuáles son los sucesos vinculados a las circunstancias dadas.

1. cuando iba en su coche a casa de sus padres; 2. mientras se curaba de múltiples heridas; 3. era culpa de la fractura de mandíbula; 4. sentía mucha vergüenza al hablar en público; 5. se debía al daño producido en la parte del cerebro que se ocupa del habla.

· ·

1.2. Hay una estrecha relación entre el componente afectivo y el entonativo, que puede generar pudor o incluso resistencia a pronunciar determinados sonidos o a hablar en público. De ahí la importancia de trabajar la vertiente emocional en el trabajo de la fonética y la prosodia. Reflexione con ellos sobre por qué y en qué medida es importante tener una buena pronunciación en la lengua extranjera.

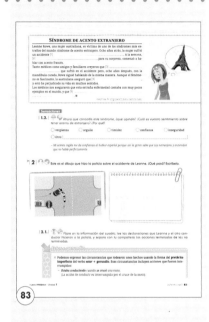

>2 Este es un ejercicio de expresión escrita que parte de la noticia leída en el epígrafe y sobre el que el alumno va a reflexionar a posteriori con relación al uso de *estar* + gerundio para narrar en pasado.

Deje que los alumnos realicen la actividad libremente y fíjese en los recursos que emplean para relatar el desarrollo del accidente.

Posible respuesta. Leanne cogió el coche para ir a casa de sus padres, tenía prisa y estaba un poco nerviosa. Por eso, cuando llegó a un cruce no se dio cuenta de que había una señal de *stop* al final de la calle. Al girar a la izquierda, vio que venía una moto por su derecha. Por desgracia, no pudo reaccionar y chocó con la moto, que iba muy rápido. Mientras Leanne estaba intentando frenar, el motorista cayó al suelo. Afortunadamente, ninguno de los dos sufrió lesiones graves.

2.1. Actividad de presentación de *estar* + gerundio en pretérito imperfecto para marcar la interrupción de una acción, expresada en pretérito indefinido.

Recomiéndeles que primero subrayen todas las formas verbales en pasado y que luego consideren si la acción está terminada o no.

Acciones terminadas: Apareció un loco en una moto. No pude frenar. Elegí un atajo. Fue él el culpable. Una loca con un deportivo azul se cruzó a toda velocidad. Ella fue la que tuvo la culpa. **Acciones interrumpidas no terminadas:** Yo estaba conduciendo más despacio que nunca. Estaba intentando llegar antes a casa de mis padres. Estaba conduciendo nerviosa. Yo iba circulando tan tranquilo, como siempre. Estaba buscando alguna tienda abierta. Iba mirando a todas partes.

Observe que en el apartado de acciones no terminadas se incluyen dos ejemplos con la perífrasis *ir* + gerundio. Si lo cree conveniente, aclare que en español existen otras perífrasis de gerundio, aparte de *estar* + gerundio, y que por lo general tienen valor durativo, es decir, expresan una acción en proceso.

Después de completar el cuadro, sugiérales que revisen sus textos de la actividad 2 y que valoren la posibilidad de incorporar la nueva estructura al relato.

Para seguir practicando los verbos en pretérito indefinido o en imperfecto de *estar* + gerundio, puede realizar los ejercicios 2 y 3 de la unidad 7 del *Libro de ejercicios*.

· ·

2.2. En este ejercicio de comprensión auditiva el alumno debe captar, al mismo tiempo, datos generales sobre los testigos y sus declaraciones, y distinguir entre lo que son hechos confirmados de lo que pasó y lo que corresponde

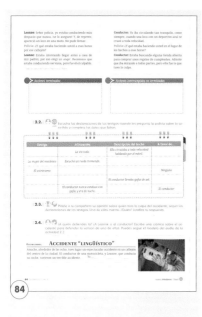

a la descripción de lo sucedido. Deje tiempo suficiente a sus estudiantes para que lean las notas y comprendan el objetivo de la audición. Establezca varias escuchas en función de cada una de estas tareas.

|40|

● Soy mecánico y yo lo vi todo, aunque era de noche. Ella circulaba a toda velocidad y hablando por el móvil. En mi opinión, ella tuvo la culpa.

○ Yo estaba tirando la basura, soy la mujer del mecánico, y escuché un ruido tremendo. Cuando me acerqué, vi al señor que tiraba la moto al suelo para fingir el accidente. No sé qué decirle, pero creo que ella tiene razón.

○ Pues yo soy astrónomo. Recuerdo que era de día, estaba en la azotea a esas horas mirando las estrellas y no vi ni escuché nada, así que no tengo ni idea de quién fue el culpable.

● Yo estaba esperándola al final del callejón y no lo vi bien porque estaba muy oscuro, pero parecía que el conductor llevaba gafas de sol, y seguro que no vio a mi amiga. Creo que él tuvo la culpa.

○ Yo soy amigo del conductor. Sé que nunca conduce con gafas de sol y, además, era de noche. Mi amigo es muy tranquilo y estaba buscando una tienda, así que iba muy despacio. A mí me parece que ella tuvo la culpa.

1. El mecánico / Lo vio todo / Ella circulaba a toda velocidad hablando por el móvil / El conductor; 2. La mujer del mecánico / Escuchó un ruido tremendo / El conductor tiraba la moto al suelo / Leanne; 3. El astrónomo / No escuchó ni vio nada / Era de día / Ninguno; 4. Amiga de Leanne / No lo vio bien porque estaba muy oscuro / El conductor llevaba gafas de sol / Leanne; 5. Amigo del conductor / El conductor nunca conduce con gafas y era de noche / El conductor estaba buscando una tienda e iba muy despacio / El conductor.

A modo de alternativa, reproduzca primero el audio sin que los estudiantes lean el enunciado. Dé indicaciones de que tras la escucha informen sobre el contexto de lo que van a escuchar: quiénes son, de qué hablan, dónde deben de estar, a quién explican sus versiones y por qué, etc. Luego introduzca la actividad tal cual se plantea en el enunciado.

2.3. Es importante que en este ejercicio de expresión oral argumenten su opinión con la información que han recogido en 2.2. Tenga en cuenta que eso les ayudará a llevar a cabo la redacción de la crónica en la siguiente actividad.

La persona que miente es el astrónomo, porque dice que era de día.

Pregúnteles ahora por qué creen que el astrónomo está mintiendo y a quién creen que encubren. Invítelos a expresar libremente sus opiniones y pídales que las justifiquen. Al ser una actividad de respuesta abierta, dígales que añadan sus conclusiones a la crónica que deberán escribir en la actividad siguiente.

2.4. Antes de iniciar la actividad, revise con ellos la información extra de la unidad 5 (*11. La crónica periodística*) y recuérdeles el trabajo realizado en la ficha 10 (*Crónica de una visita a la feria del libro*).

Como actividad final del epígrafe proponga la realización de la proyección 13.

Proyección 13. El noticiario.

En esta actividad de expresión oral y en grupo cooperativo, se presentan una serie de fotos relativas a noticias de diferente índole, con el correspondiente pie de foto. El objetivo de los alumnos es presentar el encabezado de un noticiario radiofónico o televisivo.

Dinámica. Forme dos equipos y, después de proyectar las imágenes, indíqueles que deberán seguir estas instrucciones: discutir y acordar lo que ha sucedido basándose en las fotos y los pies de foto; elegir solamente seis de las noticias para destacarlas en la apertura del noticiario; decidir cuál será el orden de aparición en los titulares; escribir un titular para las noticias elegidas; y preparar un resumen de cada noticia. Cada grupo deberá organizarse para llevar a cabo la tarea y elegir a dos locutores que hagan el papel de presentadores. Finalmente, se representará el noticiario y se concluirá la actividad con una valoración en clase abierta sobre el trabajo de cada equipo.

3 ▸ CUÉNTAME UN CUENTO 85

En este epígrafe el alumno trabajará aspectos de la narración y la descripción que le permitirán llevar a cabo la creación completa de un cuento, a modo de tarea final y en grupo cooperativo. Como contenido cultural, se propone la revisión de cuentos infantiles y de sus personajes, y en lo que respecta al componente estratégico, se reflexiona sobre el valor de las actividades lúdicas en el aula como instrumento de aprendizaje. Finalmente, el alumno aprenderá a hacer cumplidos, a disculparse, a expresar sorpresa y a lamentarse, como formas de interactuar en una conversación.

> **1** Con esta actividad se pretende introducir el tema de los cuentos infantiles y a la vez potenciar el componente creativo, que envuelve toda la unidad y especialmente este epígrafe.

Los personajes que aparecen son: el genio de la lámpara de Aladino, Campanilla, los tres cerditos, Caperucita roja y el lobo, la Sirenita, el gato con botas y el ogro, la Cenicienta y una bruja en su escoba.

 ELEteca
15. Cuentos infantiles.

Una vez terminada la puesta en común, procure que manifiesten sus preferencias respecto a los cuentos y los personajes, para poder efectuar la dinámica de la actividad de 1.1.

Con el mismo objetivo de relacionar un protagonista de cuento con cada alumno, le proponemos una alternativa: distribuya la clase en dos grupos y haga que cada grupo piense cuál es el personaje que más tiene en común con cada uno de los miembros del grupo contrario. Cuando hayan concluido la elección, la darán a conocer a los compañeros sin explicar, por el momento, cuáles son esas características que comparte el compañero con el protagonista.

A continuación, proponga la realización del ejercicio 1 de la unidad 7 del *Libro de ejercicios* para que los alumnos conozcan el cuento de Caperucita Roja.

1.1. Le recomendamos que empiece con una lluvia de ideas en la que propongan vocabulario para ampliar la lista que se ofrece en la tabla de esta actividad (aspecto físico, personalidad, ropa y complementos, y elementos mágicos relacionados con los personajes).

A continuación, remita al cuadro de atención para conocer los aspectos a tener en cuenta acerca de la descripción en un relato. Como sugerencia de cómo describir a los personajes, relea las preguntas y respuestas de la tabla anterior, y haga los comentarios oportunos.

Si en la actividad 1 recurrió a la alternativa para la asignación de protagonistas, pida ahora que piensen por qué los compañeros lo asociaron con él y que pongan por escrito qué características consideran que comparten con el personaje en cuestión.

1.2. Como conclusión de la alternativa iniciada en la actividad 1, pida que, tras la lectura, los compañeros confirmen, rectifiquen o amplíen las características comunes entre el protagonista y el estudiante, para justificar lo que los llevó a su elección.

1.3. La utilidad y las ventajas de integrar lo lúdico en el aula están ampliamente reconocidas en el campo de la enseñanza ELE. Entre otras cosas, se valora la posibilidad de potenciar la creatividad, de desarrollar actitudes sociales, de trabajar habilidades y conocimientos, de generar un contexto de comunicación real y de mejorar el componente afectivo dentro del aula a través del juego (http://marcoele.com/suplementos/estrategias-y-componente-ludico/). El objetivo de esta actividad, pues, es que el alumno exprese sus creencias y sensaciones con respecto al aprendizaje lúdico, por un lado, y por el otro, poner de manifiesto los beneficios de aprender jugando.

>2 Esta es una actividad de compresión lectora que a su vez tiene como finalidad informar sobre aspectos generales del cuento como género narrativo y adquirir estrategias para ordenar y comprender un texto.

Con vistas a preparar la actividad 2.2., de trabajo estratégico, haga que al terminar la tarea subrayen, por parejas, los elementos de la frase que les ayudan a decidir el orden de los fragmentos.

1, 12, 7, 10, 9, 4, 5, 6, 3, 2, 11, 8, 13, 14.

Para la corrección del ejercicio recurra a la audición de la entrevista, como se indica en el siguiente ejercicio.

2.1. Después de escuchar y corregir la actividad 2, puede ampliar el ejercicio de comprensión lectora pidiendo que, por parejas, seleccionen a modo de resumen los aspectos que consideran más importantes del cuento como género. Después, lea con ellos el cuadro de atención para comprobar sus respuestas.

|41|

Locutor: Bienvenidos a *Un mar de letras*, el programa cultural de tu emisora amiga. En nuestro programa de hoy contamos con la presencia de Carmen Cabanas, especialista en literatura y estudiosa del género de los cuentos. Buenos días, Carmen, gracias por venir aquí para hablarnos del cuento y su origen.

Carmen: Pues encantada. Gracias a vosotros por invitarme.

Locutor: Para empezar, Carmen, ¿qué es un cuento? ¿Qué hace de una narración un cuento?

Carmen: Bueno, así, brevemente, podemos decir que un cuento es una narración corta y sencilla acerca de un suceso real o imaginario. Al principio los cuentos eran de origen folclórico y se transmitían oralmente.

Locutor: ¿Y cuáles son los primeros de los que tenemos noticias? ¿Son muy antiguos?

Carmen: ¡Uy! Muchísimo… Los cuentos más antiguos surgieron en Egipto alrededor del año 2000 antes de Cristo. Muy importante fue también la principal colección de cuentos orientales *Las mil y una noches…*

Locutor: Sí, sí, *Las mil y una noches…* Es esa colección de cuentos en la que una mujer, Scheherezade, se salva de la muerte a manos de su esposo, contándole cada noche un cuento, ¿no?

Carmen: Sí, sí, esa es. Es una obra muy importante, pues gracias a ella, el cuento se extendió posteriormente por Europa.

Locutor: Desde la India, fíjate, ¡qué fascinante! Oye, ¿y qué tipo de personajes intervienen en los cuentos?

Carmen: Pues todos los que se te ocurran: todo tipo de seres, reales o imaginarios, incluso un objeto puede ser el protagonista... Y, luego, otra cosa muy interesante es la presencia de otros personajes secundarios, los objetos mágicos, que ayudan al protagonista o le ponen un obstáculo: acuérdate del espejo mágico de Blancanieves...

Locutor: Sí, sí, claro, o la alfombra mágica de Aladino... Se nos acaba el tiempo pero me gustaría saber, por último, qué temas son los más habituales en los cuentos.

Carmen: Todos los que puedes imaginar... Lo importante es que los protagonistas viven un conflicto que los obliga a tomar una decisión que pone en juego su destino.

Locutor: Pues muy interesante, Carmen. Muchas gracias de nuevo por tu presencia en el programa.

Carmen: A ti, buenos días.

2.2. El trabajo estratégico que aquí se plantea pretende dotar al alumno de recursos que le faciliten la comprensión de un texto. Para ello, asegúrese primero de que comprenden los elementos que aparecen en la actividad; luego, pídales que los comparen con los fragmentos que subrayaron después de la primera lectura y termine con una puesta en común en la que identifiquen cuáles de los elementos destacados les han sido más útiles.

>3 El fragmento que leerá el estudiante corresponde a la introducción de un cuento, en la que se presentan los personajes, el lugar donde transcurren los hechos y la época. Se pretende que el alumno comprenda que el texto es únicamente el inicio del cuento, y que complete la introducción sin dar cuenta de los hechos que tuvieron lugar en la historia del joven protagonista. Tenga en cuenta que el texto va a servir en la siguiente actividad para presentar la estructura de un cuento y los recursos lingüísticos habituales en este tipo de narración.

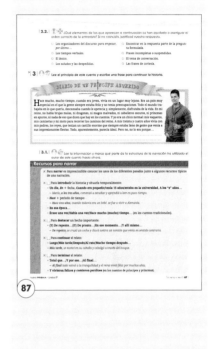

3.1. La parte que ha narrado el autor corresponde a introducir la historia y situarla temporalmente. Para ello utiliza el recurso *Hace mucho, mucho tiempo...* Luego, contextualiza el relato con una descripción del lugar donde se sitúa, de la gente y sus hábitos, y de sí mismo.

Para introducir la historia y situarla temporalmente.

>4 En este punto se retoma el cuento cuya introducción completó el alumno en la actividad 3. Ahora los estudiantes deben leer el comienzo del desarrollo de la historia al mismo tiempo que refuerzan el uso contrastado del pretérito indefinido y el pretérito imperfecto. Fíjese que la corrección de las formas verbales está planteada como actividad de comprensión auditiva en 4.1.

1. iba; 2. Me acerqué; 3. vi; 4. se giró; 5. apareció; 6. era; 7. ocultaban; 8. busqué; 9. hablé; 10. contó; 11. maldijo; 12. Escondió; 13. tenía; 14. eran; 15. dijo; 16. Iba.

4.1.

| 42 |

Hada madrina: ¡Hombre! ¡Mi príncipe favorito! ¡Qué guapo estás! ¿Qué haces tú por aquí? ¡Qué sorpresa!

Príncipe: Perdona, madrina, por no avisarte antes, ¡tú también estás estupenda!, pero no he venido a hacer cumplidos, tengo que hablar contigo.

Hada madrina: Pero, ¡qué nervioso estás! ¿Qué te pasa?

Príncipe: Tengo que contarte una cosa que me pasó el otro día cuando iba paseando por el campo.

Hada madrina: ¡Vaya por Dios! ¿Qué te pasó?

Príncipe: Pues verás, iba yo tan tranquilo, como siempre, dando una vuelta. Me acerqué a un grupo de campesinos y vi algo muy extraño que me dejó la sangre helada, madrina.

Hada madrina: ¿Sí? ¿No me digas? ¿El qué?

Príncipe: Uno de los campesinos se giró y, de repente, apareció un ser que era horrible: peludo, con garras y una extraña cola.

Hada madrina: ¿De verdad? Anda, anda, no puede ser… ¡No me lo puedo creer!

Príncipe: ¡Que sí, que te digo que sí! En ese momento me di cuenta de que todos los habitantes del reino me ocultaban algo y por eso he venido a hablar contigo.

Hada madrina: ¡Vaya! ¡Cuánto lo siento! Creo que ha llegado el momento de contarte algo.

Príncipe: Empieza.

Hada madrina: Cuando tú naciste una malvada bruja maldijo nuestro reino. Escondió siete objetos mágicos, cada uno de ellos protegido por una criatura fantástica y terrible en algún lugar del reino.

Príncipe: ¿Qué? ¿Qué me estás contando? ¡Eso es un cuento!

Elena: Lo siento, cariño. ¡Es que eres un príncipe! En la maldición dijo que tenías que descubrir quiénes eran los guardianes de los objetos mágicos y quitárselos para poder salvar al reino de un terrible destino. Dijo también que ibas a encontrar a tu verdadero amor pero que ibas a sufrir mucho por su culpa…

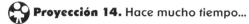

Como actividad extra, realice la dinámica de la proyección 14.

Proyección 14. Hace mucho tiempo…

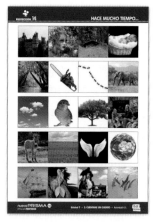

Actividad de expresión oral en la que los alumnos tienen que inventar cuentos cortos a partir de imágenes, y en la que podrán practicar el uso de recursos para la narración.

Dinámica. Proyecte la imagen e indique que esta contiene cinco filas de imágenes que corresponden a cinco cuentos diferentes. Agrupe a los alumnos por parejas o en grupos reducidos y distribuya los cuentos de forma que a cada grupo le corresponda uno distinto. Explíqueles que deberán crear la historia que se esconde tras esas imágenes. Además, ponga como condición que empleen al menos una estructura de cada uno de los recursos para narrar que aparecen en el cuadro de 3.1. Puede concluir la actividad con una votación final en la que se elija el mejor relato.

También cabe la opción de que creen la historia eligiendo un lugar, dos personajes y un objeto de entre todas las fotos que aparecen en la proyección. Esta alternativa dará más margen al alumno para desarrollar la creatividad.

Para fijar los conocimientos adquiridos sobre las partículas narrativas, proponga el ejercicio 8 de la unidad 7 del *Libro de ejercicios*.

4.2. Las expresiones que se trabajan en este ejercicio son propias del lenguaje oral y se usan para interactuar y favorecer el desarrollo de la conversación con la persona con quien se habla. Deje tiempo para que lean y comprendan las expresiones y el contenido de las cuatro columnas, antes de empezar la audición. Si desea simplificar la tarea, concédeles unos minutos para que, por parejas, traten de prever la función de cada expresión.

Adviértales que hemos incluido la expresión *Lo lamento*, como sinónimo de *Lo siento*, aunque no aparezca en la audición, para que también sea incluida en la columna correspondiente.

Hacer cumplidos: ¡Hombre, mi príncipe favorito!, ¡Qué guapo estás!, ¡Tú también estás estupenda! Disculparse: Perdona, Lo siento, Lo lamento. Sorprenderse: ¡Hombre,…!, ¡Qué sorpresa!, ¿Sí?, ¿No me digas?, ¿De verdad?, ¡No me lo puedo creer!, ¿Qué?, ¿Qué me estás contando? Expresar desilusión. Lamentarse: ¡Vaya por Dios!, ¡Vaya!, ¡Cuánto lo siento!

4.3. Alumno A. 1. iba, tuve; 2. felicitaste, estoy; 3. estuvo/estaba, vio/veía; 4. montaba, sabía, Aprendió, terminó.

Alumno B. 1. tenía, murió; 2. fuiste, acordaste, llamaste, compraste; 3. compré; 4. estaba, sonó, cogí, comenzó.

Después de la corrección y de la práctica oral, puede ampliar la actividad con una dinámica de expresión oral en la que cuenten experiencias propias. Por ejemplo, pida que cada alumno piense en un éxito propio, un error cometido, una vivencia insólita o un hecho desafortunado o negativo. A continuación, cuentan la experiencia al compañero y este debe reaccionar según lo visto en 4.2.

>5 Esta es la última propuesta de actividad preparatoria para la tarea final. Consiste en que el alumno presente un objeto de su invención y que se dote de los recursos necesarios para describirlo. Tenga en cuenta que en la actividad 6 se propone la creación de un cuento que incluya la presencia y la descripción de elementos mágicos.

5.1. Como dinámica alternativa, le proponemos que cada pareja realice una presentación a lo largo de la cual los compañeros deben anotar los rasgos que más pueden ayudar al príncipe joven en su misión. Ya finalizadas las intervenciones, las parejas comentarán sus anotaciones y escogerán el objeto más adecuado para el cuento. Plantee, para terminar, una puesta en común con el objetivo de llegar a un acuerdo de elección final.

Antes de pasar a la siguiente actividad, amplíe el trabajo hecho hasta el momento sugiriéndoles que lean un cuento elegido por ellos mismos y que lo expliquen a continuación a uno o más compañeros de la clase. Le sugerimos que la lectura se haga en horario no lectivo y que les ofrezca libros u otros recursos para realizar la tarea. A modo de ejemplo, le proporcionamos dos páginas web donde se pueden leer y escuchar al mismo tiempo cuentos infantiles: http://www.cuentosparachicos.com/ESP/audiocuentos/ y http://www.soncuentosinfantiles.com/videocuentos/video-cuentos-escuchar-y-leer.htm.

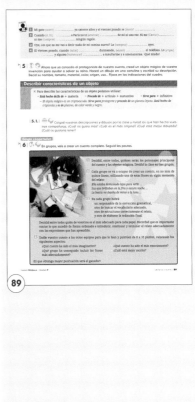

>6 Tarea final del epígrafe, en la que se deben recoger los siguientes aspectos: la organización del trabajo en grupo, la planificación del texto, la estructu-

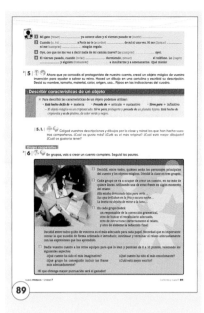

ración del relato en introducción, nudo y desenlace, la narración del cuento con los recursos estudiados en la unidad, y la inclusión y la descripción de personajes, lugares y objetos.

Antes de que los alumnos valoren el trabajo de los compañeros, realice una lectura en grupo abierto del punto 4 de la actividad y abra una discusión sobre cuáles son los aspectos que consideran más relevantes para poder evaluar los textos.

Como actividad complementaria, anime a sus estudiantes a que creen un audiocuento, es decir, a redactar el cuento en ordenador y grabar una pista de audio con la narración del texto. De esta forma, toda la clase podrá leerlo y escucharlo a la vez.

Antes de pasar al último epígrafe, puede realizar la ficha 16.

 Ficha 16. Sin vergüenza.

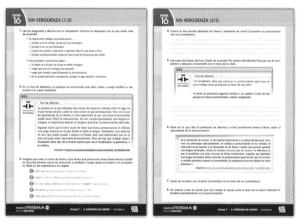

Actividad de reflexión y práctica en torno a la pronunciación.

Dinámica. Entregue una ficha por estudiante y realice las dos primeras actividades siguiendo las instrucciones del enunciado. Son actividades de reflexión sobre por qué y cómo estudiar la pronunciación. En el ejercicio 3 se introduce una comparación entre el modo de afrontar el trabajo de la fonética por parte de estudiantes de una lengua extranjera y de actores, comparación que va a estar presente en el resto de actividades de la ficha. Usted será el encargado de ejercer de modelo para las cinco muestras de lengua de este ejercicio. Si detecta dificultades a la hora de imitar su entonación, divida las frases en fragmentos y trabájelos sucesivamente hasta completar la totalidad de la oración. En el ejercicio 4 se atiende al componente afectivo, por lo que puede remitir al alumno a la actividad 1.2. del epígrafe *¡Vaya noticia!* Los ejercicios 5, 6 y 7 son de propuestas para reflexionar sobre el aprendizaje de la pronunciación. Su finalidad es que el alumno tome consciencia de la necesidad de trabajar la pronunciación, así como de superar el esfuerzo emocional que implica modificar los hábitos de dicción y entonación de la lengua materna. Finalmente, en el ejercicio 8 deben poner en práctica lo aprendido recitando el cuento que escribieron en la actividad 6 de este epígrafe u otro que considere usted oportuno.

4 **LOS SONIDOS /z/, /s/. CECEO Y SESEO. LAS LETRAS c, z** **90**

En este último epígrafe se trabaja la pronunciación y la escritura de los sonidos que corresponden a los fonemas /s/ y /θ/. Además, el estudiante conocerá el fenómeno del ceceo y del seseo en Hispanoamérica y en España.

1 En esta actividad la tarea del alumno consiste en identificar ambos sonidos y en prestar atención a su articulación para producirlos.

En la primera serie de palabras se recoge el sonido /θ/, fonema que solo existe en el español peninsular, a excepción de algunas zonas de Andalucía. En la segunda serie se produce el fonema /s/.

Focalice ahora la atención en el reconocimiento y la producción de los fonemas. Más adelante, en la actividad 4, se trabaja la representación gráfica de ambos.

|43| Zurdo, zapato, celeste, azteca, zoo, rizado, rozo, cera, zinc, doce, zen, cine, pez, azul, ácido.

Sala, vestido, rosas, aseo, beso, tres, sol, mismo, sed, pulsar, sí, suelo, pescado, soy, musgo.

2 Después de trabajar los dos fonemas por separado, se trabaja aquí la discriminación a través de pares mínimos.

|44| Zeta, masa, hacia, pozo, sumo, zueco, cebo, cosido, risa, hoz.

zeta, masa, hacia, pozo, sumo, zueco, cebo, cosido, risa, hoz.

Recuerde que en caso de dificultad para diferenciarlos, puede ampliar el ejercicio con otros pares de palabras (*casa-caza, rosa-roza, sera-cera, consejo-concejo, sima-cima,* etc.) o haciendo que ellos mismos produzcan e identifiquen los fonemas.

3

|45| ● Hola, César, soy Susana… Te llamo porque quiero invitarte a mi casa en Semana Santa. Este año es a finales de marzo y han dicho que va a hacer buen tiempo, así que anímate. En casa tengo sitio de sobra, no hay problema. Avísame cuando tengas el billete del día y la hora para ir a buscarte al aeropuerto, ¿vale? Hasta pronto. Besos.

○ Hola, ¿Susana? ¡Vaya, no estás en casa! Bueno… ¡Qué alegría saber de ti! Me apetece mucho cruzar el charco y conocer Cádiz. A ver si puedo estar allí para las fiestas de tu ciudad y estamos unos días juntos. ¡Sería estupendo!, ¿no? Voy a ver si encuentro pasaje para esos días y te aviso. ¡Hasta pronto!

Susana es ceceante (pronuncia /θ/ indistintamente si una palabra se escribe con *s*, con *c + e* o *i*, o con *z*) y César es seseante (pronuncia siempre /s/ en los mismos casos).

Después de la lectura del cuadro sobre el ceceo y el seseo, diga a sus estudiantes que en la audición que han escuchado cuando la *s* aparece a final de sílaba, lo que se conoce como *s* implosiva, los hablantes dejan de cecear y sesear, y eso da lugar a formas de pronunciación distintas (aspiración de la –*s*, elisión o geminación, por ejemplo).

 ELEteca
16. El ceceo y el seseo.

4 A través de este ejercicio con componente lúdico los estudiantes tienen que identificar las palabras del acertijo que responden a las normas ortográficas de *c* y *z*.

Se escribe *c* ante las vocales *e/i*: dulce, ciervos.
Se escribe *z* ante las vocales *a/o/u*: azúcar, zancadillas, cazan, brazos, pinzas, pezuñas.

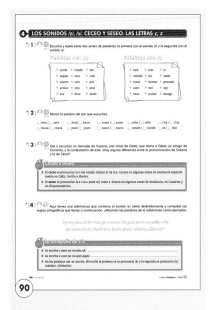

Aclare que el sonido correspondiente a /θ/ raramente se escribe con *z* cuando va seguido de *i* y *e*. Palabras como *zigzag* o *zeta* pueden considerarse excepcionales, y por lo general se trata de voces de origen extranjero.

Respuesta a la adivinanza: la Z.

Para la práctica de los sonidos /z/ y /s/, puede realizar los ejercicios 9 y 10 de la unidad 7 del *Libro de ejercicios*.

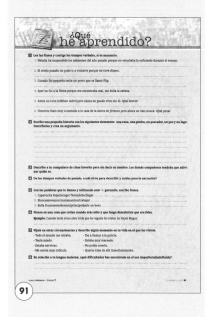

¿QUÉ HE APRENDIDO?   91

En este último apartado se plantean actividades para que el alumno valore su propio aprendizaje sobre los contenidos vistos en la unidad y, en el último ejercicio, una propuesta de comparación entre el español y la lengua materna del aprendiente, en relación con el uso de los tiempos de pasado.

> **1** 1. Natalia suspendió los exámenes del año pasado porque no estudiaba lo suficiente durante el verano; 2. El otoño pasado no pude ir a visitarte porque no tenía dinero; 3. Cuando era pequeña tenía un perro que se llamaba Flip; 5. Antes no tenía teléfono móvil pero ahora no puedo vivir sin él. ¡Qué horror!

> **4** El pretérito imperfecto se utiliza para describir. Para narrar se utilizan todos los tiempos del pasado, según lo que queramos presentar: acciones, acontecimientos, contextos, circunstancias, escenarios...

> **5** 1. Caperucita Roja estaba recogiendo flores cuando llegó el lobo; 2. Blancanieves estaba cocinando mientras los enanitos estaban trabajando; 3. Bella Durmiente estaba durmiendo cuando el príncipe le dio un beso.

ELEteca
COMUNICACIÓN. **Contar anécdotas.**
GRAMÁTICA. **¿Hice o hacía?**
LÉXICO. **Los cuentos.**

ELEteca
¡Qué dices!

A lo largo de esta unidad, centrada a nivel temático en la ecología y el medioambiente, los alumnos aprenderán a hablar de acciones futuras y a hacer predicciones, conjeturas y promesas, así como también a expresar acciones presentes o futuras que dependen de una condición. Para ello estudiarán la morfología del futuro imperfecto, algunas expresiones temporales de futuro y las oraciones condicionales introducidas por la partícula *si*. En relación con el contenido cultural, el alumno conocerá algunos datos sobre el río Amazonas y los parques naturales de la península ibérica. El trabajo léxico se ocupa, además, del vocabulario relacionado con la ecología, las actividades al aire libre y el tiempo atmosférico. A nivel estratégico, se profundiza en el portfolio de las lenguas como herramienta de evaluación y en la formulación de objetivos y metas en el futuro para la planificación del aprendizaje. Con respecto a la fonética y la ortografía, se analiza el contraste de los sonidos /f/ y /j/.

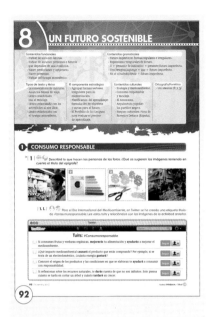

① CONSUMO RESPONSABLE   92

A través de este epígrafe, se revisan algunas estructuras para expresar acciones que se realizan en el futuro, como son las perífrasis verbales *ir a* / *pensar* / *querer* + infinitivo. También, con el objetivo de expresar ideas futuras, se estudia la morfología y el uso del futuro imperfecto y se revisan los marcadores temporales asociados a este tiempo. En lo que respecta al contenido cultural, se trabajan aspectos del consumo responsable dentro del tema del medioambiente y su preservación.

> **1** Las imágenes sirven de pretexto para presentar algunos aspectos relacionados con el consumo responsable de los recursos naturales, tema central del epígrafe. Preste atención al desarrollo de esta actividad y de la siguiente, donde se concentra el trabajo léxico de esta sección, necesario para la tarea final.

En primer lugar, pida a los alumnos que describan las fotos y que piensen qué parcela del consumo responsable reflejan. Pueden complementar la tarea proponiendo un título para cada una de ellas.

Posibles respuestas. 1. Persona mirando las composición o ingredientes de los alimentos para hacer un consumo responsable; 2. El tipo de energía que gasta un electrodoméstico; 3. Problemas medioambientales, como la deforestación, y la escasez de recursos natrales; 4. El consumo de frutas y verduras orgánicas.

1.1. En esta actividad aparece por primera vez en contexto el futuro imperfecto para hablar de acciones presentes o futuras que dependen de una condición. El alumno relacionará las frases con las imágenes trabajadas en la actividad anterior.

4, 2, 1, 3.

Una vez resuelta la actividad, invítelos a compartir su actitud personal ante estas cuestiones. Por último, y si lo desea, dígales que por parejas piensen en medidas para consumir los recursos naturales de manera responsable en su vida cotidiana. Algunas medidas podrían ser: cambiar el medio de locomoción y utilizar más el transporte público; dejar el coche e ir a pie o en bicicleta; reducir la calefacción de la casa todo lo posible; cerrar las ventanas mientras haya calefacción y llevar ropa cálida; apagar las luces y los enchufes cuando no se utilicen; utilizar bombillas de bajo gasto energético; reutilizar las bolsas de plástico (para ir a la compra, para la basura...); etc. Haga una puesta en común sobre las propuestas que han elaborado.

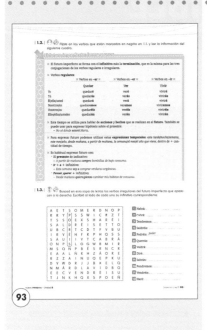

1.2. En este punto se presenta la morfología del futuro imperfecto, los marcadores temporales y sus usos.

Dé la consigna a los alumnos de que observen los verbos destacados en la actividad 1.1. y a que piensen a qué tiempo se refieren las frases. A continuación, pídales que deduzcan la conjugación partiendo de los verbos que aparecen en el ejercicio.

En el cuadro de información gramatical también se repasan otras estructuras para hablar del futuro: el presente de indicativo, normalmente acompañado de un marcador temporal de futuro, y las perífrasis verbales *ir a* + infinitivo, *pensar* + infinitivo y *querer* + infinitivo. Si lo cree pertinente, distinga entre el valor de futuro que expresan el presente, el futuro imperfecto y la estructura *ir a* + infinitivo, para expresar acciones futuras de menos seguras de realizar a más, frente a las perífrasis *pensar* + infinitivo y *querer* + infinitivo, en las cuales se expresa la voluntad o intención de hacer algo en el futuro. Estas dos construcciones, por tanto, serán adecuadas para hablar de planes pero no de predicciones.

1.3. Con esta actividad, de carácter gramatical, se pretende que el alumno comience a familiarizarse con las formas irregulares del futuro imperfecto.

Sin mirar los verbos de la columna de la derecha, los alumnos buscan en la sopa de letras doce verbos irregulares en futuro imperfecto. A continuación, comprueban en la columna de la derecha si los han encontrado correctamente e infieren el infinitivo correspondiente de cada uno. Si lo cree conveniente, copie en la pizarra los doce infinitivos y pídales que busquen en la sopa de letras sus formas del futuro imperfecto.

1. haber; 2. caber; 3. tener; 4. salir; 5. poder; 6. querer; 7. valer; 8. decir; 9. saber; 10. poner; 11. venir; 12. hacer.

A	E	T	S	O	M	E	R	D	N	O	P
R	R	Y	P	S	S	W	I	C	R	Z	T
T	S	S	O	E	X	S	H	A	R	É	I
S	A	L	D	R	É	I	S	E	T	T	O
U	B	C	R	T	C	D	T	F	V	B	U
I	R	V	É	H	F	R	P	H	Q	S	S
S	Á	U	I	I	V	T	C	A	B	R	Á
O	N	P	S	L	G	G	W	B	M	I	R
M	S	Q	Ñ	P	B	É	S	R	N	C	R
E	A	A	L	Ñ	R	H	Z	Á	O	R	E
R	Z	Z	A	I	N	U	Q	E	P	K	U
D	V	W	D	R	J	J	B	X	E	L	Q
N	M	Á	R	D	L	A	V	I	D	B	Q
E	E	C	V	E	N	D	R	É	I	S	U
T	J	N	K	H	Q	X	S	P	O	E	Ñ

1.4. En este ejercicio se prosigue con la reflexión sobre las formas irregulares del futuro imperfecto.

Realice un primer acercamiento pidiendo a los alumnos que, por parejas, y teniendo en cuenta que las terminaciones son similares para verbos regulares e irregulares, traten de averiguar el cambio experimentado en el infinitivo de los verbos que han encontrado en la sopa de letras. Cuando dé por concluido el trabajo, dígales que discutan las conclusiones alcanzadas con el resto de los compañeros.

Una vez expuestas las ideas, pida que los clasifiquen en el cuadro gramatical.

caber: cabrá; poder: podréis; saber: sabrán; querer: querrás; haber: habrá; tener: tendremos; venir: vendréis; salir: saldréis; valer: valdrá; poner: pondremos; decir: diré; hacer: haré.

1.5. Esta actividad pretende que el alumno tome conciencia y trabaje estrategias para recordar las formas irregulares, un ejercicio que puede extrapolarse a otras formas verbales estudiadas con anterioridad. Anime a los alumnos a explicar cuáles son las técnicas que consideran más rentables a la hora de memorizar las irregularidades verbales (listas, dibujos, grupos de verbos, mapas asociativos, etc.).

Los verbos están agrupados según el tipo de irregularidad que presentan.

>2 La tarea final consiste en la redacción de un correo electrónico donde se utilizan todos los contenidos léxicos y gramaticales estudiados hasta el momento.

Cada uno redacta individualmente el texto y, después, lo intercambia con su compañero y se lo corrige. Otra opción es que agrupe a sus alumnos por parejas para llevar a cabo la tarea y que consensúen las propuestas. Finalmente, haga una puesta en común.

1. compraré; 2. intentaré; 3. haré; 4. escribiré; 5. regalaré; 6. diré; 7. Habrá; 8. valdrá.

Como actividad extra, divida la clase en parejas o en grupos de tres y dígales que cada una de ellas busque información sobre un aspecto en concreto dentro del consumo responsable de los recursos naturales: el agua, las energías, la alimentación, el transporte y los residuos. Pídales que busquen información en Internet, realicen una ficha con datos y que la expongan a los compañeros en la siguiente clase.

>3 y **3.1.** El epígrafe concluye con dos actividades que prosiguen el trabajo emocional dentro del aprendizaje y la relación de los colores con las sensaciones. El alumno también aprenderá la expresión *Ver el futuro negro*, asociada a una visión pesimista del porvenir.

Anímelos a que expliquen sus expectativas sobre el futuro y si lo considera apropiado, enfoque la actividad desde una perspectiva esperanzadora, incitándolos a elegir el color que desearían para su futuro y cómo se verían a sí mismos dentro de esa posibilidad.

Llevar una vida o ver la vida de color de rosa significa que lleva una vida sin problemas, tranquila, alegre. *Ver el futuro negro* significa verlo con falta de esperanza.

> Para practicar la conjugación de las formas regulares e irregulares del futuro imperfecto, proponga la realización de los ejercicios 1, 2 y 3 de la unidad 8 del *Libro de ejercicios*.

② DOS MINUTOS DE TU TIEMPO — 95

El trabajo en esta sección tiene como objetivo final que el alumno sea capaz de articular todos los contenidos lingüísticos vistos hasta el momento mediante su presentación en un concurso sobre la protección del medioambiente. Para ello, revisará lo aprendido hasta ahora sobre los hábitos de consumo responsable y aprenderá nociones sobre el reciclaje. A nivel funcional, se pone en práctica el uso del futuro para expresar acciones presentes o futuras que dependen de una condición.

>1 Esta actividad pretende iniciar una reflexión sobre otro de los grandes aspectos de la protección del medioambiente: el reciclaje.

Comience el epígrafe comentando que, como consumidores, cada uno de ellos no solo debe introducir prácticas y alternativas que minimicen el consumo de los recursos naturales, sino también que supongan una reducción en la generación de los residuos.

A continuación, antes de empezar la lectura, anímelos a pensar sobre los símbolos del reciclaje que aparecen en la actividad y a concentrarse en deducir su significado. Para ello, le aconsejamos que en este punto recuerde a los alumnos la función del futuro imperfecto referida a la expresión de probabilidad sobre el presente. Si ya conocen estos símbolos, sugiérales que formulen hipótesis sobre la creación de su diseño: *¿Por qué se eligió ese dibujo?, ¿Y el color?, ¿Cuándo se crearon?, ¿Quiénes fueron los autores?*, etc. Mediante la posterior lectura de los textos confirmarán o rectificarán sus hipótesis.

1. B; 2. C; 3. A.

ELEteca
17. Los símbolos de reciclaje.

1.1. Antes de empezar la audición pídales que, a partir de la información que acaban de leer, prevean el posible contenido de un documental sobre el medioambiente.

Como sugiere el enunciado, dé la consigna de que escuchen la audición y si lo prefiere, dígales que elaboren el título por parejas, previa discusión sobre su contenido. En este punto puede abrir una reflexión y dialogar con los alumnos sobre cuál sería el título más idóneo. Esta dinámica ayudará al alumno a discriminar las ideas principales de las secundarias, objetivo de la actividad 1.2.

| 46 | Reciclar es cualquier "proceso donde se recogen los residuos y se transforman en nuevos materiales que pueden ser utilizados o vendidos como nuevos productos o materias primas".

¿Qué se puede reciclar? Prácticamente el 90 por ciento de la basura doméstica es reciclable, por eso es importante separar en nuestra casa la basura y depositarla en los contenedores adecuados. Hay contenedores de papel y cartón, materias orgánicas, vidrio, latas de aluminio, envases de plástico, pilas, etc. Por cada tonelada de vidrio reciclado se salva una tonelada de recursos naturales, ya que el vidrio es cien por cien reciclable. Por otro lado, si usamos botellas rellenables o retornables, podremos reducir la contaminación en un veinte por ciento, ya que una tonelada de vidrio reutilizado varias veces ahorrará 117 barriles de petróleo.

Los principales objetivos del reciclaje son el ahorro de energía y la conservación de los recursos naturales. Si reciclamos, disminuirá el volumen de residuos, se protegerá el medioambiente y ahorraremos recursos naturales. Asimismo, evitaremos la deforestación, reduciremos el 80 por ciento de la basura y, además, al procesarla, disminuiremos la contaminación.

Si das dos minutos diarios de tu tiempo, vivirás en un mundo más limpio.

Posible ejemplo: *Dos minutos de tu tiempo.* Es el título del epígrafe y la reflexión que cierra este fragmento de documental.

1.2. Deles un tiempo para que lean las preguntas e indíqueles que traten de intuir, basándose en la escucha y en su propio conocimiento, las posibles respuestas. Proceda a la segunda escucha. Si lo cree conveniente, ayúdelos con el orden de aparición de la información correspondiente a las respuestas. Finalmente, pueden comparar la información recogida con la obtenida por sus compañeros.

1. Papel, cartón, materias orgánicas, vidrio, latas de aluminio, envases de plástico, pilas, etc.; 2. Proceso donde se recogen los residuos y se transforman en nuevos materiales que pueden ser utilizados o vendidos como nuevos productos o materias primas; 3. Disminuirá el volumen de residuos, se protegerá el medioambiente, ahorraremos recursos naturales, evitaremos la deforestación, reduciremos el 80% de la basura y disminuiremos la contaminación.

1.3. Para conocer los objetos que podemos reciclar, reparta la ficha 17.

 Ficha 17. Si yo reciclo, ellos reciclarán.

Actividad para trabajar el léxico relacionado con el reciclaje.

Dinámica. En parejas, pida que piensen de qué materiales están hechos los objetos que se recogen en la ficha y lo introduzcan en su contenedor correspondiente. Si lo desea, puede pedir a los alumnos que añadan otros nombres de residuos que se puedan reciclar.

Contenedor azul: periódico, revistas, caja de galletas, bolsas de papel.
Contenedor amarillo: latas de bebidas, envases de detergente líquido, *briks* de leche, botellas de aceite, envases de yogur, bote de champú.
Contenedor verde: botellas de vino, frascos de perfume, tarros de mermelada.
Punto Limpio: cristales de ventana, pilas, plancha, teléfono.

- -

1.4.

| 47 |

● Nunca sé qué hacer con las latas de bebida y los envases de detergente líquido.

○ Eso va todo al contenedor verde, ¿no?

● No, no. Hay que tirarlo en el amarillo que es donde va todo lo de plástico. También los *briks* de leche, las botellas de aceite y los envases de yogur.

● Entonces, el bote de champú también, ¿verdad?

● Sí, sí, también, si es de plástico. En el verde hay que depositar las botellas de vino, los tarros de mermelada y los frascos de perfume.

○ ¿Y los cristales de las ventanas?

◐ No, los cristales de las ventanas no, porque son de cristal, no de vidrio. Esos hay que llevarlos al Punto Limpio, junto con las pilas y los electrodomésticos.

● Si quieres te los llevo yo, porque tengo que ir a tirar una plancha y un teléfono viejo.

○ ¡Vale! Yo voy ahora al contenedor azul con un montón de periódicos y revistas. ¿Tenéis algo?

● Sí, una caja de galletas y bolsas de papel. Espera, te lo preparo.

Resuma la audición explicando que el contenedor verde es para envases de vidrio, el contenedor amarillo es para envases de plástico y latas, y el contenedor azul para envases de papel y cartón. Coménteles también que un Punto Limpio es una instalación que dispone, además, de contenedores para depositar residuos que, por su peligrosidad o su volumen, no pueden ser recogidos por los servicios de limpieza.

>2 y **2.1.** Con estas actividades se indaga en las oraciones con la partícula *si*

para expresar acciones presentes o futuras que dependen de una condición.

Escriba en la pizarra la frase: *Si no reciclamos, ¿qué ocurrirá?*; e invite a sus alumnos a que contesten a la pregunta. A continuación, pídales que lean el cuadro de reflexión y el texto donde se da respuesta a esta pregunta. Los alumnos deben subrayar en el texto las dos partes de la oración y elaborar oraciones condicionales que ilustren las consecuencias derivadas del reciclaje.

Si no reciclamos la basura inorgánica (*condición*), no desaparecerá de la tierra hasta dentro de 5 o 10 años después (*futuro*); si la separamos y la dejamos en su contenedor correspondiente (*condición*), se reutilizará de modo que se reduce la producción de nuevos residuos contaminantes (*futuro*); Si reciclamos el papel de periódico (*condición*), volverá a ser papel para nuevos periódicos (*futuro*); Si reciclamos las latas (*condición*), se hacen otras latas o productos de este material (*presente*); Si se funden las botellas de plástico que se recolectan (*condición*), se pueden hacer nuevos productos (*presente*).

Posibles ejemplos. Si reciclamos los residuos orgánicos que desechamos, se tratarán para crear abono para las plantas; Si reciclamos las pilas, evitaremos la contaminación del medioambiente y se recuperarán para otros usos los metales que contienen; Si reciclamos las botellas y los tarros de vidrio, se ahorrarán materias primas para fabricar nuevos envases.

Puede continuar la práctica con los ejercicios 6 y 7 de la unidad 8 del *Libro de ejercicios*.

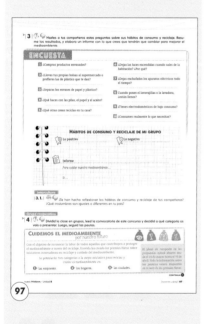

>**3** Práctica oral controlada sobre hábitos personales sobre el consumo y el reciclaje. El ejercicio sirve para poner en práctica el futuro imperfecto y el vocabulario relacionado con la conservación del medioambiente.

Para concluir la actividad, los alumnos elaborarán un informe sobre las rutinas de su grupo relacionadas con el cuidado del medioambiente. Le proponemos la realización de un decálogo de buenas prácticas y otro de malas prácticas para la preservación de nuestro entorno, a partir de las conclusiones obtenidas por cada uno de los grupos.

>**4** Se pone fin al epígrafe con esta tarea de trabajo cooperativo en la que los alumnos elaborarán propuestas para proteger el medioambiente en torno a tres categorías: las empresas, los hogares y las ciudades. Los alumnos analizarán un texto de una convocatoria de un concurso, tipología que contiene un tema, objetivo, premios, categorías y plazos de entrega, y participarán en él.

Como actividad extra, realice la tarea de la proyección 15.

Proyección 15. El mundo del futuro.

Con esta proyección el alumno podrá realizar predicciones y describir el futuro tomando como punto de partida cuestiones de importancia vital en nuestra sociedad.

Dinámica. Proyecte las imágenes del documento y pida a los estudiantes que, en grupos de tres, elijan dos de los aspectos referidos al futuro que aparecen en la proyección y que recojan todas las reflexiones que puedan tener en relación a aquellos. A modo de conclusión, puede animarlos a crear un mural donde resuman la información recabada.

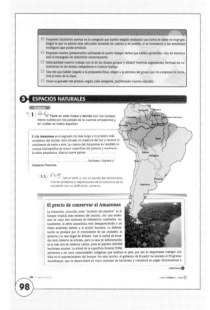

3 ESPACIOS NATURALES   98

En este epígrafe los alumnos descubrirán la Amazonia, uno de los espacios naturales más importantes del mundo y estudiarán los problemas que plantea su conservación. A nivel funcional, aprenderán a expresar predicciones y a hablar de acontecimientos del presente o del futuro de los que no se tiene total certeza. Para ello se introducen algunas estructuras de probabilidad, como *creer / imaginar / suponer* + infinitivo. Finalmente, aprenderán a hacer promesas y comprometerse con algo o alguien.

> **1** Con esta actividad se pretende introducir el tema del Amazonas y la conservación de su ecosistema, contenidos que se trabajarán detenidamente en las actividades 1.1. y 1.2., además de poner en común aquellos conocimientos que ya poseen sobre la selva amazónica.

Si lo considera pertinente, disponga a los alumnos por parejas o por pequeños grupos para realizar la actividad. Aproveche el mapa para hablar de los espacios naturales que conocen en el continente americano.

La cuenca del Amazonas abarca nueve países: Bolivia, Perú, Ecuador, Colombia, Venezuela, Brasil, Surinam, Guyana y Guayana Francesa.

El español es lengua oficial en cinco de ellos: Perú, Colombia, Bolivia, Ecuador y Venezuela.

En Brasil hablan portugués; en Surinam neerlandés; en Guayana Francesa, francés; y en Guyana hablan inglés.

 ELEteca
18. La cuenca del río Amazonas.

1.1. Antes de unir las palabras o expresiones de las columnas, anime a los alumnos a extraer el sentido general de la lectura y a concentrarse en deducir el significado del vocabulario que no conocen por el contexto. Una vez realizada la puesta en común, pueden rectificar o confirmar sus suposiciones.

1. d; 2. e; 3. b; 4. c; 5. a; 6. f.

 ELEteca
19. El programa Socio Bosque.

1.2. Le proponemos que indique a sus alumnos que lean las frases con atención y que piensen en la información que puede ser incorrecta sin la ayuda del texto. Propóngales que comparen sus respuestas con las de sus compañeros y haga una puesta en común en clase abierta. A continuación, pídales que vuelvan a leer el texto y que corrijan las frases.

1. Es el bosque tropical más extenso del mundo; 2. Es un plan para evitar la deforestación; 3. Casi la mitad de Ecuador está cubierto por árboles y la tasa de deforestación es la más alta de América Latina; 4. El programa del gobierno de Ecuador se desarrollará en cinco millones de hectáreas; 5. Los

sellos de garantía certifican la procedencia de la madera (de zonas donde la tala se produce de forma controlada).

1.3. Actividad de reflexión gramatical donde se presentan formas lingüísticas para expresar predicciones y conjeturas. El alumno estudiará algunos marcadores de probabilidad como son *imagino que, creo que* y *supongo que* para hablar de acontecimientos del presente o del futuro de los que no estamos seguros.

Una vez completado el cuadro gramatical, pregunte a los alumnos cuáles son las principales amenazas que acechan los espacios naturales del planeta. A partir de aquí, pídales que por parejas hagan un análisis del problema expuesto, planteen hipótesis y propongan medidas efectivas para la protección de estos espacios.

Posibles ejemplos. Supongo que el gobierno de Ecuador trabajará mucho durante muchos años con los campesinos y pueblos indígenas, ya que así se controlará la tala ilegal de árboles. No sé cuándo descenderá la tasa de deforestación de Ecuador, la más alta de América Latina.

> Si cree necesario consolidar estos contenidos, puede llevar a cabo las actividades 4 y 5 de la unidad 8 del *Libro de ejercicios*.

>2 Mediante esta actividad, el alumno reflexionará sobre los objetivos de su aprendizaje del español a través del Portfolio de las lenguas y trabajará metas a corto plazo para medir el avance de su proyecto. Reparta la ficha 18 y, después de completarla, pida que describa su objetivo sobre el estudio del español.

Ficha 18. Tabla de evaluación del nivel A2 del Portfolio de las lenguas.

i+ ELEteca

20. Portfolio de las lenguas.

2.1. Dentro del trabajo de la evolución hacia el autoaprendizaje, los alumnos se marcarán objetivos referentes a este proceso. Para ello, aprenderán algunas estructuras con el verbo *prometer* y escribirán un decálogo donde se expondrán sus metas en relación con el español.

Si lo cree necesario, divida la clase en grupos de tres, y dígales que piensen en las diez cosas más importantes que debe hacer un estudiante para progresar en el aprendizaje de una lengua. A continuación, aunarán sus propuestas y recogerán las más importantes en el decálogo. Se pueden plasmar las ideas en un mural que les acompañe a lo largo de su curso de español.

4 OCIO AL AIRE LIBRE 100

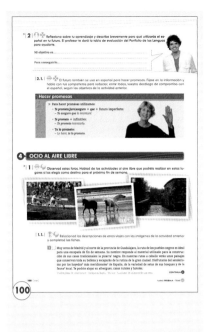

Mediante este epígrafe el alumno conocerá algunos espacios naturales y arquitectónicos de gran importancia en la península ibérica, como son el Parque Nacional de los Picos de Europa, el Parque Nacional de Doñana y la ruta de los llamados *pueblos negros*, al norte de la provincia de Guadalajara, así como también de las actividades de ocio que se pueden realizar en estos lugares. Aparte del vocabulario sobre actividades de ocio, se trabajará el léxico para hablar del tiempo atmosférico y de fenómenos meteorológicos.

> **1** Comience comentando que van a conocer ahora unos espacios naturales protegidos situados en España. En primer lugar, presente las tres imágenes y diga que hacen referencia a las actividades al aire libre que se pueden llevar a cabo en enclaves naturales relacionados con el turismo rural. Sugiera a los alumnos que piensen en las actividades que reflejan las imágenes y en el entorno donde se realizan (un pueblo, una montaña, una ciudad, un parque, etc.). A continuación, indíqueles que escojan una según sus preferencias y que justifiquen su elección.

1.1. La lectura sobre la ruta de los pueblos negros, el Parque Nacional de los Picos de Europa y el Parque Nacional de Doñana servirá de contextualización para las actividades al aire libre que se pueden realizar en este tipo de viajes. Indique que, por parejas, lean el texto y que identifiquen y relacionen las descripciones con las imágenes. Pregúnteles también si habían oído hablar antes sobre algunos de estos lugares, si existen enclaves parecidos en sus países y si han practicado alguna vez los deportes que se mencionan en la lectura.

1. C; 2. A; 3. B.
Ruta de los pueblos negros. Localización: al norte de la provincia de Guadalajara. Qué ver: sus casas tradicionales hechas a base de pizarra negra y paisajes que conservan toda su belleza. Qué hacer: rutas a caballo y senderismo. Alojamiento: en albergues, casas rurales y hoteles.
Parque Nacional de los Picos de Europa. Localización: en el norte de España, concretamente en la cordillera cantábrica, y entre Asturias, León y Cantabria. Qué ver: glaciares, lagos y una abundante fauna. Qué hacer: descenso del río Sella en canoa, montar en *quads*, subir en el teleférico de Fuente Dé y espeleología. Alojamiento: en posadas y casas rurales.
Parque Nacional de Doñana. Localización: Andalucía. Qué ver: el espacio protegido más importante de España y una de las mayores reservas naturales de Europa. Qué hacer: visita de medio día en 4x4 al parque, un paseo a caballo por la tarde, visita guiada a una de las bodegas más famosas de la zona. Alojamiento: en hotel o en choza marismeña.

Una vez terminada la actividad, pregunte a sus alumnos si lo que han aprendido sobre estas localizaciones coincide con la imagen que se habían creado de ellas tras analizar las fotos.

Si desea profundizar en las posibilidades que ofrece el tema del turismo rural, organice a los alumnos en grupos, según las preferencias personales expuestas en la actividad 1, y pídales que escojan un lugar que conozcan, que preparen una agenda de actividades para el fin de semana y que luego elijan, tras exponer toda la clase, cuál es la más completa o la que incluye una mayor variedad de actividades. Esta propuesta le servirá para preparar el contenido de la actividad 1.2., en la que se revisan actividades de ocio de índole muy diversa.

• •

1.2. Para comenzar, indique a los alumnos que lean la lista de actividades que se enumeran y que pregunten a sus compañeros el vocabulario que no entiendan. Indíqueles que intenten clasificar las actividades del listado. Este

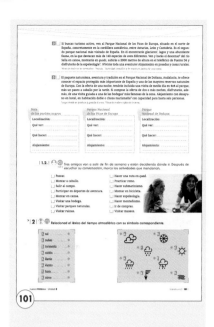

trabajo previo de clasificación les ayudará a tenerlas en mente cuando las escuchen en la audición. Una posible clasificación podría ser: turismo rural (*montar a caballo, participar en deportes de aventura, montar en canoa, hacer una ruta en* quad*, practicar remo, hacer espeleología, hacer montañismo, hacer submarinismo, pasear, salir al campo, visitar parques naturales, montar en bicicleta*), turismo cultural (*visitar ruinas y museos*), turismo de compras (*ir de compras*) y turismo enológico o gastronómico (*visitar una bodega*). A continuación, proceda a la primera escucha y dígales que marquen las actividades a medida que se vayan mencionando. En la segunda escucha, y si lo cree necesario, deténgala cuando termine la intervención de cada persona.

Para concluir la actividad, pida a los alumnos que, por parejas, piensen cuál sería el destino más adecuado de los vistos en la actividad anterior para los protagonistas de la audición e inicie una discusión en clase abierta.

salir al campo, participar en deportes de aventura, hacer una ruta en *quad*, hacer espeleología, montar en canoa, montar a caballo, visitar alguna bodega.

| 48 |

● ¡Qué ganas tengo de salir al campo este fin de semana! ¿Qué os parece si nos vamos al norte y hacemos deporte de aventura? He visto una oferta que ofrece rutas en *quads*, espeleología y el descenso del río Sella en canoa.

○ Es que yo creo que ahora en el norte hará frío. Prefiero ir al sur, montar a caballo, visitar alguna bodega… Ya sabes, algo más tranquilo. ¿Tú qué opinas, Blanca?

● Pues a mí lo que no me apetece es hacer un viaje muy largo porque si no, pasaremos todo el fin de semana en el coche. Me han hablado de la ruta de los pueblos negros, en Guadalajara, que está aquí al lado, y te aseguro que allí también podremos hacer actividades al aire libre: senderismo, rutas a caballo…

○ La verdad es que parece interesante. Habrá que ver qué tiempo hará este fin de semana.

● Creo que hará bueno. Luego lo miraré en Internet.

● La verdad es que tienes razón con lo de la distancia, pero yo quiero hacer algo activo. Si me aseguráis que nos vamos a mover, me apunto a la ruta de los pueblos negros.

● Yo te prometo que lo pasaremos bien.

● ¿Y tú, Raúl? ¿Haremos algo más que comer y dormir?

○ Que síííí… Te prometo que participaremos en todas las actividades al aire libre.

> **2** Relacionado con las actividades al aire libre se introduce el léxico del tiempo atmosférico y las predicciones, necesarios para planificar un viaje o escapada de fin de semana.

Pida a los alumnos que comparen sus respuestas con el resto de parejas y concluya preguntando cuáles de los símbolos utilizados coinciden con los de los mapas del tiempo en sus países.

1. d; 2. a; 3. f; 4. h; 5. e; 6. g; 7. b; 8. c.

2.1. Una vez estudiados los símbolos referentes a los fenómenos meteorológicos, los alumnos aprenderán a interpretar un mapa del tiempo y a comprender un parte meteorológico.

El mapa corresponde al texto de *El noticiero global*.

2.2. Antes de la audición, indique a los alumnos que, por parejas, lean a su compañero uno de los dos textos mientras el otro lo dibuja. Cuando ambos hayan dibujado, proceda a la primera escucha con los dos mapas delante para que decidan a cuál corresponde la audición.

Queridos oyentes, ha llegado el momento del pronóstico del tiempo para este fin de semana.

|49|

Desde el Atlántico se acerca una fuerte tormenta que afectará, sobre todo, al noroeste y norte de la Península durante todo el fin de semana. Habrá nubes en el noroeste, y lloverá ligeramente durante la primera parte del sábado.

En el norte, nevará en los Picos de Europa y las densas nieblas se extenderán por la cordillera cantábrica hasta País Vasco y Navarra.

En el noreste estará parcialmente nuboso, incluso en el campo habrá heladas a primera hora de la mañana.

En el centro soplarán fuertes vientos por la mañana. Sin embargo, la tarde se presentará soleada y con una máxima de 23 grados. En el sur y en la costa mediterránea brillará el sol. En general, se espera un ligero ascenso de las temperaturas en todo el país.

Si quieren mantenerse informados, les invitamos a consultar nuestro Twitter: @eltiempoestefinde

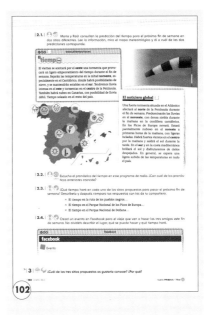

El mapa corresponde al texto de *El noticiero global*.

2.3. Posibles respuestas. El tiempo en la ruta de los pueblos negros será de fuertes vientos por la mañana y saldrá el sol durante la tarde. En el Parque Nacional de los Picos de Europa nevará. El sol brillará en el Parque Nacional de Doñana y se disfrutará de cielos despejados.

2.4. Sugiera a los alumnos que tomen como modelo los textos de la actividad 1.1. y que pongan en práctica las formas léxicas y gramaticales aprendidas para redactar el evento.

 Proyección 16. Escapada de fin de semana.

Con esta proyección el alumno pone en práctica el futuro imperfecto y el vocabulario aprendido sobre las actividades de ocio relacionadas con la naturaleza y con el tiempo atmosférico.

Dinámica. Explíqueles que van a ver imágenes sobre diferentes actividades de ocio relacionadas con el turismo en enclaves naturales. Proyecte las imágenes del documento, pídales que identifiquen las actividades que aparecen y, a continuación, forme tres grupos a partir de las preferencias de los alumnos. Seguidamente, dígales que preparen una salida de fin de semana en la que describan y justifiquen el tipo de escapada que han preparado (natural, activo o cultural), el lugar de destino, las actividades que realizarán allí y la previsión del tiempo, en relación con el tipo de actividades que van a llevar a cabo. Para terminar, los alumnos decidirán por consenso cuál es la mejor escapada.

A. Hacer/practicar balsismo; B. Navegar en barco; C. Hacer/practicar escalada; D. Visitar bodegas; E. Hacer/practicar submarinismo; F. Hacer/practicar senderismo; G. Pasear en bicicleta; H. Montar a caballo, practicar/hacer equitación; I. Visitar monumentos.

Para seguir practicando el léxico relacionado con el tiempo atmosférico y las funciones de hacer promesas, realice los ejercicios 8 y 9 de la unidad 8 del *Libro de ejercicios*.

5 · LOS SONIDOS /f/ Y /j/ · 103

El trabajo fonético de esta unidad se centra en la pronunciación de los fonemas /f/ y /j/, este último representado gráficamente con las letras *g* y *j*.

> **1** El sonido /j/, representado también como /x/, corresponde a las letras *j* (+ *a, e, i, o, u*) y *g* (+ *e, i*).

Para practicar el sonido /j/, puede pedir a los alumnos que reproduzcan diferentes formas de reírse, utilizando *ja, je, ji, jo, ju*.

|50| Julio, gente, mojado, rojo, gitano, ajuar, viaje, reloj, lejos, jamón, elegir, jota, jeque, jinete, jueves.

> **2** Actividad de reconocimiento ortográfico de las letras *g* y *j* a través de pares mínimos.

paga: paja; **digo**: dijo; **lija**: liga; **gusto**: justo; **hijo**: higo; **bajo**: vago; **hago**: ajo; **soja**: soga; **pague**: paje; **gota**: jota.

> **3** Le proponemos que para practicar la articulación de este sonido, diga a los alumnos que imiten el sonido de un gato enfadado (mediante la repetición prolongada del fonema /f/).

|51| Fecha, fruta, golfo, frito, refutar, fama, filón, foto, afilar, rifa, furor, flecha, afear, flema.

> **4** Actividad con pares mínimos de discriminación auditiva del sonido /f/ de los fonemas /p/ y /b/. En /p/ y /b/ son los labios los que se acercan frente a /f/, sonido producido por el acercamiento de los dientes a los labios.

|52| Baza, fresa, pavor, foca, plan, forro, vino, flote, friso, fruta.

baza, fresa, pavor, foca, plan, forro, vino, flote, friso, fruta.

Ficha 19. Bingo de letras.

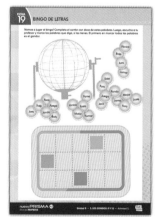

Actividad para continuar indagando en el reconocimiento y producción de los sonidos /f/ y /j/.

Dinámica. Siga las indicaciones de la ficha.

| 108 |

nuevo **PRISMA** · Libro del Profesor · Nivel **A2**

Para la práctica de los sonidos /f/ y /j/, puede realizar los ejercicios 10 y 11 de la unidad 8 del *Libro de ejercicios*.

 ¿QUÉ HE APRENDIDO? 103

En este epígrafe, dedicado a la autoevaluación del aprendizaje, el alumno encontrará actividades referentes a los contenidos de la unidad y a la reflexión sobre la importancia del Portfolio a la hora de fijar objetivos en el proceso de adquisición de una lengua.

> **>2** Posibles respuestas. Te prometo que iré a verte si me llamas mañana; Si hace buen tiempo, iremos de excursión este fin de semana a la montaña; ¡Qué raro! Luis no ha venido, imagino que estará en el tren todavía; El tiempo mañana en el norte de la Península será soleado.

> **>3** Posibles respuestas. Si vamos al teatro, tú comprarás las entradas; Si os duele la cabeza, iréis al médico; Si vienen a casa, traerán pasteles para la merienda; Si voy a la montaña, haré senderismo; Si te levantas temprano, verás el amanecer.

 ELEteca
Comunicación. **En el futuro.**
Gramática. **El futuro imperfecto.**
Léxico. **El tiempo atmosférico.**

 ELEteca
Nuestro granito de arena.

En esta unidad el alumno va a poder hacer conjeturas sobre hechos pasados, pedir y dar consejos, hablar de acciones futuras respecto a un tiempo pasado, expresar deseos y dirigirse al interlocutor de forma cortés. Para ello, se enfrentará a textos conversacionales vinculados a situaciones cotidianas y estudiará otro tiempo verbal, el condicional simple. En cuanto a los contenidos culturales y léxicos, se presentan los sistemas sanitarios de Hispanoamérica y España, se trabajan diálogos entre paciente y médico, enfermero o farmacéutico, se revisan algunos marcadores del discurso y se introduce el léxico relacionado con la salud. En cuanto a la fonética, el alumno va a centrarse en cuatro sonidos diferentes, los correspondientes a las grafías *n, ñ, ch, y* y *ll*.

1 ¿QUÉ PASARÍA AYER? 104

El epígrafe está organizado en dos secciones: la primera, dedicada a ofrecer una percepción global de los cinco usos del condicional simple, y la segunda, a la expresión de la hipótesis o la probabilidad mediante el nuevo tiempo verbal.

> **1** Se presentan situaciones con diálogos asociados, que darán pie, en la siguiente actividad, a introducir la forma y las funciones del condicional simple.

Para empezar, sugiérales que hagan conjeturas sobre quiénes son las personas que aparecen en ellas, dónde están, qué están haciendo y cuál es su actitud. Esto le permitirá potenciar el recurso a la estrategia de deducción del significado de los diálogos a través de las imágenes.

A. 4; B. 3; C. 2; D. 1.

1.1. Le sugerimos una alternativa para presentar el cuadro gramatical del condicional simple. Pida que lean el primer punto del cuadro y que, seguidamente, intenten inferir las terminaciones del tiempo a partir de los verbos en negrita de la actividad 1. Al terminar, invite a que lean el contenido del segundo punto del cuadro y confirmen o rectifiquen sus hipótesis.

Prosiga después con la lectura de la morfología del condicional simple irregular y con el ejercicio de relación entre los diálogos y los usos del condicional.

Diálogo 1: Expresar una hipótesis o probabilidad en el pasado; Diálogo 2: Expresar cortesía; Diálogo 3: Expresar un deseo (*Me encantaría*) / Dar un consejo o hacer sugerencias (*compraría*); Diálogo 4: Expresar una acción futura con respecto a otra pasada.

1.2. Actividad controlada en la que se pone en práctica el contenido visto hasta el momento, atendiendo al significado y a la forma del condicional simple.

1. importaría (Expresa cortesía); 2. llegaría (Expresar una acción futura con respecto a otra pasada); 3. sería (Expresar una acción futura con respecto a otra pasada); 4. tocaría (Expresar hipótesis o probabilidad en el pasado); 5. mentiría (Expresar hipótesis o probabilidad en el pasado); 6. tomaría (Dar un consejo o hacer sugerencias); 7. iría (Dar un consejo o hacer sugerencias); 8. gustaría (Expresar un deseo).

Puede ampliar esta actividad con siguiente práctica: divida la clase en cinco grupos y asigne una función del condicional a cada uno. Pídales que piensen en una situación en la que pueda darse la función que les ha tocado y generen un diálogo breve y sencillo en dos o tres minutos.

Para fijar los conocimientos adquiridos sobre la forma y usos del condicional simple proponga los ejercicios 1 a 4 de la unidad 9 del *Libro de ejercicios*.

1.3. A partir de esta actividad se practican cada uno de los usos específicos del condicional. Las siguientes actividades están dedicadas a la expresión de la probabilidad.

Tras la lectura del cuadro funcional, adviértales que en la unidad 8 aprendieron a expresar conjeturas en presente con el futuro imperfecto.

Posibles respuestas. 1. Pues querría la carpeta para guardar unas fotocopias de clase; 2. Suponemos que sería un compañero de trabajo, con quien querían visitar la ciudad. Olvidaría la cita y por eso no se presentó; 3. El señor de quien hablaban sería quizá un antiguo compañero de clase; 4. Imaginamos que ese señor estaría casado con una mujer rica y que no necesitaría el trabajo para tener dinero; 5. Creemos que lloraba porque la chica no querría continuar la relación con él. La chica vería algo, pero sería un malentendido y el chico querría justificarse.

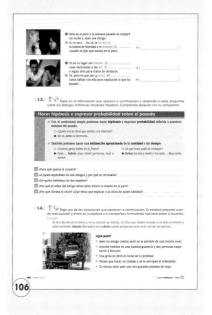

1.4. Si lo considera oportuno, puede ser usted el que asigne a cada estudiante una de las situaciones, de forma que se trabajen todas las conjeturas. Deje que primero desarrollen la actividad hablando libremente por parejas, y luego termine comentando cada situación en grupo abierto.

Si prefiere una dinámica más lúdica, haga que primero comenten sus hipótesis al conjunto de la clase y que sea el resto del grupo el que adivine la situación de la que está hablando.

Puede ampliar la práctica de la expresión de la probabilidad realizando alguna otra dinámica en la que hagan conjeturas en pasado. Le ofrecemos un ejemplo que puede favorecer la implicación personal de los estudiantes. Dígales que escriban brevemente en un papel alguna vivencia reciente que les sorprendió, o que les pareció curiosa o interesante, basándose en las que aparecen en esta actividad. Recoja todos los papeles y repártalos a todos los alumnos. Explíqueles que deberán formar parejas e intentar adivinar por qué se dieron esas situaciones y qué ocurrió después. Una vez que las parejas hayan expuesto sus conclusiones, ceda la palabra a quien vivió la experiencia para que aclare los detalles de lo sucedido. Otro ejemplo es realizar la actividad de la proyección 17.

 **Proyección 17.** ¿A quién le toca ahora?

A partir de esta proyección los estudiantes van a hacer hipótesis en presente y en pasado y a trabajar el vocabulario relacionado con la salud.

Dinámica. Muestre la imagen central y pregunte qué es lo que ven en ella, qué lugar representa, quién es Víctor y quiénes son las personas que aparecen a su alrededor. Explique, a continuación, que por parejas deberán elegir a una de esas personas para realizar la siguiente actividad. En primer lugar, van a informar al resto de compañeros sobre el personaje elegido: ofrecer datos personales, describirlos e imaginar qué les pasa. En segundo lugar, van a hacer conjeturas sobre por qué están en la sala de espera de un hospital. Dígales también que para expresar probabilidad pueden usar tanto el futuro imperfecto (si se refieren al presente) como el condicional (para relatar en pasado), y anímelos a preparar el vocabulario que necesitarán para hacer referencia a los problemas de salud y a lo que le sucedió al personaje. En el momento de exponer la tarea, pida a las parejas que no mencionen el nombre de la persona a la que se están refiriendo, para que sean los compañeros quienes intenten adivinarlo.

Partiendo de un foro de consultas en Internet, este epígrafe se centra en cómo pedir y dar consejos. Se prosigue, pues, con el estudio de otro uso del condicional, y se introducen estructuras y léxico habituales para hacer sugerencias en situaciones propias de la vida cotidiana.

> **1** Los foros virtuales son un espacio en el que el alumno puede hallar y necesitar con frecuencia el uso de estructuras para pedir y dar consejo. Este contexto nos lleva a proponer una actividad de comprensión lectora en la que se presentan dichas estructuras, pero que además puede facilitarle a usted la introducción de dinámicas que impliquen la participación en foros reales.

Le sugerimos introducir la actividad preguntando si conocen el significado del tema del foro, *Cosas a tener en cuenta*, y a que propongan qué cosas creen que hay que tener en cuenta en la vida, cuestiones relevantes o valiosas para ellos. A continuación, lea con ellos los ocho temas que preocupan en el foro y pida que busquen los consejos que los foreros han aportado. Adviértales que solo las cinco primeras consultas han tenido respuestas y que, por tanto, se relacionan con las respuestas de A a K. Las consultas 6, 7 y 8 se reservan para la actividad 3 de este epígrafe, en la que los estudiantes van a responder y aconsejar sobre los respectivos problemas o necesidades que allí se plantean.

1. E, A; 2. D, J; 3. F, G, H; 4. C, I, K; 5. B.

Le recomendamos que, una vez resuelta la tarea, dé la instrucción de que subrayen las preguntas que utilizan los foreros para pedir un consejo, ya que necesitarán conocerlas para realizar la actividad 4.

1.1. Mediante el cuadro de esta actividad el alumno tiene que inferir algunas de las estructuras de que dispone el hablante de español para aconsejar.

1. Yo; 2. Yo en tu lugar; 3. Podrías; 4. Tendrías que.

Fíjese en que la presentación gramatical divide las estructuras en dos tipos: a menudo la confusión entre ambos hace que los estudiantes intercambien unas y otras y que generen, en consecuencia, oraciones erróneas. La actividad 2 les será de utilidad para centrarse en esta distinción. Aun así, puede llevar a cabo un ejercicio previo de práctica controlada que le permita identificar posibles dificultades de los alumnos y aclarar dudas. Por ejemplo, puede retomar una de las consultas de la actividad 1 y pedir que entre todos den consejos recurriendo a ambas estructuras.

> **2** Para la realización de este ejercicio, con más de una opción correcta, aconseje al alumno que se fije en la relación entre los interlocutores. Esto le facilitará la elección del registro (*tú* o *usted*) a la hora de usar las estructuras.

Posibles respuestas. 1. deberías; 2. Yo en tu lugar; 3. Yo que tú; 4. Yo; 5. deberías, Yo que tú; 6. Tendrías que.

>3 Pida que vuelvan a leer las consultas 6, 7 y 8 del foro e intenten aconsejar a estas personas. En las consultas 7 y 8, los foreros piden recomendaciones relacionadas con dos ciudades españolas, Valencia y Madrid. Si lo cree necesario, deje que busquen información sobre estas ciudades para responder a las sugerencias con mayor fundamento.

Posibles respuestas. 6. Deberías hacer ejercicio regularmente y podrías cocinar los fines de semana. Yo que tú me compraría algún libro de comida sana; 7. Tendrías que llevarlos a la Ciudad de las Artes y las Ciencias, hay muchas cosas por hacer y la arquitectura es espectacular; 8. Yo en tu lugar iría a uno de esos bares de intercambios de idiomas que hay en la ciudad, muchos madrileños van allí para practicar lenguas y conocer gente.

Para la puesta en común, puede optar por que algunos alumnos escriban en la pizarra sus consejos. A continuación, realice una corrección en la que participe toda la clase y en la que el resto de alumnos pueda también resolver dudas sobre sus escritos.

>4 Como observará, las situaciones planteadas corresponden a circunstancias muy dispares de la vida diaria, pero frecuentes en el ámbito de la cotidianeidad. De considerarlo oportuno, pida a los alumnos que lean sus problemas y anoten el vocabulario que creen que van a necesitar o aparecer en sus diálogos.

Como conclusión del epígrafe, puede completar la práctica con una actividad en la que los alumnos den consejos a partir de problemas planteados por ellos mismos. Le damos un ejemplo: pídales que por parejas piensen en un problema o una dificultad común en relación con el aprendizaje del español y que, a medida que lo tengan pensado, lo vayan escribiendo en la pizarra, simulando un foro. Una vez hayan terminado todos de escribir, cada pareja tendrá que elegir uno de los problemas que no sea el propio y pensar qué consejos dar a los compañeros. Dé un tiempo para que discutan y expongan sus conclusiones en grupo abierto.

Si lo cree conveniente, en vez de en la pizarra, pida que escriban los problemas en una cartulina y reaprovéchela en la actividad 2.3. del siguiente epígrafe, donde se ha incluido también una actividad de reflexión sobre el aprendizaje.

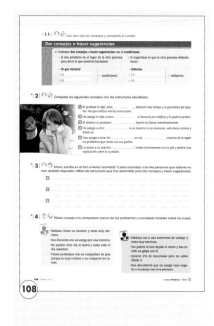

Para seguir practicando las funciones para dar consejos y hacer hipótesis, puede realizar los ejercicios 5 y 6 de la unidad 9 del *Libro de ejercicios*.

3 NUNCA PENSÉ QUE LO HARÍA   109

Se continúa con las nuevas tecnologías como fuente de tipos textuales y se abre el epígrafe con comentarios de Twitter, que sirven para introducir expectativas pasadas sobre la propia vida y el uso del condicional para referirse a acciones futuras respecto a otras pasadas. Este uso, junto con la expresión de deseos presentes o futuros, son las dos funciones que se contemplan en el epígrafe. Además, los estudiantes podrán trabajar el componente afectivo con una reflexión retrospectiva sobre sus sensaciones relativas al estudio del español.

>1 Antes de empezar la actividad, le recomendamos que los anime a imaginar al menos dos de las vivencias que pueden esconderse tras la etiqueta o *hashtag*: *#Cosasquenuncapenséqueharía*. Pídales que se fijen en las fotos de los dos primeros *tuits* y que intenten adivinar la experiencia que sus autores nunca pensaron que llegarían a hacer. Esto los ayudará a preparar la lectura y a familiarizarse con esta función del condicional. Al concluir la actividad, pregunte si han adivinado los comentarios de la etiqueta.

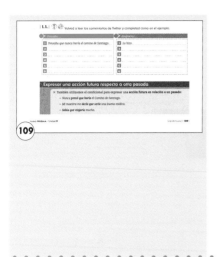

Posible respuesta. Se sienten satisfechos y/o contentos de lo que han hecho, ya que no imaginaban que lo harían.

1.1. Con esta actividad el estudiante deberá tener en cuenta no solo el valor del condicional, sino también su repercusión en el presente. De esta forma, podrá concebir la función de expresar una acción futura respecto a otra pasada en toda su complejidad.

1. Pensaba que nunca haría el camino de Santiago / Lo hizo; 2. Pensaba que no podría viajar sola / Lo hizo el año pasado; 3. Su madre le decía que nunca aprendería a cocinar / Aprendió y ahora le gusta mucho; 4. Sabía que viajaría mucho / Lo hace; 5. Decía que sería una buena médica / No lo fue e hizo Filología; 6. Pensaba que sería escritor de grandes novelas / No lo es, pero escribe en un blog.

>2 Avise a sus estudiantes de que en esta actividad son ellos quienes tienen que pensar los verbos más adecuados para completar los fragmentos del texto. La corrección se realizará mediante la siguiente audición.

Posibles respuestas. Rosa: estudiaría, conocería, me casaría, tendría, me dedicaría; Javier: sería; Ángela: tendría, ganaría, sería, viajaría; Paco: sería, convertiría; Lorena: participaría, conocería, saldría, me haría.

2.1. Corrija la actividad 2 y, después de la audición, agrúpelos por parejas para que respondan a las preguntas del enunciado.

[53]

🔊 Yo siempre pensé que estudiaría Enfermería, que conocería a mi pareja ideal, que me casaría con él y que tendría una familia… ¡Ah!, y que me dedicaría solo a la casa y a la familia. Pues nunca me he casado y no tengo hijos, pero no he dejado de trabajar nunca como enfermera, que es lo que más me gusta.

☞ Mi familia pensaba que sería un gran abogado como mi padre y yo mismo lo creí durante mucho tiempo, pero en un viaje a la India descubrí que podía ayudar de otra manera y desde entonces trabajo en Cooperación Internacional.

🔊 Tenía muchos sueños, muchos; imaginaba que tendría un buen trabajo, que ganaría mucho dinero, que sería muy independiente y que viajaría por todo el mundo; pero a los veinte años me enamoré, me casé y dejé los estudios para ocuparme de la casa; nunca me lo perdonaré, nunca.

☞ Yo no quería trabajar en la empresa de mi familia. Imaginaba que sería un buen actor y me convertiría en una estrella de cine; sin embargo, cuando falleció mi padre, tuve que asumir todo el control de la empresa y todo cambió. Dejé mis estudios de Arte Dramático y me convertí en empresario, ¡es deprimente!

🔊 A mí, me gustaba pensar que participaría en un *reality show* y que conocería a muchos famosos, que saldría en la televisión y que me haría presentadora de algún programa. Pero resulta que la televisión me da vergüenza y que no me interesa nada ese mundillo. ¡Menos mal que se me borró esa idea de la cabeza!

Posibles respuestas. Rosa está conforme con haber podido ser enfermera; Javier se siente realizado; Ángela se siente arrepentida; Paco está decepcionado; Lorena está contenta de no haberse hecho famosa.

Puede plantear la segunda pregunta como refuerzo a la expresión de sugerencias o consejos. Para ello, indíqueles que den un consejo, especialmente a Rosa, Ángela y Paco, o que elijan a la persona con quien se sientan más identificados y le sugieran los pasos a seguir para cambiar de situación.

2.2. Para llevar a cabo la tarea, pida que se distribuyan en grupos de tres o cuatro personas y explique que serán esas personas a quienes contarán luego las expectativas que tenían de niños sobre su vida. En esta actividad van a escribir libremente sus pensamientos para luego contarlos a los compañeros de grupo. Recuérdeles que al hacerlo deben evitar la lectura del texto, para que este sea efectivamente un ejercicio de expresión oral.

2.3. Prosiguiendo con la reflexión sobre el propio aprendizaje, el alumno valorará aquí su percepción y sensaciones respecto al idioma. Si los alumnos lo necesitan, ofrézcales un tiempo de preparación para que puedan razonar su respuesta o discutirla con un compañero.

> Puede continuar la práctica con el ejercicio 7 de la unidad 9 del *Libro de ejercicios*.

>3 En esta actividad se retoma el contenido de la comprensión lectora del ejercicio 2 para introducir otra función relacionada con el condicional. Se presenta la expresión de deseos de presente y futuro a partir de una serie de enunciados que contienen verbos de deseo conjugados en condicional.

1. Lorena; 2. Javier; 3. Paco; 4. Rosa; 5. Ángela.

3.1. Es posible que al preguntarles sobre sus deseos de futuro vacilen a causa de la amplitud de elementos sobre los que responder. Para evitarlo, escriba en la pizarra un número limitado de aspectos de la propia vida que sus estudiantes consideren relevantes (por ejemplo: la salud, la familia, la amistad, el amor, etc.). Luego, retome la actividad en grupos reducidos, según se indica en las instrucciones.

Para profundizar más en los contenidos de este epígrafe, realice la ficha 20.

📝 **Ficha 20.** Pensaba que sería...

Actividad lúdica con la que puede practicar la expresión de una acción futura respecto a otra pasada, la expresión de un deseo y, además, revisar el vocabulario relacionado con las profesiones.

Dinámica. Reparta primero las tarjetas recortadas de la ficha, una por alumno. Dé la consigna de que lean su contenido y de que traten de descubrir y escribir la profesión a la que se dedica el personaje de la tarjeta. Una vez hecho esto, dígales que piensen un mínimo de tres ventajas y tres desventajas vinculadas a la profesión asignada. A continuación, deberán imaginar que esa era la profesión con la que soñaban cuando iban a la escuela y que en breve van a encontrarse con algunos de sus excompañeros de clase. Distribuya a los alumnos en grupos reducidos y explíqueles que en esa reunión van a saludarse y a simular el reencuentro para luego explicar cómo pensaban que sería su vida, en relación con el trabajo elegido. Además, deben expresar deseos relacionados con ese trabajo. Si lo cree necesario, ponga un ejemplo con su propia profesión: *Pues yo creía que ayudaría a otras*

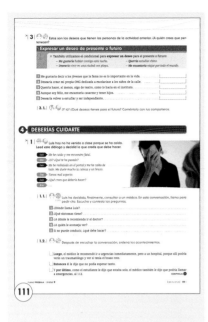

personas a aprender y a conocer mejor mi cultura. Ahora me gustaría continuar mi profesión, enseñando y aprendiendo de todas estas personas... Al terminar la conversación, los miembros de cada grupo revelarán sus hipótesis sobre la profesión de los compañeros del grupo.

4 ▶ DEBERÍAS CUIDARTE   111

El tema central de este epígrafe es la asistencia médica en una situación de enfermedad o malestar. Partiendo de esta cuestión, se estudian las características de los sistemas sanitarios de España e Hispanoamérica, como contenido cultural. Además, se presentan tres modos en los que solicitar y recibir atención médica: por teléfono, en un centro sanitario y en una farmacia. Se ofrecen muestras de lengua al respecto y se propone un ejercicio de trabajo cooperativo que consiste en la simulación de una consulta médica en un hospital. Para concluir, se completa la presentación de los usos del condicional con el estudio y la práctica de cómo expresar cortesía.

> **1** Este breve diálogo y la audición de 1.1. introducen la cuestión de la asistencia sanitaria y presentan algunos marcadores del discurso.

Para responder a qué debería hacer Luis en las circunstancias dadas, pregúnteles qué harían ellos en su país en esta misma situación.

Posible respuesta. Creo que debería visitar a un médico, para asegurarse de que no tiene nada grave.

1.1. Esta audición permitirá al alumno contrastar su respuesta a la pregunta anterior con la que le da el servicio de asistencia telefónica.

Lleve a cabo la actividad de comprensión auditiva, que comprenderá también la actividad 1.2., donde se presentan conectores y estructuradores de la información.

 Voz del contestador: Bienvenido al servicio automático de petición de cita
[54] de su centro de salud. Para pedir cita, diga: "Cita" o marque un 1, para otras consultas, diga: "Otras consultas" o marque el 2. Un momento por favor, enseguida le pasamos con el centro de salud.

Enfermera: Centro de salud de Santa Marta. Buenos días, ¿dígame?

Luis: Buenos días. Querría pedir cita con el doctor Sanz.

Enfermera: Lo siento, pero no podremos atenderle hasta mañana.

Luis: Es que me he caído... Creo que no puedo esperar tanto. ¿Qué me aconseja usted?

Enfermera: ¿Qué síntomas tiene?

Luis: Me duele la cabeza y estoy mareado pero, sobre todo, me duele mucho el brazo derecho.

Enfermera: Un momento, por favor, le paso directamente con el doctor Sanz.

Dr. Sanz: Buenos días, me dice la enfermera que se ha caído y que le duele mucho el brazo, ¿verdad? Dígame, ¿puede moverlo?

Luis: ¡Uf!, no, imposible... ¿Qué hago?

Dr. Sanz: Pues yo que usted iría a urgencias inmediatamente.

Luis: ¿A dónde? Es que no soy de aquí.

Dr. Sanz: Debería ir al hospital San Carlos, porque allí le podrá ver un traumatólogo y ver si tiene el brazo roto. Yo en su lugar iría ahora mismo.

Luis: ¿Le importaría decirme dónde está ese hospital? Podría ir en coche desde mi casa. Vivo cerca del parque del Oeste.

Dr. Sanz: ¿Conducir en su estado? No, mejor, tendría que llevarle alguien.

Luis: Es que ahora mismo estoy solo.

Dr. Sanz: Si no puede acompañarle nadie, podría llamar a emergencias, al 112.

1. A un centro de salud; 2. Le duele la cabeza, está mareado y le duele el brazo derecho; 3. A urgencias; 4. A un traumatólogo; 5. Tendría que llevarle alguien o llamar a emergencias.

1.2. Numeración de los fragmentos por orden: 4, 2, 6, 1, 3, 5.

>2 Después de leer el cuadro de atención y antes de escribir el resumen, remita a sus estudiantes a la pág. 14, actividad 2.1., para revisar la información referente la función de los marcadores del discurso. Puede también animarlos a revisar el trabajo que hicieron entonces, así como el ejercicio de planificación de un texto realizado con la proyección 2.

>3 A modo de ejercicio preparatorio de la lectura, pídales que por parejas prevean al menos tres diferencias entre la sanidad en España y en Hispanoamérica. Luego, proponga que entre todos discutan para elegir las tres diferencias más plausibles. Una vez hecho esto, lleve a cabo la actividad tal cual se plantea en el libro. Cuando todas las parejas hayan terminado de resumir su lectura de A y de B, podrán verificar si esas diferencias eran ciertas o no. Haga una puesta en común que le sirva asimismo para valorar en qué medida han comprendido el contenido de los textos.

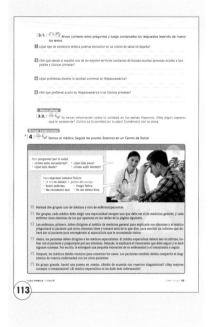

3.1. En esta actividad de comprensión lectora se da la oportunidad al alumno para que evalúe de qué modo ha asimilado tanto su lectura como la información recibida de parte del compañero. Si lo desea, pídales que comparen sus respuestas por parejas antes de la lectura de los textos.

1. Se prestan servicios de atención primaria (medicina familiar, pediatría y enfermería); 2. Acuden para evitar las listas de espera y por sus otras ventajas como los servicios de medicina por Internet, atención telefónica 24 horas para consultas médicas, servicios de odontología o revisiones; 3. Suele presentar problemas de eficiencia, eficacia y cobertura; 4. Acuden porque les dedican más tiempo y les atienden casi en hora, hay buenos aparatos y muchos especialistas.

3.2. Antes de proceder a la actividad, le proponemos un ejercicio que puede ayudarlos a dotarse de recursos lingüísticos para realizarla.

Dígales que, en primer lugar, subrayen las palabras, estructuras o frases de los textos de la actividad 3 que creen que les serían útiles para explicar las características del sistema sanitario en su país; y, en segundo lugar, que piensen otras palabras o expresiones que puedan necesitar. Finalmente, dé pie a que compartan los rasgos de cada sistema sanitario con toda la clase.

A fin de beneficiar una escucha más activa, cabe la opción de sugerirles que al final de la actividad señalen y justifiquen cuál o cuáles de los países representados en el aula tiene un sistema más afín al propio.

>4 El trabajo en grupo cooperativo de esta unidad consiste en convertir el aula en un centro de salud simulado y en recrear los mismos procedimientos que tienen lugar en esos centros.

Le recomendamos que comience la tarea con una lectura previa de los cuadros con preguntas y expresiones frecuentes para hablar de salud, y de las tablas de *Síntomas* y *Médicos* que aparecen en la página 114. También, a modo preparatorio, distribuya la clase para que pacientes, médico de medicina general y médicos especialistas tengan un espacio asignado. Por otro lado, indique al grupo de médicos que deberán disponer de papel donde poder redactar el informe sobre los pacientes.

Cuando llegue al paso 5 de la tarea, le aconsejamos que diga a los médicos que van a llevar a cabo una reunión de centro para evaluar el funcionamiento y la coordinación entre departamentos. A los pacientes, por su parte, explíqueles que son una asociación y que se reúnen con el objetivo de luchar por la mejora de la asistencia al enfermo.

>**5** Esta es una actividad de comprensión lectora que sirve como muestra de un diálogo en una farmacia y con la que introducimos, al mismo tiempo, el último uso vinculado al condicional simple: la expresión de la cortesía. El alumno debe identificar en el texto cuáles son las estructuras que contienen el condicional, cuya función es interpelar a otra persona de forma comedida o cortés.

¿Podría…?, ¿Le importaría…?, ¿Me haría el favor de…?

Una vez completado el cuadro, puede dedicar unos minutos a trabajar la pronunciación de las preguntas que contienen las estructuras estudiadas. Para ello, haga usted mismo de modelo leyendo las frases del diálogo o pida que varios alumnos representen el diálogo.

5.1. Con esta actividad se practican, de una forma más guiada, no solo la formulación de preguntas de una forma cortés, sino también saber responder a esas peticiones.

Para practicar este uso del condicional en otros contextos y de una forma más libre, realice la actividad de la proyección 18.

Proyección 18. Disculpe, ¿podría…?

Actividad de expresión escrita e interacción oral que parte de contextos de la vida cotidiana en los que es frecuente el empleo de formas de cortesía.

Dinámica. En grupo abierto, haga que identifiquen las situaciones proyectadas y elijan una para elaborar un diálogo por parejas. Asegúrese de que eligen y respetan el registro en sus escritos. Cuando hayan terminado de redactarlo, van a representarlo ante el resto de compañeros. Estos, por su parte, pueden realizar preguntas sobre el contenido de lo que han escuchado.

> **1** El alumno va a escuchar y reproducir una serie de palabras que contienen, aleatoriamente, las letras *n* y *ñ*.

En el caso de que observara dificultades para pronunciar la letra *ñ*, puede hacer que previamente digan repetidamente *nia*, *nio* y *niu*. Pida que pronuncien las sílabas lentamente y que poco a poco aceleren el ritmo. Así podrán pasar fácilmente a pronunciar *ña*, *ño* y *ñu*.

Una vez haya realizado la actividad del audio, proponga que por parejas respondan a las preguntas que aparecen en el cuadro de atención. A través de ellas podrán reflexionar sobre los puntos en común entre su lengua materna y el español, con respecto a la pronunciación y la grafía de *ñ*. Por otro lado, si desea trabajar la diferenciación entre los sonidos /n/ y /ñ/, amplíe la actividad con el reconocimiento de pares de palabras (*pena-peña, sueno-sueño, cana-caña; cina-ciña; ensena-enseña*, etc.).

| 55 | Número, nadie, noche, nunca, nieva, pierna, enero.
Cañón, uña, buñuelo, niño, España, eñe, cariñoso.

> **2** El segundo fonema estudiado en este epígrafe corresponde al dígrafo *ch* y se representa como /ch/. Igual que en la actividad anterior, el ejercicio consiste en el reconocimiento y la posterior imitación del sonido a través de una serie de palabras.

| 56 | Achaque, churro, sándwich, chaqueta, chorizo, cheque, abrocho.

> **3** El último sonido estudiado en la unidad, correspondiente a la letra *y* y al dígrafo *ll*, se representa como /y/. Nuevamente, el alumno deberá escuchar y reproducir la serie de palabras propuesta en la actividad.

| 57 | Ayuno, lluvia, yerma, llave, allí, huyo, sello.

Antes de pasar a la actividad 4, trabaje los sonidos estudiados en estas tres primeras actividades, recurriendo a algún texto que los contenga todos. Un ejemplo es el testimonio de Ángela, en la actividad 2, página 110. Indíqueles que subrayen en el texto las grafías con las que se representan dichos sonidos y que lo lean en voz alta fijándose en las palabras que han subrayado.

> **4** Con esta actividad se trabajan las normas ortográficas de las letras *y* y *ll*.

 Ficha 21. Las letras *y* y *ll*.

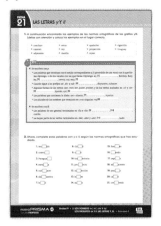

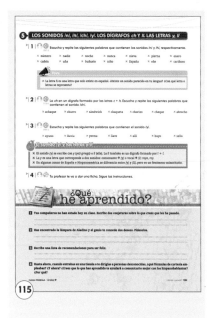

1. 1. Uruguay; 2. rey; 3. estoy; 4. adyacente; 5. cayeran; 6. concluyo; 7. proyección; 8. reyes; 9. mesilla; 10. cigarrillo; 11. apabullar.

2. mullido, convoy, Paraguay, mesilla, subyacer, disyuntiva, leyó, chilló, oyó, trayectoria, proyecto, inyección, leyes, aúlla, bueyes, yendo, cepillo, adyacente, pasillo, cayó, cayendo.

Si lo considera conveniente, continúe la práctica de estos sonidos con los ejercicios 8 a 11 de la unidad 9 del *Libro de ejercicios*.

Para terminar la unidad, el alumno puede evaluar su aprendizaje en relación con la expresión de la probabilidad, de los deseos y de los consejos o recomendaciones. Además, se propone que el alumno reflexione sobre su progreso en la habilidad de dirigirse de forma cortés al interlocutor.

> **1** Posibles respuestas. Imagino que ayer comerían algo en mal estado y que no se encuentran bien; Quedarían anoche para salir y volverían demasiado tarde a casa.

> **2** Posibles respuestas. Desearía salud para mí y todos los que me rodean; Me gustaría vivir en un mundo justo y sin pobreza.

> **3** Posibles respuestas. Para ser felices deberíamos poder decidir qué es lo que queremos hacer; tendríamos que intentar ser lo más positivos posible; y deberíamos rodearnos de personas que nos hacen sentir bien.

> **4** Esta actividad está pensada para que el alumno valore lo que ha aprendido en la unidad sobre la expresión de la cortesía, contrastándolo con sus propias habilidades antes de empezar la unidad. Se intenta beneficiar así el continuo control del proceso de aprendizaje para potenciar su autonomía.

ELEteca
COMUNICACIÓN. **En la consulta.**
GRAMÁTICA. **El condicional simple.**
LÉXICO. **La salud.**

ELEteca
¡Ay, qué dolor!

En esta unidad, centrada en los medios de comunicación, se presentan la estructura, las secciones y las particularidades lingüísticas de dos medios masivos: la radio y la prensa. A nivel funcional, el alumno va a familiarizarse con la noticia, la encuesta y la entrevista, y las tipologías textuales relacionadas con el tema. Por otro lado, aprenderá a contar anécdotas reales e inventadas y expresar sorpresa e interés ante el relato de otras personas. Para este mismo objetivo, se retomará el contraste entre el pretérito indefinido y el pretérito imperfecto. También se revisan el futuro y el condicional para expresar probabilidad con el fin de hacer hipótesis sobre artistas del mundo hispano. En cuanto al contenido cultural, se presenta la vida y la carrera artística de Almodóvar, Julieta Venegas, Pitbull o Alejandro Sanz, así como también algunas de las fiestas más importantes del mundo hispano, como son la tomatina y los sanfermines, en España, o los Diablos danzantes, en Venezuela. En relación a las estrategias de aprendizaje, se reflexiona sobre los propios errores en un grupo de trabajo cooperativo y, en relación con el componente afectivo, la asociación del aprendizaje del español con diferentes estilos musicales. Finalmente, el apartado de fonética y ortografía se centra en la puntuación de un texto, concretamente en el punto y la coma, como elementos de vital importancia en la lectura e interpretación de un escrito.

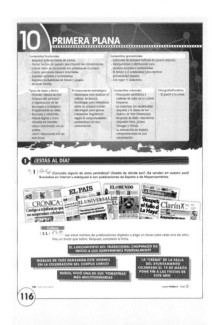

 ¿ESTÁS AL DÍA?   **116**

Con la tarea final de esta primera sección, se pretende que los alumnos redacten una noticia breve de temática libre, utilizando la estructura de esta tipología textual. Como trabajo previo, conocerán las secciones en las que se organiza un periódico digital, el vocabulario específico sobre el mundo de la prensa y algunos de los canales de radio y periódicos más importantes de España e Hispanoamérica. Con el fin de relatar los sucesos reales o ficticios que se narran en las noticias, se repasa el contraste entre el pretérito indefinido y el pretérito imperfecto. Los modelos de noticia que estudiarán los alumnos nos servirán para introducir algunas de las fiestas más famosas del mundo hispano, como son la tomatina y los sanfermines, en España, y los Diablos danzantes, en Venezuela. La última parte del epígrafe se centra en reflexionar sobre los errores que se cometen cuando se trabaja en grupo, como continuación del trabajo estratégico en el proceso de enseñanza-aprendizaje.

> **1** El enunciado de esta actividad se abre con una serie de preguntas relacionadas con el contenido cultural de la unidad: la prensa en España e Hispanoamérica.

En primer lugar, aclare, si lo cree oportuno, la expresión *estar al día*, una locución que se refiere a estar informado de lo que ocurre en la actualidad. Para comprobar si sus alumnos están al día, invítelos a compartir con la clase noticias actuales que han podido ver o leer en los medios de comunicación.

Las imágenes de varios de los periódicos más importantes del mundo hispanohablante tienen como objetivo atraer la atención del alumno. Si no conocen las publicaciones, aproveche las fotografías para captar su interés sobre el tema. Pregúnteles si son lectores de algún periódico o revista en sus países, qué tipo de publicaciones son sus favoritas y qué valoran en ellas (diseño, redacción del texto, titulares llamativos, calidad en la fotografía, etc.). También puede indicarles que comenten si han leído alguna vez algún artículo en español y cuáles son las dificultades que han encontrado en la comprensión de la lectura.

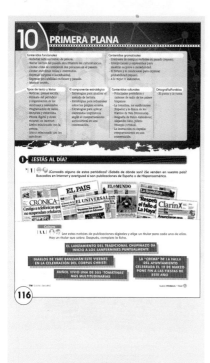

Son hispanoamericanos los periódicos *La Crónica de hoy* (México), *El Universal* (Venezuela), *La República* (Perú) y *Clarín* (Argentina). Los diarios *El País* y *El Mundo* son publicaciones españolas.

ⓘ+ ELEteca
21. Algunos periódicos españoles e hispanoamericanos.

1.1. Este ejercicio supone el comienzo de una secuencia de actividades que culminará en la redacción de una noticia sobre fiestas tradicionales.

Para comenzar, se presentan varios modelos de titulares de la prensa en español y, a continuación, tres artículos de publicaciones digitales sobre celebraciones tradicionales en España y Venezuela. Coménteles que también los periódicos impresos tienen su versión digital.

Una alternativa a la propuesta en el enunciado es que los alumnos hagan conjeturas sobre las imágenes de las fiestas como paso previo a la lectura de los textos. De seguir esta opción, diga a los alumnos que reflexionen sobre lo que puede estar haciendo la gente y el estado de ánimo que reflejan, los elementos que aparecen en cada una de las fiestas, qué carácter puede tener cada celebración (religioso o cultural) y cuál puede ser su significado. Finalmente, pida que consensúen cuáles son los titulares que les corresponden a las imágenes.

1. El lanzamiento del tradicional chupinazo da inicio a los sanfermines puntualmente; 2. Buñol vivió una de sus 'Tomatinas' más multitudinarias; 3. Diablos de Yare danzarán este viernes en la celebración del Corpus Christi.

Tras la corrección, los alumnos deben completar un cuadro con la información clave de los textos. Dígales que, al tratarse de textos reales adaptados, encontrarán palabras que no entiendan, pero que aquello no les obstaculizará la realización de la tarea. El objetivo de esta segunda parte es detectar la información (nombre de la fiesta, lugar de celebración, fecha y su duración) a raíz de la cual se construye una noticia. Estos textos servirán de modelo para que los alumnos redacten una noticia en la actividad 2.1.

Si lo cree oportuno, puede dividir la clase en grupos de tres y asignar un texto a cada uno de los alumnos. Indíqueles que lo lean con atención y que completen la parte del cuadro referida a la noticia que han leído. A continuación, pídales que cuenten a sus compañeros la información que han aprendido para que estos completen el resto del cuadro. Con esta alternativa los alumnos ponen en práctica la capacidad de seleccionar la información que es importante y partiendo de ella, producir un relato oral.

	Noticia 1	Noticia 2	Noticia 3
Fiesta	Los sanfermines*	La tomatina	Los Diablos danzantes de Yare
Lugar de celebración	Pamplona	Buñol (Valencia)	Yare, estado de Miranda (Venezuela)
Fecha	6 de julio	Último miércoles de agosto	3 de junio
Duración	9 días	Un día	Un día

* En la fiesta de los sanfermines el chupinazo se realiza el día 6 de julio al mediodía, dando comienzo las fiestas. Al día siguiente, el día 7, comienzan los encierros, que son los más famosos de estas fiestas. Los sanfermines terminan a las 24h del día 14 de julio con el *Pobre de mí*, una canción de despedida.

1.2. El trabajo estratégico que aquí se plantea pretende que el alumno reflexione sobre el uso de recursos que le facilitan la comprensión de un texto. Es probable que el alumno haya podido encontrar algunas dificultades en la comprensión de datos específicos en el texto. Precisamente, este ejercicio posibilitará que tome consciencia de que la finalidad de la tarea anterior era completar el cuadro, localizar datos específicos y comprender el texto en su globalidad. Termine con una puesta en común en la que los estudiantes propongan otras estrategias que le son útiles para una compresión lectora eficaz.

>2 Cuadro de información sobre la noticia y la diversidad de tiempos verbales utilizados para su redacción.

pretérito indefinido / pretérito perfecto / futuro.

2.1. En esta actividad los alumnos van a redactar una noticia. Para ello, y una vez elegida la festividad sobre la que escribirán, sugiérales que vuelvan al cuadro de la actividad 1.1. y que preparen un esquema de la información básica que contendrá el texto que redacten. También puede pedirles que elaboren un mapa conceptual en el que, a partir de los aspectos señalados en el cuadro, piensen en otros elementos de estas celebraciones que crean conveniente señalar. Siempre que lo considere necesario, indíqueles que escriban el titular cuando la noticia ya esté redactada y no de manera previa. Dígales que revisen los titulares de 1.1. y que tomen como referencia el momento presente para elegir el tiempo del relato. Concluya la actividad con una reflexión intercultural sobre las fiestas de los países de los alumnos: de qué tipo suelen ser, qué características tienen en general en cada país, cuáles son las más importantes y en qué consisten y si guardan alguna similitud con las celebradas en el mundo hispano. Este último aspecto servirá para introducir la actividad 3.

>3

 Ficha 22. Fiestas de España e Hispanoamérica.

Actividad cultural para conocer otras fiestas importantes del mundo hispano.

Dinámica. Divida ahora la clase en varios grupos. Reparta las ocho fiestas entre los integrantes de cada uno (una o dos fiestas a cada estudiante) y pida que completen la tabla final. Si en la alternativa para la actividad 1.1. los estudiantes contaron la información a sus compañeros, ahora solo les deben formular preguntas para completar la tabla. Finalmente, comprueban sus respuestas con sus compañeros y elaboran un calendario anual con todas estas fiestas.

Una propuesta diferente a la descrita en el enunciado de la actividad es crear un calendario de fiestas de la clase, donde aparezca la fiesta más importante que se festeja en cada país de origen de los alumnos de la clase.

>4 En esta actividad comienza la segunda parte del epígrafe, centrada en los medios de comunicación y las secciones de un periódico, la cual finalizará con la redacción de una noticia en trabajo cooperativo en la actividad 5.

Si lo considera oportuno, indique a los alumnos que la pregunta del enunciado también se extiende a medios de comunicación en otras lenguas. Haga una puesta en común, en la que justifiquen la elección de los diferentes medios para obtener información de cada uno de los temas. Finalmente, propóngales que escojan el medio más completo para ellos y que argumenten su elección.

4.1. El alumno profundizará en el tema de la prensa y aprenderá vocabulario sobre las secciones y los contenidos de un periódico.

Si lo considera adecuado, divida la clase en grupos de tres para completar la tarea. Concluya el trabajo con las reflexiones personales de los alumnos; para ello, pídales que elaboren tres listas: secciones que no miran nunca, secciones que miran siempre y secciones que miran ocasionalmente. Indíqueles que se agrupen según sus preferencias; una división que le ayudará a la hora de formar grupos en la tarea de grupo cooperativo de la actividad 5.

SECCIONES	CONTENIDOS
Portada	Noticias más importantes y sumario (índice).
Internacional	Noticias de todo el mundo.
Nacional	Noticias del propio país.
Local	Noticias regionales o locales.
Sociedad	Sucesos y noticias sobre personajes famosos.
Cultura	Noticias sobre cine, teatro, música, danza…
Cartelera	Información sobre cines, teatros…
Anuncios breves	Anuncios por palabras.
Deportes	Noticias deportivas.
Economía	Noticias del mundo empresarial y comercial.
Bolsa	Información sobre la cotización de las acciones.
Agenda	Informaciones práctica: farmacias, loterías, el tiempo…
Pasatiempos	Sopa de letras, crucigrama, sudoku…
Radio y televisión	Programación de las televisiones y emisoras de radio.

4.2. Los estudiantes detectarán la información contenida en los titulares para deducir a qué sección pertenecen.

1. Nacional; 2. Internacional; 3. Cultura; 4. Deportes; 5. Anuncios breves; 6. Sociedad/Sucesos.

4.3. Hasta este momento los alumnos han estudiado el modelo de la noticia relatada en diferentes tiempos verbales de pasado y futuro. Ahora van analizar una noticia en pasado, en la cual se retoma el estudio iniciado en la unidad 7 sobre el contraste del pretérito indefinido e imperfecto.

Las frases subrayadas correspondes a las circunstancias. El resto son los acontecimientos.

Ayer, a las doce de la noche, se celebró, en el Hotel Transilvania, la boda del popular y enigmático conde Drácula con una mujer que responde a las iniciales A.B. y que declaró que <u>estaba enamorada del señor de los Cárpatos</u> desde que una noche abrió una ventana y le vio volando a la luz de la luna. Al parecer, esa noche, el conde se vistió con su mejor capa y salió a dar un paseo porque <u>hacía mucho calor en su castillo</u>. De repente, se dio cuenta de

que le perseguían unos periodistas, así que "salió volando". A la ceremonia asistieron decenas de personas; principalmente, eran familiares y amigos de la novia, curiosos por saber qué iba a beber el conde en la comida. Las mujeres lucían vestidos espectaculares con cuello alto y bufandas, y los hombres llevaban bien anudada la corbata. La fiesta terminó al amanecer. Según señalaron los asistentes, *lo pasaron de miedo*.

A continuación, comente a sus estudiantes que la información incluida en una noticia debe responder siempre a seis preguntas: qué, dónde, cómo, cuándo, quién y porqué. Contestar a esas preguntas ayuda a informar de lo más relevante sobre el asunto que se busca transmitir. Remita de nuevo a esta noticia y pida a sus alumnos que las contesten. Esto le servirá para la actividad final del epígrafe.

> **5** Para realizar la tarea, retome la agrupación por preferencias de la actividad 4.1. Anímelos a ser creativos, avisándoles de manera previa al trabajo cooperativo de que se elegirá por consenso la historia más original y mejor redactada. Indíqueles que presten atención al orden de aparición de la información que ofrezcan, para hacerla más atractiva. Finalmente, concluya la tarea con una valoración en clase abierta sobre el trabajo de cada equipo.

5.1. y **5.2.** Tras la reflexión sobre el trabajo grupal, se concluye el epígrafe con un ejercicio de tipo estratégico, donde cada componente del grupo lleva a cabo un proceso de autocrítica sobre su aportación al trabajo del equipo. Cada alumno analizará cuáles han sido los errores que considera haber cometido en la tarea cooperativa. Tras esta reflexión individual, puede ser provechoso que cada alumno comente brevemente la manera en la que sus compañeros han contribuido positivamente al trabajo grupal. Si lo cree pertinente, sugiérales que lean las reflexiones personales de la actividad 5.1. y que los compañeros las valoren. Esta dinámica puede ayudar a contrastar y cambiar la percepción negativa que se tiene a veces sobre uno mismo en relación con el aprendizaje.

② ESTO ME SUENA   121

Este epígrafe tiene como eje temático otro gran medio de comunicación: la radio. Se conocerán algunas emisoras del mundo hispanohablante y el léxico relacionado con el ámbito de la programación radiofónica. El alumno estudiará dos géneros textuales habituales en este medio: la encuesta y la entrevista. A nivel funcional, aprenderá a relatar historias anecdóticas, para lo cual se retoma el contraste entre el pretérito indefinido y el pretérito imperfecto, y se familiarizará con el comportamiento en una conversación en España, observando interjecciones y expresiones para mostrar sorpresa e incredulidad. Además, se reflexiona sobre la relación de las emociones con el aprendizaje, esta vez tomando la música como gran generador de sentimientos. El epígrafe se cierra con una tarea de trabajo cooperativo, en la que los alumnos elaborarán un programa de radio.

> **1** El epígrafe comienza con una serie de interrogantes que pretenden activar los conocimientos previos de los alumnos sobre el tema.

Para anticipar el contenido de la audición, anime a los alumnos a hablar de sus gustos con respecto a la radio: si son oyentes habituales de radio, qué tipo de programas radiofónicos son de su agrado y en qué momentos la escuchan.

1.1. Con esta audición se presenta el género de la encuesta y se trabaja el vocabulario relacionado con la radio.

Para empezar, pídales que lean las frases y subrayen la información que necesitan detectar en la audición. En la primera escucha, los alumnos se

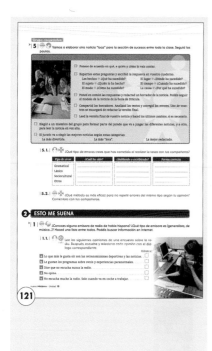

concentrarán en el tipo de programas que suele escuchar cada encuestado.

 Diálogo 1

|58| ● Perdone, señora, ¿tiene un momento? Estamos haciendo una encuesta sobre la radio para Radio Nacional.

◗ Bueno, si es rápido…

● Sí, sí, no se preocupe. ¿Usted oye mucho la radio?

◗ Pues, mucho, mucho, no, la verdad. Me gusta poner música algunas veces, sobre todo cuando voy a trabajar en coche. Nada más.

Diálogo 2

● ¡Señor, señor! Un momentito, por favor. Para Caracol Radio. Estamos hacien…

◗ Lo siento, tengo mucha prisa.

Diálogo 3

● ¡Hola! Estamos haciendo una encuesta sobre la radio. ¿Puedo hacerle unas preguntas para Kiss FM?

◗ Claro, cómo no.

● ¿Qué tipo de programas le interesan más?

◗ La verdad es que no me interesan demasiado la mayoría de los programas de radio, pero reconozco que me quedo enganchado cuando escucho los programas sobre apariciones de ovnis y sobre experiencias paranormales.

Diálogo 4

● Perdone, caballero, ¿me permite unas preguntas para una encuesta sobre la radio para Cadena Ser?

◗ Si es rápido… Me cierran el banco.

● Rapidísimo. ¿Qué opinión tiene de la radio?

◗ Me encanta. Lo que más escucho son los partidos de fútbol y las noticias.

Diálogo 5

● Oiga, perdone. Soy de la radio La Mexicana. ¿Me permite una preguntita sobre la radio?

◗ Uf, no. Yo no la escucho nunca. No tengo tiempo.

a. 4; b. 3; c. 5; d. 2; e. 1.

1.2. Diálogo 1. Radio nacional; Diálogo 2. Caracol Radio; Diálogo 3. Kiss FM; Diálogo 4. Cadena Ser; Diálogo 5. La Mexicana.

i+ ELEteca

22. Algunas emisoras de radio de España e Hispanoamérica.

1.3. Comprensión auditiva que pretende introducir, por una parte, el género de la entrevista, y por otra, la narración de anécdotas en español y la manera en que el interlocutor reacciona hacia esa historia que se está relatando. El entrevistado cuenta una anécdota, utilizando el pretérito indefinido para marcar los acontecimientos y el pretérito imperfecto para describir las circunstancias en las que ocurrieron aquellos.

Avíselos, si lo cree necesario, de que el texto que han de completar es un resumen de la anécdota en sí y de que no consiste en la transcripción literal de la entrevista. Pídales, en primer lugar, que escuchen la entrevista y que luego completen el texto.

 Locutor: Y tenemos hoy en nuestro espacio para la nostalgia a Miguel, |59| español que lleva aquí en México toda una vida y que viene esta tarde a contarnos cómo conoció al amor de su vida en tiempos en los que no eran nada fáciles las relaciones entre hombres y mujeres. Buenas tardes, Miguel, ¿cómo está?

Miguel: Buenas tardes, bien, muy bien… Encantado de estar aquí…

Locutor: Perfecto, Miguel. Si me permite, ¿cuántos años tiene usted?

Miguel: Cumpliré 87, en agosto.

Locutor: Está usted muy bien… Díganos por qué ha venido a contarnos su historia.

Miguel: Muy fácil. Me encanta la música que ponen en este programa. Siempre escucho música de mi época, no ese ruido de ahora que me da dolor de cabeza. Es una música muy especial que me recuerda a otros tiempos, a otras cosas.

Locutor: ¿Sí? Cuéntenos, Miguel, ¿a quién o qué le recuerda?

Miguel: Pues mire, recuerdo cuando era mozo y eran las fiestas del pueblo, allá en España, y sacábamos a bailar a las jóvenes.

Locutor: Pero, Miguel, ¿era un ligón entonces?

Miguel: Bueno, no podía hacer mucho, pero lo intentaba. Eso sí, hasta que conocí a mi amor. Recuerdo que esa tarde, salí con unos amigos. Estábamos muy aburridos, la orquesta era muy mala y no queríamos bailar, Yo ya me iba a casa, pero entonces, la vi. Llegó con su prima María. Vivía en la capital y vino a pasar unos días al pueblo.

Locutor: Por favor, siga, siga, don Miguel. ¿Qué pasó?

Miguel: Era la mujer más guapa del mundo y aún hoy lo es. Cuando me miró, supe que estaría en mi corazón para siempre. Me enamoré de ella al instante y, mientras, la orquesta estaba tocando un bolero. Pero nuestro amor no pudo ser. Ese verano fue la última vez que la vi… hasta hace veinte años.

Locutor: ¡Qué pena! ¿De verdad? ¿Y por qué?

Miguel: Tuve que emigrar y ella se quedó allí… La vida es así, la perdí. Y resulta que hace veinte años me la encontré aquí, en los bailes de salón de la Casa de España.

Locutor: ¿Sí? ¡Qué emoción! ¿Y qué pasó?

Miguel: Pues no dijimos palabra, la música de esta emisora sonaba en el salón. Nos acercamos, bailamos y desde entonces ya no nos hemos separado nunca más.

1. era; 2. estaba; 3. tocaba; 4. gustaba; 5. llegó; 6. se enamoró; 7. emigró; 8. volvió; 9. encontró; 10. estaba; 11. se han separado.

1.4. Esta actividad contiene un cuadro funcional donde se exponen las estructuras lingüísticas utilizadas en español para introducir y relatar una anécdota y también la forma de interactuar con la persona cuando la relata, mostrando sorpresa o incredulidad ante la historia.

Para introducirlo, vuelva a poner la audición de la actividad 1.3. y pida a sus alumnos que anoten las frases utilizadas por el entrevistador para mostrar interés hacia la historia que se está contando. Tras la lectura del cuadro, los alumnos van a pensar en un momento especial de su pasado. En la parte inferior del ejercicio se ofrecen una serie de acontecimientos, algunos habituales en las vidas de las personas; no obstante, y si lo considera necesario, dé la consigna de que ellos mismos elijan la anécdota que quieren contar. Para facilitar la tarea del ejercicio 1.5., pídales que hagan un esquema o escriban las palabras claves referidas a los puntos de los que van a hablar.

A continuación, aconséjelos que lean el cuadro de atención, donde se habla de la interrupción del hablante en la conversación, y que reflexionen sobre la manera de interactuar con alguien en sus países y que las comparen con las costumbres en los países de cultura hispana. Si lo desea, anímelos a contar si han experimentado alguna situación similar en una conversación con una persona nativa y cómo se sintieron en ese momento.

Para consolidar las funciones para contar anécdotas, puede realizar los ejercicios 1 a 5 de la unidad 10 del *Libro de ejercicios*.

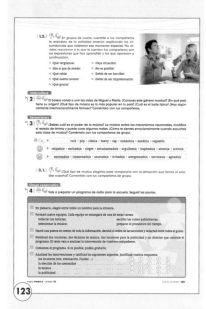

1.5. Esta tarea continúa el trabajo iniciado en la anterior: se trata de que los alumnos trasladen ahora a sus compañeros la anécdota que han pensado.

Una opción es que cada grupo de cuatro represente el relato de la anécdota delante de sus compañeros y que el resto elija cuál ha sido la más completa, la mejor representada y la que haya mostrado una interacción más natural entre los interlocutores.

Si lo considera útil, retome la proyección 3, *Evaluación de los diálogos*, para llevar a cabo esta alternativa. Indique a los alumnos que utilicen las frases que ofrecemos de manera libre. Coménteles que estas expresiones coloquiales, fuertemente orales, también se dan de manera habitual en otros medios escritos, sobre todo en mensajes que requieren de una respuesta inmediata, como es la mensajería por teléfono móvil.

Para seguir practicando los contenidos de este epígrafe, realice la ficha 23.

 Ficha 23. El día que conocí a mi mejor amigo/a.

Actividad de juego de roles, en la que los alumnos ponen en práctica, mediante el formato de la entrevista, la narración de anécdotas y las expresiones usadas para expresar interés y sorpresa hacia quien las cuenta.

Dinámica. Entregue a cada alumno una tarjeta y pídales que escriban en su parte inferior cuatro palabras que les sugiera el personaje que aparece en ella. Una vez escritas, dígales que pasen la tarjeta a su compañero de la derecha y, seguidamente, divida la clase en parejas, de manera que cada pareja de alumnos tenga dos personajes, con cuatro palabras asociadas a cada uno de ellos. Informe a los alumnos de que sus personajes son muy buenos amigos y que van a pensar, escribir y contar cómo se conocieron, inspirándose en su imagen y utilizando las ocho palabras que contiene cada pareja de tarjetas. A continuación, sugiérales que, tomando como modelo la entrevista de la actividad 1.3., formulen preguntas a cada pareja sobre las circunstancias en las que se conocieron. Indíqueles que interrumpan el relato cuando sea necesario para mostrar interés y que reaccionen utilizando las interjecciones que han aprendido. Haga una valoración en clase abierta, en la que los alumnos decidan cuál ha sido la anécdota más divertida.

Puede continuar la práctica con los ejercicios 9 y 10 de la unidad 10 del *Libro de ejercicios*.

>2 En este ejercicio se pretende que los alumnos compartan las características de la música, los bailes y los artistas musicales de sus países. El bolero como género musical sirve para introducir el tema de la música y su poder a nivel emocional, aspecto que se trabajará en profundidad en la actividad 3 y que servirá de puente hacia el siguiente epígrafe, dedicado a la música y los artistas hispanos.

Una variante es que les pida que preparen una ficha sobre algún género musical originario de sus países y que la expongan en clase en la siguiente sesión.

El bolero es un género musical de origen cubano, muy popular en todos los países hispanoamericanos.

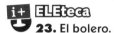
23. El bolero.

> **3** y **3.1.** Con estas actividades se prosigue el trabajo sobre las emociones que está experimentando el estudiante en su proceso de aprendizaje del español, esta vez en relación con un generador de emociones tan potente como es la música.

En la actividad 3, el alumno se centrará en cómo se siente cuando escucha un determinado género musical, explorando el vocabulario relacionado con la música y las emociones. Después de terminar el trabajo léxico, se asociarán estas emociones a su aprendizaje del español.

De creerlo oportuno, dé la consigna a los alumnos de que escriban en un papel el estilo musical que asocian con sus sensaciones al estudiar español. Recójalos y vuelva a repartirlos, de manera que cada alumno tenga un papel de uno de sus compañeros. Uno a uno, leerán en voz alta el estilo musical que tienen en su papel y tendrán que averiguar quién lo ha escrito. Una vez se conozca la identidad del autor, pídale a este que justifique su respuesta.

Si lo considera apropiado, otra opción sería que los alumnos escribieran nombres de artistas, de grupos musicales o de canciones. Si dispone de conexión a Internet en clase y opta por esta propuesta, le recomendamos que ponga un fragmento de la canción elegida por los alumnos, con el fin de aprovechar las posibilidades lúdicas que puede aportar la música en el aula.

> **4** La tarea final del epígrafe culmina en la preparación de un programa de radio. En esta tarea toda la clase trabajará conjuntamente, por lo cual le recomendamos que se escoja inicialmente a un portavoz, con el fin de que tome nota de los subgrupos, el trabajo que realizará cada uno, el orden de las secciones y otras tareas de organización.

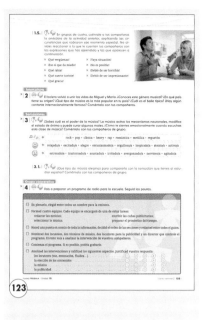

3 ▸ FAMOSOS DE PORTADA · 124

En este epígrafe el alumno retomará la función del futuro y el condicional para hacer conjeturas sobre el presente y el pasado de algunos de los artistas hispanos más reconocidos en el panorama internacional, y aprenderá el uso del marcador de probabilidad *a lo mejor* seguido del modo indicativo. En relación con el contenido cultural, se conocerán datos relevantes sobre la carrera artística de Pedro Almodóvar, Alejandro Sanz, Julieta Venegas y Pitbull.

> **1** La fotografía muestra a los miembros del grupo musical *Almodóvar & Mc-Namara*, formado en 1982 y del cual era miembro Pedro Almodóvar en los inicios de su exitosa carrera como director de cine.

Comente en clase que esta imagen pertenece a un grupo musical que surgió en la movida madrileña, movimiento que vieron en la unidad 6. Pregúnteles qué tipo de música creen que haría este grupo y si reconocen a la persona situada más a la izquierda. Si los alumnos no reconocen al artista, dígales que

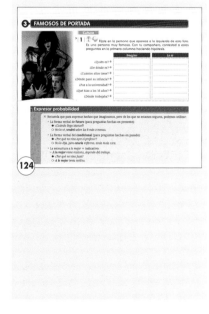

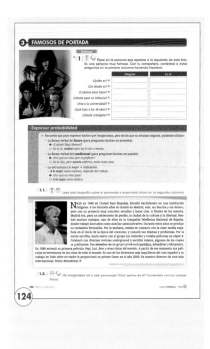

imaginen, a partir de la estética que reflejan, las respuestas a las cuestiones señaladas y que las escriban en la columna de *Imagino*. Seguidamente, los alumnos leerán un cuadro de información gramatical, como revisión de las formas de expresión de probabilidad que han estudiado hasta el momento. Si lo ve adecuado, indíqueles que *a lo mejor* y otros marcadores como *supongo que* y *creo que*, estudiados con anterioridad, pueden ir acompañados del tiempo real o del tiempo ficticio, mientras que el futuro y el condicional para hacer hipótesis ya llevan implícitos la probabilidad en su uso y, por tanto, no exigen llevar marcador.

¿Quién es? Pedro Almodóvar; ¿De dónde es? De Ciudad Real (España); ¿Cuántos años tiene? Nació en 1949; ¿Dónde pasó su infancia? En el pueblo; ¿Fue a la universidad? No, estudió bachillerato; ¿Qué hizo a los 16 años? Se instaló en Madrid; ¿Dónde trabajaba? Como auxiliar administrativo en Telefónica.

1.1. y 1.2. Con esta comprensión lectora, que resume la vida y obra artística de Pedro Almodóvar, los alumnos comprobarán si sus conjeturas eran ciertas, erróneas o estaban cerca de la realidad. Indique que lean por parejas el texto y que luego corrijan las suposiciones que han elaborado. A continuación, invítelos a responder a las preguntas de la actividad 1.2.

> Para seguir practicando las funciones para expresar probabilidad, puede realizar los ejercicios 6, 7 y 8 de la unidad 10 del *Libro de ejercicios*.

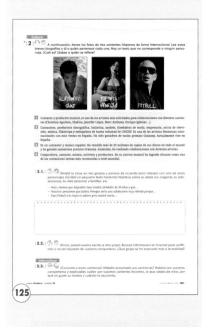

>2 1. Pitbull; 3. Alejandro Sanz; 4. Julieta Venegas.

El texto 2 corresponde a la biografía de Shakira.

2.1. y 2.2. Los alumnos van a formular hipótesis sobre los personajes de las imágenes, usando las fórmulas para expresar probabilidad utilizadas hasta el momento.

Le aconsejamos que lleve a cabo una lluvia de ideas sobre cuáles son las etapas más importantes de la vida de una persona y a partir de ahí, añadir aspectos que pueden ser relevantes en la carrera de un artista. Anímelos a comenzar desde la infancia de estos personajes para que el ejercicio sea más productivo.

Antes de la búsqueda de información en Internet, diga a sus alumnos que corrijan las frases que sus compañeros han redactado.

Como actividad opcional, los alumnos pueden hacer suposiciones sobre sus compañeros de clase y sobre cómo serían en las etapas pasadas de la vida que han mencionado. El alumno en cuestión confirmaría o rectificaría las hipótesis.

Otra opción es utilizar los personajes ficticios de la ficha 23, *El día que conocí a mi mejor amigo/a*, para expresar suposiciones sobre sus vidas.

2.3. En este ejercicio que cierra el epígrafe, puede retomar la idea de la actividad 3 del epígrafe 2, donde se trabajaban las sensaciones en relación con la música y preguntar a los alumnos cómo se sienten cuando escuchan música latina.

Si dispone de conexión a Internet, puede animar a los alumnos a mostrar imágenes de sus artistas favoritos, además de poner un fragmento de alguna de sus canciones.

Como actividad final del epígrafe, y si desea seguir practicando la expresión de hipótesis con el futuro y el condicional, proponga la actividad de la ficha 24.

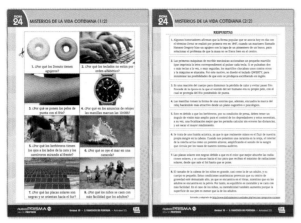 **Ficha 24.** Misterios de la vida cotidiana.

Actividad oral en la que el alumno utilizará el futuro imperfecto y el condicional para hacer hipótesis sobre cuestiones diversas de carácter universal.

Dinámica. Divida la clase en grupos de tres y, a continuación, disponga las tarjetas boca abajo. Uno de los alumnos cogerá una tarjeta al azar y dirá la pregunta en voz alta. Cada grupo hará conjeturas para intentar responder a la pregunta. Deje un par de minutos para que los miembros del grupo discutan las respuestas y, a continuación, indíqueles que digan en voz alta su hipótesis. El grupo que se acerque más a la explicación real ganará un punto. Proceda de la misma manera con el resto de las preguntas.

4 ▶ EL PUNTO Y LA COMA 126

En este epígrafe el alumno va a familiarizarse con dos de los signos de puntuación básicos de la lengua española: el punto y la coma.

>1 Con esta tarea inicial se pretende que el alumno sea consciente de la importancia de los signos de puntuación para que una redacción guarde coherencia textual.

Para comenzar, y como sugiere el enunciado, pida a los alumnos que lean el texto con atención. Los alumnos tendrán dificultades para leerlo e interpretarlo, ya que faltan signos de puntuación. Los signos de puntuación delimitan las frases y los párrafos y establecen la jerarquía sintáctica de las proposiciones, estructurando el texto, ordenando las ideas y eliminando ambigüedades. La puntuación varía según el estilo de escritura, pero han de seguirse unas normas mínimas para evitar errores que imposibiliten la coherencia del texto.

1.1. Indique a los alumnos que lean el cuadro de información referido al uso del punto. A continuación, dígales que vuelvan al texto, por parejas, y añadan los signos de puntuación que sean necesarios. Deje claro, si lo considera necesario, que el punto y seguido separa las ideas contenidas en oraciones, pero permite conservar la unidad del párrafo, frente al punto y aparte, que precede a ideas que rompen con la continuidad de las frases anteriores.

La Villa de Bilbao cuenta con unos 7 metros cuadrados de espacios verdes por habitante. En ellos, según han destacado recientes estudios de calidad realizados a nivel nacional, destaca la calidad de los espacios deportivos y su buena conservación, así como el "óptimo estado de limpieza" de todos ellos. Los jardines de Bilbao aparecen reflejados como los mejores equipados de todas las ciudades nacionales analizadas en el estudio.

Con casi 100 años de historia, el principal parque de la Villa, el Parque de Doña

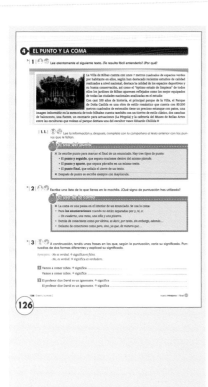

Casilda es una obra de estilo romántico que cuenta con 85 200 metros cuadrados de extensión. Tiene un precioso estanque con patos, una imagen imborrable en la memoria de todo bilbaíno. Cuenta también con un tiovivo de estilo clásico, dos canchas de baloncesto, una fuente, un escenario para actuaciones (La Pérgola) y la cafetería del Museo de Bellas Artes. Entre las esculturas que rodean al parque destaca una del escultor vasco Eduardo Chillida.

>2 Trabajo de reflexión sobre el uso de la coma. En el caso de las enumeraciones, las comas implican una entonación especial: se interpretan, en general, con una inflexión descendente o ascendente y una pausa leve o no. Dígales, si lo cree conveniente, que no todas las pausas deben señalarse, ya que no todas son expresivas, sino que también hay pausas respiratorias, independientes de la puntuación. Pida a los estudiantes que retomen el texto inicial y que justifiquen el uso de las comas que se han utilizado en su redacción.

La coma.

>3 Una misma frase puede tener diferentes significados dependiendo de los signos de puntuación. Estos signos son los que nos orientan, en la lengua escrita, para saber interpretar y comprender una frase. Esta actividad tiene como finalidad que el alumno reflexione sobre la importancia de la puntuación, ya que su colocación no solo conlleva orden, sino también significado.

Si lo cree útil, dé la consigna de que puntúen, para empezar, solamente una de las frases, y, una vez trabajadas, que intenten puntuarlas de forma distinta. Con ello, los alumnos puntuarán al principio de manera más intuitiva, mientras que la segunda vez se centrarán en alternativas sin distraerse en ninguna de las dos fases.

Vamos a comer, niños. Significa una acción futura con un vocativo.
Vamos, a comer niños. Significa una apelación y una orden.
El profesor dice David es un ignorante. Significa que lo dice el profesor.
El profesor, dice David, es un ignorante. Significa que es una opinión de David.
¡No tenga piedad! Significa que no sienta lástima.
¡No, tenga piedad! Significa que sienta lástima.
No sé bailar, bien lo sabes. Significa que la otra persona lo sabe perfectamente.
No sé bailar bien, lo sabes. Significa que la otra persona sabe que no baila bien.

Para practicar más sobre este aspecto, realice la actividad de la proyección 19.

Proyección 19. Carrera de puntuación.

Actividad de expresión escrita e interacción oral en la que los alumnos trabajan frases que, puntuadas de manera diferente, dan lugar a dos oraciones de distinto significado.

Dinámica. Divida la clase en parejas y proyecte la imagen con las frases. Asigne a cada pareja, al azar, un par de frases. Indíqueles que las copien y, seguidamente, retire la proyección. En primer lugar, cada pareja reflexionará sobre el significado de las dos frases. Una vez tengan claro su sentido, crearán dos diálogos cortos que contengan cada una de las dos estructuras trabajadas. Tras la corrección por parte del profesor, cada pareja copiará en la pizarra la frase asignada sin puntuar y representarán los dos diálogos correspondientes a sus frases. El resto de parejas, intentará puntuar las frases, atendiendo al contexto, a las pausas y a la entonación. Ganará el grupo que consiga el mayor número de frases correctamente puntuadas.

> **4** La actividad que concluye el epígrafe es una audición que toma como pretexto el tema de la baraja española para trabajar la puntuación en español.

Ponga el audio e indique a los alumnos que presten atención a las pausas y que puntúen el texto. A continuación, sugiérales que comparen su texto con el de los compañeros. Proceda a una segunda escucha.

 La baraja española

|60| La baraja española aparece durante el siglo catorce. Está compuesta de cuatro palos: oros, copas, espadas y bastos. Cada palo consta de 12 cartas: as, dos, tres, cuatro, cinco, seis, siete, ocho, nueve, sota, caballo y rey. En total son cuarenta y ocho naipes. En esta baraja lo más curioso es que no existe la dama o reina, sino que se utiliza un paje que se llama sota. El rey, además, nunca aparece sentado.

En España, los juegos con naipes son múltiples y variados. Podemos destacar tres: el tute, la brisca y el mus. Parte de su popularidad se debe a que las apuestas no se hacen generalmente con dinero, sino que el que pierde paga, por ejemplo, los cafés que se toman durante la partida. Otros juegos muy populares son las siete y media y el cinquillo, muy habituales en las reuniones familiares.

Cada palo tiene, además, un significado simbólico: las espadas indican conflictos, las copas representan las emociones, los oros representan el mundo material y los bastos son símbolo de la espiritualidad.

La baraja española aparece durante el siglo XIV. Está compuesta de cuatro palos: oros, copas, espadas y bastos. Cada palo consta de 12 cartas: as, dos, tres, cuatro, cinco, seis, siete, ocho, nueve, sota, caballo y rey. En total son cuarenta y ocho naipes. En esta baraja lo más curioso es que no existe la dama o reina, sino que se utiliza un paje que se llama sota. El rey, además, nunca aparece sentado.

En España, los juegos con naipes son múltiples y variados. Podemos destacar tres: el tute, la brisca y el mus. Parte de su popularidad se debe a que las apuestas no se hacen generalmente con dinero, sino que el que pierde paga, por ejemplo, los cafés que se toman durante la partida. Otros juegos muy populares son las siete y media y el cinquillo, muy habituales en las reuniones familiares.

Cada palo tiene, además, un significado simbólico: las espadas indican conflictos, las copas representan las emociones, los oros representan el mundo material y los bastos son símbolo de la espiritualidad.

Si desea seguir practicando el correcto uso del punto y la coma en español, puede llevar a cabo un trivial de puntuación. Para ello, divida la clase en pequeños grupos y pídales que escriban textos de varias líneas que necesiten varios puntos y comas y que los lean en voz alta. El resto de los grupos tratará de puntuarlos de manera correcta.

Para la práctica del uso del punto y la coma, puede realizar el ejercicio 11 de la unidad 10 del *Libro de ejercicios*.

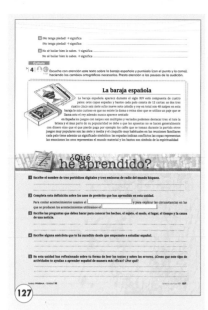

En este último apartado el alumno va a valorar su propio aprendizaje sobre los contenidos vistos en la unidad y reflexionará sobre la utilidad de las estrategias puestas en práctica a lo largo de estas sesiones.

> **1** Posibles respuestas. Periódicos digitales: *El País, Clarín, La Crónica de Hoy*; Emisoras de radio: *Caracol Radio, Cadena Ser* y *Radio la Mexicana*.

> **2** Para contar acontecimientos usamos el pretérito indefinido y para explicar las circunstancias en las que se producen los acontecimientos utilizamos el pretérito imperfecto.

> **3** ¿Qué ha sucedido? ¿Quién lo ha hecho? ¿Cómo ha sucedido? ¿Dónde ha sucedido? ¿Cuándo ha sucedido? ¿Por qué ha sucedido?

ELEteca
COMUNICACIÓN. **Había una vez...**
GRAMÁTICA. **Los pasados.**
LÉXICO. **Los medios de comunicación.**

ELEteca
Cuenta, cuenta...

Esta unidad está estructurada alrededor de tres temas principales: el reparto de las labores domésticas, los hábitos para mantener el estado de salud y la compra segura por Internet. Partiendo de ellos, los estudiantes van a diseñar una tabla de organización de las tareas de casa y a idear una campaña publicitaria. Con este objetivo, aprenderán a pedir y conceder permiso, a dar órdenes y consejos, y a persuadir, mediante el empleo del modo imperativo. Revisarán la forma y los usos del imperativo afirmativo y conocerán el negativo; además, reflexionarán sobre la colocación de los pronombres cuando aparecen con verbos en este modo verbal.

Asimismo, el alumno se enfrentará a la lectura y la redacción de textos informativos y publicitarios, así como a la lectura de mensajes con las particularidades del lenguaje de los SMS. En cuanto al componente estratégico, destacamos la reflexión sobre la aplicación de estrategias para escribir un texto de opinión, y con respecto al componente afectivo, la importancia de la motivación en el aprendizaje del idioma. Terminamos la unidad con el trabajo de los signos de interrogación y exclamación, y del esquema entonativo básico del español.

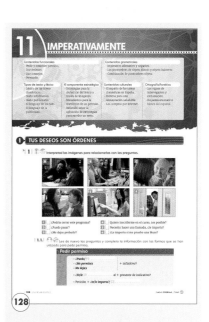

1 ▶ TUS DESEOS SON ÓRDENES   128

En el primer epígrafe de esta unidad, el alumno va a conocer distintas formas para pedir y conceder permiso en diferentes contextos cotidianos. Revisará el uso del imperativo para realizar esta función, así como también las formas regulares e irregulares de este modo verbal. En lo que se refiere al componente estratégico, pondrá en práctica la deducción del significado de léxico desconocido a través de imágenes.

> **1** Las imágenes con las que se abre el epígrafe ilustran actos de la vida diaria en las que nos dirigimos a otra persona para pedir permiso. Estas servirán como punto de partida para el trabajo que se llevará a cabo en las actividades 1.1. y 1.2., en las que se presentan estructuras para pedir permiso y para concederlo, respectivamente.

Como paso previo a la actividad, asigne cada foto a una pareja de alumnos diferente y encárgueles que describan lo que se observa en ella (el lugar, las personas y sus acciones, los objetos…). Recuerde que la descripción a partir de una fotografía constituye una de las cuatro tareas de la prueba 4 del examen DELE A2. Puede consultar, si lo necesita, los ejemplos correspondientes a esta tarea en el *Libro de ejercicios* o la sección final del *Libro del alumno*, *Prueba de examen del nivel A2*.

A continuación, diga a los alumnos que relacionen las imágenes y que, en caso de encontrar palabras desconocidas, intenten ayudarse de las fotos para deducir su significado antes de buscar en el diccionario o pedir ayuda a una tercera persona.

1. E; 2. F; 3. D; 4. A; 5. C; 6. B.

1.1. 1. Podría; 2. importa; 3. ¿es posible?

Una vez hayan inferido las formas de pedir permiso, pregunte cuál de las situaciones de la actividad 1 es más formal y cómo se refleja eso en la lengua. En las fotos A, B y E los hablantes se dirigen a personas desconocidas en espacios públicos. Por ello recurren a formas como: *¿Podría…?* (condicional de cortesía), *¿Es posible?* (de carácter impersonal) o *¿Le importa si…?* (uso de la persona *usted*).

1.2. Recuerde a sus alumnos que, de nuevo, intenten realizar la actividad sin el uso de diccionario y apoyándose en las fotos del ejercicio 1.

a. 5; b. 2; c. 3; d. 1; e. 6; f. 4.

La forma verbal que se ha utilizado para conceder un permiso es el imperativo.

Una vez hecha la corrección de la actividad, pida que identifiquen en las respuestas y en el cuadro gramatical aquellos casos en los que se repite una palabra al conceder permiso. Pregúnteles si en su lengua existe este fenómeno y, en caso afirmativo, que expliquen cuál es la intención del hablante al repetir esas palabras. En cualquier caso, debe quedar claro que es un mecanismo para atenuar o restar importancia a la concesión del permiso.

> Siga practicando las funciones de pedir y conceder permiso con los ejercicios 1 y 2 de la unidad 11 del *Libro de ejercicios*.

1.3. De entre los verbos que en la actividad anterior aparecen en negrita, el alumno debe ahora seleccionar aquellos que coinciden con los del cuadro. Luego, proceda a la lectura de la explicación gramatical, que servirá al alumno para realizar el siguiente ejercicio.

Si prefiere ampliar el trabajo de inducción de formas, pídales que subrayen los verbos irregulares que aparecen en 1.2. y que traten de explicar el tipo de irregularidad que se da en ellos. Con este ejercicio los alumnos pueden llegar a relacionar las irregularidades del imperativo con las del presente de indicativo.

1. pase; 2. lea; 3. abre; 4. diga.

> Para seguir practicando los verbos en imperativo afirmativo, puede realizar el ejercicio 3 de la unidad 11 del *Libro de ejercicios*.

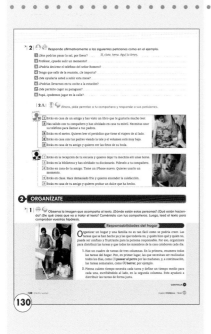

>2 Para la realización del ejercicio, señale que al conceder permiso tras las preguntas *¿Te/le importa si...?* o *¿Te/le importa...?*, es necesario transformar las expresiones estudiadas y usarlas negativamente (*No, no; Desde luego que no; Claro que no; No hombre/mujer, no; Por supuesto que no*).

Posibles respuestas. 2. Sí, sal, pero regresa pronto / Claro que sí, sal, sal; 3. Sí, tome nota / Desde luego, tome su número; 4. Claro que no, salga de la reunión / Por supuesto que no, salga si tiene que irse; 5. Claro que sí, subámosla / Sí, sí, sujétela usted por ese lado y yo por aquí; 6. Vale, subid y os llevo ahora / Desde luego, subid, subid; 7. Sí, cójalo / Sí, por supuesto, cójalo, está en el perchero; 8. Vale, pero tened cuidado / Vale, pero regresad antes de las ocho.

2.1. Antes de pasar a la última actividad del epígrafe, ponga en práctica lo visto hasta ahora con diálogos breves similares a los que han estudiado. Pídales, por ejemplo, que den cuenta de aquellas situaciones en las que necesitan pedir permiso en clase o en el centro donde estudian: para hacer una pregunta, para pedir algo al profesor o a un compañero, para ir al baño, para hacer una solicitud a la secretaría de la escuela, para poder hacer uso de algún servicio del centro... Cuando hayan compartido sus propuestas, invítelos a preparar y representar los diálogos asumiendo los roles pertinentes o incluso llevándolos a la práctica en el mismo centro.

2 **ORGANÍZATE** **130**

La segunda sección de esta unidad gira en torno a las responsabilidades dentro del hogar e incluye una simulación en la que los habitantes de una casa discutirán sobre la organización de las tareas del hogar. Los alumnos trabajarán el vocabulario relacionado con estas y practicarán la expresión del mandato por medio del modo imperativo. En cuanto al contenido gramatical, se presentan las formas del imperativo negativo y el uso de los pronombres de objeto directo e indirecto combinados. Además, introducimos un nuevo tipo textual, los mensajes de texto, con algunos de los acortamientos y abreviaturas más frecuentes.

> **1** Céntrese ahora solo en la comprensión global del texto, pidiendo que contrasten sus hipótesis sobre las preguntas del enunciado con lo que han extraído a través de la lectura.

El contenido léxico que aparece en negrita se trabajará en la actividad 1.1. Además, en la actividad 1.2. de comprensión lectora, el alumno comprobará en qué medida ha entendido el contenido del artículo.

Las personas que aparecen en la imagen están con la colada y planchando. El texto va a tratar sobre las tareas domésticas.

1.1. a. 4, poner el lavavajillas; b. 2, barrer; c. 6, limpiar el polvo; d. 1, pasear al perro; e. 3, fregar los platos; f. 9, planchar; g. 8, limpiar el baño; h. 7, tender la ropa; i. 5, pasar la aspiradora.

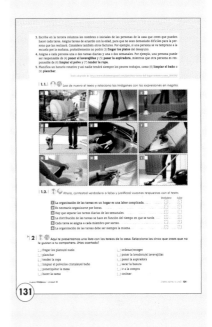

1.2. Puede concluir la actividad interesándose por la opinión de los estudiantes respecto a la propuesta del texto y animándolos a compartir de qué forma organizan ellos las tareas del hogar.

1. V; 2. V; 3. V; 4. V; 5. F (De acuerdo a la edad y a otros factores); 6. F (Horario rotativo).

> **2** Mediante esta propuesta lúdica, los alumnos van a expresar sus gustos en relación con una serie de labores domésticas dadas.

Amplíe la actividad haciendo que cada pareja comente también cuáles son las tareas que realizan con mayor frecuencia y cómo reparten las tareas en sus hogares.

A continuación, proponga los ejercicios 4 y 5 de la unidad 11 del *Libro de ejercicios* para afianzar el léxico de las tareas domésticas y el imperativo afirmativo.

2.1. Mediante esta actividad de comprensión auditiva introducimos la segunda función asociada al imperativo que se trabaja en esta unidad.

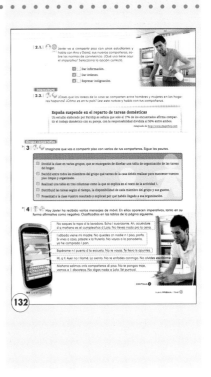

En primer lugar, el alumno debe comprender el mensaje general de las intervenciones de Ana y David, dejando a un lado detalles de la conversación como, por ejemplo, las alusiones al trabajo del hogar. En una segunda escucha, proponga algún ejercicio de comprensión centrado en captar información concreta. Pida, por ejemplo, que se pongan en el papel de David y que tomen nota de las normas de la casa, es decir, de todo aquello que debe tener en cuenta para convivir en el piso. Escriba en la pizarra *Normas de la casa* y pida voluntarios para que las vayan completando. Luego, deberán valorar en qué medida están de acuerdo o no con las normas y proponer algún cambio con la ayuda de un compañero. Termine con una puesta en común en la que cada pareja exponga y justifique su sugerencia de cambio.

 Ana: Mira, Javi, te explicamos cómo funciona la casa, ¿vale?

|61| **Javi:** Claro, contadme.

Ana: En este piso, como sabes, todos estudiamos y trabajamos, así que coincidimos muy poco. Por eso, estamos muy organizados y cada uno tiene sus obligaciones. Así, en general, ten siempre ordenadas las zonas comunes,

como la cocina o el baño. Friega los platos siempre después de tus comidas. Es que somos muchos en la casa y no nos gusta tener la cocina sucia.

Javi: Sí, claro, entiendo, a mí tampoco.

David: En el baño hay un cesto para la ropa sucia. Pon la lavadora una vez a la semana y tiende la ropa. Esta será tu tarea. Luego, cada uno se plancha su ropa.

Javi: Vale, perfecto, yo pongo la lavadora una vez a la semana y tiendo la ropa.

Ana: Cada uno se ocupa de su comida, así que prepáratela y, después, recoge todo y ponlo en su sitio. Yo casi ningún día como en casa, ¿sabes? Eso sí, los viernes cenamos todos juntos, a las diez, para hablar de la semana y conocernos mejor, así que sé puntual y si, por algún motivo, no vas a venir, avísanos. El baño cada día lo limpia uno, a ti te toca el jueves y lo mismo para limpiar el polvo del salón.

Javi: ¿Ponéis algo de dinero para comprar cosas del piso?

David: Sí, ponemos dinero para comprar, por ejemplo, el detergente o el papel higiénico. Hacemos la compra los sábados. Si ves que algo se ha acabado, apúntalo en la lista que hay en el frigorífico. Bueno, Javi, ¿tienes alguna duda? No sé…

Javi: Todo está claro, gracias.

Ana: Perfecto… Pues, ¡bienvenido a casa!

2. Dar órdenes.

2.2. Le recomendamos que empiece indicando a los alumnos que lean esta noticia breve y pregúnteles sus opiniones sobre este tema. Luego, por parejas, pida que respondan a la primera pregunta basándose en sus conocimientos y en posibles experiencias. Esto les dará tiempo a contrastar la noticia con otra información y a razonar su respuesta. Cuando hayan manifestado su opinión, interésese por la situación del reparto de tareas en su país o en su propio hogar.

>3 En esta tarea los estudiantes trabajarán conjuntamente para simular una actividad de la vida real, teniendo en cuenta todos los contenidos vistos en el epígrafe.

Si usted imparte clase en un aula multicultural, le aconsejamos que forme grupos con aprendientes de diferentes nacionalidades, para que intercambien modos distintos de concebir la organización del trabajo y de la vida doméstica.

Una vez que cada grupo haya presentado el resultado de su tarea, pregunte cuál de ellos creen que ha elegido y ha distribuido las tareas de una forma más realista, equitativa y eficaz.

>4 Esta es una actividad de presentación del imperativo en su forma negativa, por un lado, y de los SMS como tipo textual, por el otro. El teléfono móvil ha dado lugar a una serie de reglas y símbolos que a su vez se han extendido a otros soportes como el correo electrónico, las redes sociales o las aplicaciones de mensajería para móviles inteligentes. La necesidad de ofrecer el máximo de información en el mínimo espacio posible ha generado cambios que afectan a la ortografía y la puntuación, y que implican a menudo la simplificación del vocabulario y de las estructuras sintácticas, o la inclusión de símbolos, como por ejemplo los emoticonos. Todo ello puede generar incomprensión en el aprendiente de español no habituado a interactuar con este tipo de texto.

Antes de empezar la actividad, pregúnteles si reciben y escriben SMS o similares y si conocen alguna abreviatura, acortamiento o símbolo usado en este soporte textual. Luego, adviértales de que en los mensajes de la actividad van a encontrar algunos de los más usados en la mensajería a través de móvil o de Internet. Puede pedir que intenten escribirlos correctamente.

Si lo cree conveniente, realice la ficha 25 para profundizar en el lenguaje de los mensajes cortos de los móviles e Internet.

 Ficha 25. Reglas para escribir con el móvil.

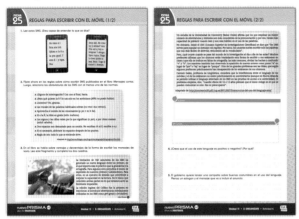

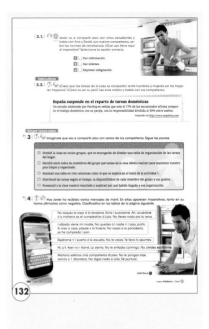

Actividad de profundización sobre el lenguaje en los mensajes de texto y de reflexión al respecto.

Dinámica. Realice los ejercicios 1 y 2, de comprensión lectora y de reflexión sobre la lengua, tal y como se indica en el enunciado. Luego, pregúnteles sobre sus impresiones acerca de los textos que han leído e interésese sobre el lenguaje que usan ellos en los SMS, u otros medios similares, en su lengua materna. Le recomendamos que antes de proseguir con la ficha proyecte el vídeo que encontrará en YouTube titulado *¿Se entienden los mensajes SMS?* o en el enlace http://www.youtube.com/watch?v=qpB9bAo8v2k. Termine con la realización de las actividades 3, 4 y 5 siguiendo las instrucciones de la ficha.

1. Nos vemos en la fiesta esta tarde. Quedamos a las 8 en la puerta principal. Te echo de menos y te quiero mucho. Besos; Estoy aquí. ¿Nos vemos hoy y hablamos? Hace frío, así que voy a comprar un abrigo. Espero respuesta. Tengo que volver pronto a casa. Besos. Tengo que contarte una cosilla; 3. A favor: Es un ejercicio de síntesis que contribuye a mejorar la capacidad en la lectura. Hay diccionarios de referencia como el Collins que han introducido algunas abreviaturas. La interferencia entre el lenguaje de los móviles y el de los exámenes no existe prácticamente en universitarios. En contra: Reduce el vocabulario de los usuarios. Provoca errores de ortografía en los jóvenes. Hace que los jóvenes no distingan entre este lenguaje y el académico.

Una vez trabajada la ficha, y si lo cree conveniente, vuelva al contenido de la actividad 4 y anímelos a que identifiquen los fenómenos que aparecen en la conversación.

Imperativos afirmativos: Echa, acuérdate, pásate, Espérame, Sé.
Imperativos negativos: No saques, No lleves, No quedes, No vayas, No te vayas, No te enfades, No olvides, No te pongas, No digas.

> **5** Los alumnos van a poner en práctica, mediante este ejercicio, el uso del imperativo negativo para rechazar una petición o un ofrecimiento de ayuda.

Antes de realizar la actividad, revise con ellos el cuadro gramatical del imperativo negativo y dé las explicaciones oportunas. Incida en el uso y la colocación de los pronombres de objeto directo e indirecto, ayudándose del cuadro de atención que aparece en la parte inferior de la actividad.

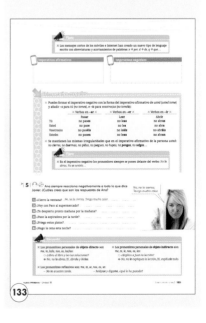

Posibles respuestas. 2. No vayas al supermercado, ve mejor a la farmacia; 3. No me despiertes pronto, por favor; 4. No la pases, ya la paso yo; 5. No los friegues, los va a fregar Paco; 6. No la hagas, vamos a pedir una pizza.

> Para fijar los conocimientos adquiridos sobre la forma del imperativo negativo proponga los ejercicios 6 y 7 de la unidad 11 del *Libro de ejercicios*.

> **6** En primer lugar, pida que se concentren en la enumeración de los aspectos que menciona Ana, y que escriban los números correspondientes en las casillas de la izquierda. Déjeles tiempo para que comprendan el contenido de los ítems. En la segunda escucha podrán completar el cuadro *Se refiere a*, para lo cual deberán asociar el pronombre que aparece en negrita con la acción o el objeto al que Ana hace referencia.

 |62| **Locutor:** A ver… La siguiente oyente nos comenta cómo organizarse en casa.

Ana: Hola, buenos días. Soy Ana Guzmán… Mira, en primer lugar, comentarte que me encanta vuestro programa.

Locutor: Muchas gracias, Ana. ¿Cuáles son tus ocho tareas imprescindibles en casa?

Ana: Mira, yo odio las tareas del hogar porque nunca acaban. Pero hay que hacerlas. Lo mejor es incorporarlas en nuestro día a día, de forma progresiva, y así se convierten en rutina y las haces sin darte cuenta… Veamos… en primer lugar he puesto "Deja tu cama hecha antes de salir de casa". En general, esto sí que lo cumplo a diario. Mi abuela me acostumbró a hacerlo antes de ir al cole por la mañana. Son cinco minutos y evitas la sensación de desorden que da llegar a casa y ver la cama sin hacer. En segundo lugar tengo "Recoge la mesa después de cada comida". Esto no me gusta nada. Me da mucha pereza porque tengo sueño después de comer… Así que unas veces lo hago y otras no… En tercer lugar "Dobla y guarda la ropa en los armarios". El tema de la ropa en casa me desespera, es un ciclo sin fin. Siempre hay que poner la lavadora, tender, planchar, doblar y guardar, ¡uf…! En cuarto lugar, "Quita el polvo". Yo no lo hago a menudo porque no lo veo; sé que está ahí, pero… Lo mejor sería hacerlo cada día, pero no me gusta, así que lo hago una vez a la semana. Después he puesto… "Piensa y prepara la comida para el día siguiente". Si por la noche piensas en qué vas a comer mañana, y lo preparas, todo es mucho más fácil. En sexto lugar "Recoge la cocina antes de ir a dormir". Esto es algo que intento hacer siempre que puedo. No puedo soportar levantarme por la mañana con prisa y ver toda la cocina llena de platos, sobras de comida, botellas… En el número siete: "Tira la basura a diario". Si no, hay mal olor en casa… Y finalmente, "Deshazte de una cosa inútil cada día".

Tenemos cientos de cosas absurdas que no hacen más que acumular polvo y ocupar espacio en casa.

Bueno, pues estas son mis ocho reglas imprescindibles para tener la casa organizada. ¿Qué os ha parecido?

1. No salgas de casa sin hacerla; 2. No la dejes puesta después de comer; 3. No la guardes en los armarios sin doblarla; 4. No te olvides y pasa un trapo todos los días; 5. Prepáratela el día anterior; 6. No te acuestes sin recogerla; 7. No la dejes más de un día. Tírala diariamente; 8. No las acumules.

6.1. 1. No salgas de casa sin hacer**la** (la cama); 2. No **la** (la mesa) dejes puesta después de comer; 3. No **la** (la ropa) guardes en los armarios sin doblar**la** (la ropa); 4. No **te** (tú) olvides y pasa un trapo todos los días; 5. Prepárate**la** (la comida) el día anterior; 6. No **te** (tú) acuestes sin recoger**la** (la cocina); 7. No **la** (la basura) dejes más de un día. Tíra**la** (la basura) diariamente; 8. No **las** (las cosas inútiles) acumules.

6.2. Hasta este punto los alumnos han trabajado el uso de los pronombres combinado con la expresión de órdenes y con la concesión de permiso en imperativo. En el cuadro que aparece bajo el enunciado encontrará algunas muestras a partir de las cuales se reflexiona sobre el uso, antepuesto y pospuesto, de los pronombres cuando existe combinación de objeto directo e indirecto.

delante.

> Puede continuar la práctica de la combinación de los pronombres con el imperativo con los ejercicios 8 a 11 de la unidad 11 del *Libro de ejercicios*.

>7 Para la elaboración de la carta ofrezca, en caso de considerarlo necesario, las transcripciones de las actividades 2.1. y 6 de este epígrafe. Por otro lado, como el escrito constituye un mensaje de invitación dirigido a unos amigos, recomiéndeles que primero elijan el tipo de mensaje que desean hacerles llegar, por ejemplo, un correo electrónico o una nota que leerán al llegar a casa. Basándose en el medio elegido, deberán pensar en el modo de saludarlos, de contextualizar el texto, de transmitir las normas y de despedirse.

A modo de alternativa lúdica le proponemos que realicen la misma actividad de escribir una invitación y sus normas de casa, distribuyendo a los alumnos en grupos de cuatro. Cada persona elaborará un escrito dirigido al resto de compañeros, quienes desempeñarán el rol de invitados. Al terminar el mensaje, una pareja del grupo ofrecerá sus textos a la otra pareja, de modo que cada una reciba dos invitaciones distintas. El objetivo será leer los mensajes recibidos para elegir cuál de las invitaciones van a aceptar.

---

3 ▸ **ACONSÉJAME** 135

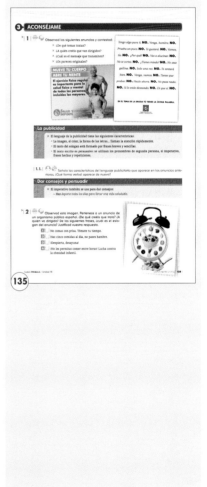

En este epígrafe el alumno va a crear una campaña publicitaria relacionada con la salud. Con este objetivo, se presentan en esta sección hábitos saludables y costumbres alimentarias de los españoles en relación con el desayuno, y ejemplos de anuncios y campañas publicitarias. Se conocerán algunas características del lenguaje publicitario y el uso del imperativo como forma de persuasión y de dar consejo.

Por otro lado, a través de otro anuncio, el alumno conocerá las ventajas e inconvenientes de la compra a través de Internet y podrá reflexionar y discutir al respecto, para finalmente elaborar un texto de opinión en torno a esta cuestión. A partir de su escrito proponemos, además, una actividad sobre la aplicación de estrategias para escribir un texto. Finalmente, los alumnos elaborarán un eslogan para animar a otras personas a estudiar español.

>1 El anuncio que se encuentra situado en la parte izquierda de la actividad es una adaptación de un proyecto del año 2011 presentado por el Ministerio de Educación, Cultura y Deporte de España. El anuncio situado al lado derecho de la actividad es un anuncio de la Fundación de Ayuda contra la drogadicción (FAD) que forma parte de una campaña lanzada los años 1993 y 1994. Además de la lectura, en este segundo caso se puede visionar este y otros anuncios de la FAD en: http://www.fad.es/Campanas?id_nodo=3&accion=1&campana=30

Posibles respuestas. El primer anuncio trata sobre la importancia de hacer deporte. Va dirigido a todas las personas. Intenta transmitir la idea de una vida sana a través del deporte. El segundo anuncio trata sobre el tema de las drogas. Va especialmente dirigido a los jóvenes e intenta concienciarles para evitar la influencia o incitación a las drogas por parte de otras personas.

1.1. Esta segunda actividad del epígrafe, en la que el alumno debe analizar los anuncios leídos, es asimismo una presentación de las siguientes funciones que se trabajan en la unidad: persuadir al interlocutor y dar consejos.

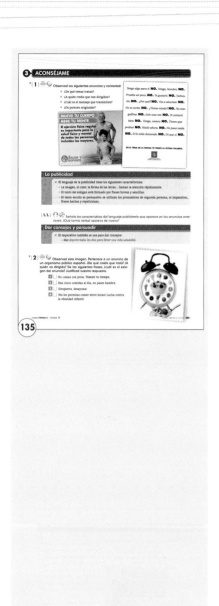

Lea las características del texto publicitario y ejemplifíquelo con los dos anuncios anteriores.

En los anuncios aparecen todas las características del lenguaje publicitario que aparecen en el cuadro anterior. En estos anuncios de nuevo aparece el imperativo y su uso para dar consejos.

Anuncio sobre salud y deporte: en el anuncio se usa el azul claro de fondo, subrayado naranja y letras blancas para el título, azul marino para el cuerpo del anuncio y la foto de un hombre mayor y un niño, posiblemente un abuelo y su nieto, corriendo. El título es breve y directo, está formado por dos verbos en imperativo con sus respectivos complementos; en ambos verbos se usa la segunda persona del singular y los complementos incluyen el posesivo *tu*, con lo que se señala directamente a la persona que lo lee.

Anuncio contra la drogadicción: la imagen es en blanco y negro, una composición sencilla para un mensaje claro y rotundo como el que se pretende transmitir; en el texto destaca la palabra "no", escrita en letra grande y mayúscula y en negrita, con la que se responde a preguntas o interpelaciones sencillas y directas; estas contienen mayoritariamente verbos en imperativo o en presente, conjugados en la segunda persona del singular.

Una variante a la actividad es que los alumnos busquen y elijan un anuncio de su interés, similar a los propuestos. Para ello, puede poner a su disposición alguna fuente a partir de la cual realizar la búsqueda. Nosotros le proponemos el sitio web de la FAD, http://www.fad.es/Campanas?id_nodo=3&accion=0, donde puede encontrar todas las campañas que el organismo ha realizado desde 1988, y el del Ministerio de Sanidad, Servicios Sociales e Igualdad del gobierno de España, http://www.msssi.gob.es/campannas/portada/home.htm. Una vez elegido el anuncio y hecho el análisis, anímelos a exponerlo junto con una muestra en papel, audio y/o vídeo del anuncio.

>2 El anuncio que aparece aquí, y cuyo eslogan y contenido aparece en la siguiente actividad, forma parte de la campaña de prevención de la obesidad infantil que el gobierno español lanzó el año 2006. Su difusión se hizo por medio de la televisión y la radio y a través de carteles y folletos.

Trata de la necesidad de que los niños desayunen adecuadamente antes de empezar con su rutina, va dirigido a los padres y su eslogan es: *¡Despierta, desayuna!*

2.1. Deje que lean primero el contenido del eslogan y comprueben sus hipótesis. Si lo desea, reproduzca luego el vídeo o el mensaje radiofónico que emitió el gobierno y que encontrará en el enlace http://www.msssi.gob.es/campannas/campanas06/ObesidadInfant.htm. A continuación, indíqueles que respondan a las preguntas del enunciado. En la siguiente actividad podrán comprobar sus respuestas mediante la lectura de un texto informativo sobre los hábitos del desayuno en España.

Posible respuesta. El objetivo de este anuncio es concienciar a los padres de la importancia de que sus hijos hagan un buen desayuno por las mañanas para un mayor rendimiento escolar y la necesidad de hacer deporte. En España, mucha gente hace desayunos ligeros y poco deporte, lo que potencia unos hábitos no saludables.

2.2. Después de comprobar las respuestas del ejercicio anterior, pida que comenten aquello que más les haya sorprendido o interesado del texto.

Como alternativa, haga que comparen la realidad española con la de su país sobre la forma de desayunar, así como que comenten posibles iniciativas similares a la de la campaña que han conocido. Si se decide por esta opción, tenga en cuenta que en la actividad 2.5., de carácter intercultural, los alumnos van a compartir costumbres saludables que se siguen en sus respectivos países.

Como actividad extra, pida que escriban un texto similar a este sobre los hábitos del desayuno en sus países. Cuando llegue a la actividad 2.5., pegue los textos por la clase para que los lean y establezcan las similitudes y diferencias al respecto.

2.3. 1. consumas / tomes / compres; 2. consumas / tomes / tengas; 4. estés; 5. esperes; 8. engordes; 9. consumas / tomes / compres; 11. consumas / tomes / compres; 12. abuses.

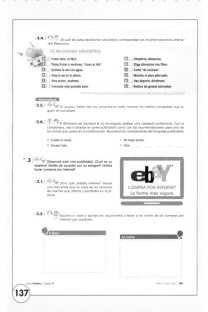

2.4. A. 1; B. 6; C. 5; D. 12; E. 3; F. 10; G. 2; H. 9; I. 7; J. 8; K. 4; L. 11.

Al terminar la relación entre recomendaciones y decisiones, puede realizar alguna actividad en la que, a partir de unas y otras, valoren sus propios hábitos en torno a lo que han leído. Para ello, divida la clase en parejas y haga que cada alumno marque aquellas recomendaciones que no sigue en su vida diaria. De entre estas, tendrá que elegir al menos una que le gustaría y que se ve capaz de realizar. Finalmente, cada pareja comentará las conclusiones a las que ha llegado e intentará comprometerse a llevar adelante la decisión tomada.

2.5. Los hábitos alimentarios están relacionados, entre otras cosas, con la formación cultural y social de una persona. Las tradiciones, las creencias y las costumbres de un país influyen en aquello que se consume y en el modo en que se hace. Con esta actividad se pretende que el alumno aporte esos aspectos de su cultura que considera "saludables" en cuanto a la alimentación. Además, pueden ampliar la actividad comentando aspectos "no saludables" de su gastronomía y haciendo recomendaciones sobre cómo mejorarlos.

2.6. Con la creación de una campaña, el alumno va a poder recurrir a los contenidos vistos en el epígrafe y poner en práctica el uso del imperativo como forma de persuasión. Como actividad adicional, proponga que de entre todas las propuestas elijan la más adecuada para realizar conjuntamente un anuncio publicitario. Recuerde que en la actividad 1.1. de este epígrafe dispone de dos enlaces en los que puede consultar vídeos de campañas reales.

Como actividad extra, haga la dinámica de la proyección 20.

Proyección 20. Decálogo de consejos y buenas prácticas.

Tarea complementaria a la creación del cartel publicitario del punto 2.6., consistente en la elaboración de un decálogo sobre salud destinado a la gente mayor.

Dinámica. Informe a los estudiantes de que, junto con el cartel, el Ministerio de Sanidad quiere publicar un decálogo con consejos para una vida más saludable. Avise, además, de que solo disponen de las imágenes y de las facetas de la vida a las que hacen referencia, y que se les ha encomendado la redacción de los consejos relacionados con ellas. Pida que distribuyan las diez facetas entre grupos distintos y que hagan una propuesta del contenido. Una vez hecho esto, pondrán en común y acordarán posibles mejoras para llevar a cabo la redacción final del decálogo.

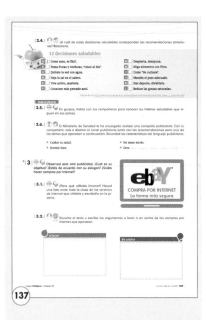

>3 Se introduce, en este bloque de actividades, el debate sobre las ventajas y desventajas que tiene comprar vía Internet. Por eso, proponemos una actividad oral de reflexión en torno a un anuncio de la compañía eBay, cuyo objetivo es promocionar el consumo a través de la Red.

3.1. Antes de focalizar el tema en los aspectos positivos y negativos de las compras, el alumno va a valorar qué uso hace de Internet y cuáles son sus servicios potenciales. En caso de creerlo necesario, dispóngalos primero en grupos reducidos para que comenten la pregunta del enunciado y que preparen un primer esbozo de la lista de servicios. Para la puesta en común puede asignar el papel de secretario a un miembro de cada grupo para que traslade las ideas a la pizarra.

 ELEteca
24. eBay.

3.2. En esta actividad los estudiantes van a identificar algunos beneficios e inconvenientes de la compra en línea, que en el siguiente ejercicio deberán completar en grupo, aportando su opinión.

Después de la primera escucha, distribuya la clase en grupos para que comparen las ideas que han anotado en cada tabla.

|63| Hoy en día está de moda comprar por Internet. Cada vez son más las personas que compran productos o contratan servicios por esta vía, aunque todavía hay miedo a escribir los datos personales en un formulario y a abrir cuentas en determinados sitios para comprar.

Ventajas hay muchas: podemos adquirir un producto en cualquier momento del día o de la noche, es cómodo, pues se puede hacer desde el sofá de tu casa, hay ofertas, puedes encontrar casi cualquier producto…

Las compras por Internet tienen también desventajas, por eso hay que tener cuidado y hacer las compras en sitios reconocidos y fiables. Por ejemplo, puede ocurrir que el artículo que hemos comprado llegue en malas condiciones o roto, solo se puede ver una fotografía del producto que quieres comprar, no puedes tocarlo ni probarlo como en una tienda tradicional, hay que proporcionar datos bancarios a través de la Red…

Sin duda, el futuro es la compra por Internet aunque, ¿crees que pueden desaparecer las tiendas físicas? Yo tengo mis dudas…

A favor: adquirir un producto en cualquier momento; es cómodo; hay ofertas; puedes encontrar cualquier producto.

En contra: miedo a escribir los datos personales en un formulario y a abrir cuentas en determinados sitios para comprar; buscar sitios reconocidos y fiables; que el producto llegue en malas condiciones; no poder tocar o probarse un producto; hay que proporcionar los datos bancarios.

3.3. Después de acordar, en grupos reducidos, ideas a favor y en contra de la compra en Internet, cada alumno elaborará un texto de opinión al respecto. Esta segunda tarea será utilizada, en la siguiente actividad, para reflexionar acerca de las estrategias para escribir un texto. Por eso le puede ser de utilidad ofrecerles una hoja en blanco e indicarles que, en caso de tener que tomar notas o hacer un borrador, recurran solamente a esa hoja. Usted, el alumno u otros compañeros podrán luego usar, tanto esta hoja como el texto en cuestión, en el ejercicio de reflexión estratégica.

3.4. Si en la actividad anterior indicó a los estudiantes que usaran una hoja aparte para crear el texto, puede ahora llevar a cabo una dinámica alternativa.

Pida que, por parejas, se intercambien los textos y los borradores y que cada uno analice ambas hojas a partir de los criterios que ofrecemos en el ejercicio. Cuando hayan terminado, un alumno expondrá las conclusiones que ha extraído después del análisis y, a continuación, el otro compañero las confirmará o rectificará.

Si lo cree oportuno, cree parejas con alumnos de nacionalidades diferentes, para que aprovechen posibles hábitos o métodos de escritura frecuentes en culturas ajenas.

3.5. El alumno va a practicar aquí el uso del imperativo para aconsejar. Le sugerimos que proponga un diálogo en el que uno de los miembros de la pareja explique y contextualice el problema, y que seguidamente pida consejo al compañero. Este deberá interactuar con el primero y darle al menos una recomendación al respecto.

Recuerde que en la página 107 del *Libro del alumno* dispone de ejemplos en los que se plantea un dilema y se pregunta para escuchar posibles soluciones.

Si quiere continuar profundizando en este tema, realice la actividad de la proyección 21.

Proyección 21. Sin peligro en la Red.

Tarea en grupo cooperativo de creación de un folleto informativo con consejos para usar Internet de forma segura.

Dinámica. Explique a los alumnos que forman parte de una agencia a la que se le ha encargado la creación de un folleto sobre el buen uso de la Red. En primer lugar, deberán decidir qué tipo de información ofrecerán en relación con las diferentes imágenes proyectadas, y cuál será el orden de aparición en el folleto. Seguidamente, se dividirán en grupos y a cada uno se le asignará solamente una o dos de las ilustraciones del folleto. El objetivo será idear un mensaje que las encabece y un texto informativo breve que lo resuma. Cuando todos los grupos hayan terminado, pondrán en común sus ideas e intentarán proponer mejoras para la versión final del impreso. Para terminar, deberán recopilar imágenes, redactar los textos y unificar todo en un documento dándole la forma que consideren más adecuada.

3.6. Sugiera a los alumnos que, para empezar, comenten con su pareja todos los aspectos positivos que asocian con el estudio del español. Este ejercicio les ayudará a tomar conciencia y a reconsiderar las propias motivaciones para el aprendizaje, así como a conocer otras formas de valorarlo positivamente.

Este epígrafe gira en torno a los signos de exclamación y de interrogación, por un lado, y a la entonación en tres modalidades oracionales básicas (afirmativa, interrogativa y exclamativa), por el otro. Finalmente, el alumno trabajará la aplicación de los signos ortográficos estudiados basándose en el reconocimiento auditivo de la pronunciación.

>1 Para la realización de la actividad recomiéndeles una primera lectura individual del cuadro y, posteriormente, una discusión por parejas sobre las dos preguntas del enunciado.

Sobre el modo de emplear los signos, recuérdeles que hay casos especiales, como en los mensajes de texto del móvil o los redactados en soportes similares, donde es frecuente la omisión de los signos de apertura (¿ y ¡), aunque esto no se considera un uso aceptado de los signos.

>2 Esta actividad se centra en la entonación, un fenómeno esencial del idioma y de su aprendizaje, porque permite al hablante garantizar la comunicación y el dominio de la lengua. Además, saber entonar es una destreza independiente de las demás implicadas en el aprendizaje del idioma, por lo cual requiere una dedicación y una práctica específicas por parte del alumno.

Explíqueles que van a trabajar dos patrones entonativos básicos del español, el ascendente y el descendente. Así, antes de observar el cuadro ilustrativo de la actividad, pida que escuchen el audio y que identifiquen cuáles de las frases de la grabación son ascendientes y cuáles descendientes.

Como actividad complementaria, puede introducir la cuestión con un ejercicio de sensibilización sobre la importancia de saber pronunciar con la entonación adecuada. Escriba una frase en la pizarra en la que no haya ningún signo de puntuación, por ejemplo: *Vamos a la playa*. Luego, lea la frase de las siguientes formas: *Vamos a la playa*, *¡Vamos a la playa!*, *¿Vamos a la playa?*, *¡Vamos, a la playa!*, y pregunte a cuál de las cuatro hace referencia la frase que hay en la pizarra. Sin signos de puntuación o sin la entonación no es posible reconocer lo que el interlocutor quiere transmitir, lo cual da cuenta de en qué medida es importante que pronunciemos con la entonación adecuada.

🔊 Viene; ¿Viene?; ¿Cuándo viene?; ¡Viene!
|64|

Como actividad extra, lleve a cabo la ficha 26.

📝 **Ficha 26.** La frase escondida.

Actividad de práctica de la entonación a partir de cinco situaciones concretas.

Dinámica. Empiece dividiendo la clase en cinco grupos y ofrézcales una de las tarjetas recortables en las que aparece únicamente texto. Indíqueles que no la muestren a los demás compañeros. Disponga el resto de tarjetas, las que incluyen imágenes, encima de una mesa para que cada grupo coja aquella que se relaciona con la frase que usted les ha proporcionado. La finalidad de la actividad será crear un diálogo o un monólogo en el contexto dado y que incluya la frase, entonada tal y como les indique el profesor. Una vez elaborado y practicado el texto, van a representarlo, mientras los otros grupos escuchan para intentar adivinar cuál es la frase escondida en la tarjeta. Para hacerlo, deberán basarse en la pronunciación y en los contenidos estudiados en la unidad. Ganará el grupo cuya frase haya sido descubierta un menor número de veces.

>**3** En esta actividad se pretende que el alumno sepa reconocer la equivalencia entre la entonación y los signos de exclamación e interrogación.

|65|

- Hola, ¡buenos días!
- ¡Buenos días!
- ¿Qué desea?
- ¿Tiene pimientos?
- Sí. Tenemos pimientos rojos y verdes.
- ¿Cuánto cuesta el kilo?
- Los pimientos rojos están a dos cincuenta euros el kilo y los verdes, a dos euros.
- ¡Qué caros los pimientos rojos! Póngame mejor medio kilo de pimientos verdes, por favor.
- Aquí tiene. ¿Desea algo más?
- No, nada más. ¿Cuánto es?
- Es un euro con veinticinco, por favor.
- Aquí tiene. Gracias.
- A usted.

- ¡Hola!, ¡buenos días!
- ¡Buenos días!
- ¿Qué desea?
- ¿Tiene pimientos?
- Sí. Tenemos pimientos rojos y verdes.
- ¿Cuánto cuesta el kilo?
- Los pimientos rojos están a dos cincuenta euros el kilo y los verdes, a dos euros.
- ¡Qué caros los pimientos rojos! Póngame mejor medio kilo de pimientos verdes, por favor.
- Aquí tiene. ¿Desea algo más?
- No, nada más. ¿Cuánto es?
- Es un euro con veinticinco, por favor.
- Aquí tiene. Gracias.
- A usted.

Al terminar la actividad, puede proponer una práctica por parejas con este diálogo o con otros de los que usted disponga. Puede recurrir, si lo desea, al diálogo de la página 9 del *Libro del alumno* en la que aparece el diálogo correspondiente a la audición 1. De creerlo oportuno, retome el trabajo hecho en el apartado de fonética de la unidad anterior y pida que introduzcan tanto los signos de interrogación y exclamación como los puntos y las comas.

Si lo considera conveniente, continúe la práctica de la entonación con el ejercicio 12 de la unidad 11 del *Libro de ejercicios*.

¿QUÉ HE APRENDIDO? 139

Para concluir la unidad, el alumno va a comparar el español y su propia lengua en relación con el uso del modo imperativo. Además, va a recapitular sobre las distintas funciones que tiene en español y a revisar en qué medida es capaz de emplearlo para conceder y denegar permiso, y para hacer recomendaciones.

> **2** Usos y posibles ejemplos: conceder permiso, *¿Puedo hacer una pregunta?* / *Sí, claro, dime, dime*; dar órdenes, *Por favor, recoge la mesa después de comer*; dar consejos, *Si quieres rendir en tu día a día, toma un buen desayuno*; persuadir, *Inscríbete ya y ven a aprender nuestra cultura y nuestra lengua.*

> **3** Posibles respuestas. Sí, dísela / No, no se la digas todavía; Sí, dádselo / No, no se lo deis ahora; Sí, servídmela ya / No, no me la sirváis aún; Sí, fregadlos / No, no los freguéis.

> **4** Posibles respuestas. Para tu bienestar físico y psicológico, no tomes alcohol; Duerme entre siete y ocho horas diarias; Respeta el horario de las comidas principales.

> **5** Posibles respuestas. Crea un plan de estudio y organiza las horas que vas a dedicarle; Busca un lugar donde te sientas cómodo para estudiar; Repasa lo que has estudiado y piensa si lo usas o si sabes usarlo cuando te comunicas en español.

ELEteca
COMUNICACIÓN. **Pidiendo cosas.**
GRAMÁTICA. **El imperativo.**
LÉXICO. **Las tareas domésticas.**

ELEteca
¿En qué puedo ayudarle?

Los retos y hábitos referentes al deporte y a la actividad física, como ámbito de transformación personal y social, constituyen el núcleo temático de esta unidad. El alumno aprenderá a expresar deseos relacionados con los objetivos a los que se aspira en la vida y en el deporte, a través del estudio de un nuevo tiempo verbal, el presente de subjuntivo. También se presentarán los pronombres como término de preposición y algunas de las perífrasis verbales de infinitivo más utilizadas. Entre los contenidos culturales de esta unidad se encuentran los triunfos de la selección española de fútbol, la incidencia de la alimentación en el estado físico y mental de las personas y la fundación Dame Vida, una organización benéfica que servirá como punto de partida para que el alumno aprenda a pedir y conceder ayuda en español. A nivel funcional, los estudiantes van a estudiar cómo expresar conocimiento y desconocimiento, y preguntar por la habilidad de hacer algo a través de los verbos *saber* y *conocer*. Como trabajo estratégico, van a reflexionar sobre la deducción de formas verbales mediante la comparación y la asociación de palabras en esquemas léxicos para el estudio del vocabulario. En lo que respecta a la parte de ortografía y fonética, el alumno va a conocer las reglas básicas de la acentuación en español.

1 ¡VAMOS A POR TODAS! 140

La expresión *¡Vamos a por todas!*, muy utilizada en el ámbito del deporte, se refiere a hacer algo poniendo todos los medios o esfuerzos para conseguir un reto. Con ella se introduce el contenido de esta sección, en la que el alumno va a estudiar cómo expresar deseos y aspiraciones, tomando como referencia el mundo del deporte. Para esta finalidad, aprenderá el léxico relacionado con el deporte, así como un nuevo tiempo verbal, el presente de subjuntivo. En relación con el contenido estratégico, el alumno trabajará con esquemas léxicos asociativos para recordar vocabulario y se retomarán diferentes modalidades textuales ya vistas con anterioridad, como son el texto informativo y la entrevista. Estos ejemplos servirán asimismo para introducir el contenido cultural del epígrafe: la selección española de fútbol. Para terminar, el alumno va a reflexionar sobre sus deseos y expectativas con respecto a su aprendizaje del español.

> 1 Las imágenes ilustran varios de los deportes con más repercusión a nivel internacional e introducen uno de los contenidos culturales de mayor importancia en la unidad.

Como comienzo de la actividad, los estudiantes pueden comentar cuál es su deporte favorito en general, cuál prefieren ver o practicar de los tres que aparecen en las fotografías y qué aspectos consideran atractivos y negativos de cada uno de ellos. A continuación, pídales que completen el esquema léxico con las palabras que aparecen en el cuadro y que comparen sus respuestas con las de sus compañeros. Este ejercicio da inicio a una reflexión de carácter estratégico sobre cómo organizar y recordar el léxico.

Si desea seguir explorando el vocabulario más genérico referente a cada modalidad deportiva, puede animarlos a que expliquen en qué consisten estos deportes y cuáles son sus reglas básicas.

Baloncesto: falta personal, cancha, rebote, canasta; Fútbol: portería, campo, penalti, delantero, red; Tenis: raqueta, pista, saque, red.

1.1. Partiendo del modelo de la actividad anterior, aquí se pretende que los alumnos creen campos léxicos de varias palabras referidas a un deporte;

con ello llevarán a cabo un trabajo asociativo en el que tomarán conciencia de la utilidad de estos esquemas para activar el léxico que ya saben y, posteriormente, para recordar las palabras que contienen.

Si lo considera interesante, anímelos a escoger deportes nacionales de sus países, con la finalidad de que exista, además, un intercambio de información cultural.

Una vez trabajados los mapas asociativos, divida la clase en parejas y pídales que, sin mirar los apuntes y a manera de competición, intenten recordar el mayor número de palabras de aquellos esquemas que han elaborado.

Puede finalizar la actividad preguntando sobre los deportes más seguidos en sus países y, según su percepción personal, en España e Hispanoamérica. Esta dinámica final servirá para introducir la segunda parte del epígrafe, dedicado a la selección española de fútbol.

>2 Actividad que introduce la comprensión lectora de un texto sobre la selección española de fútbol y sus méritos deportivos. Sugiera, si lo desea, el análisis de la imagen como trabajo previo: pregunte a los alumnos qué momento puede reflejar la imagen y si conocen a alguno de estos futbolistas.

Se la conoce con el nombre de *La Rojita* por ser la réplica de *La Roja* en la categoría inferior, y este nombre es debido al color de su equipación.

2.1. Los alumnos confirmarán las hipótesis realizadas en el ejercicio anterior con la lectura de este texto informativo sobre la selección española de fútbol. Los estudiantes pueden comentar si existe algún deportista o equipo de alguna modalidad deportiva en sus países que sea admirado por su calidad deportiva y humana.

2.2. La entrevista a Thiago Alcántara, jugador de *La Rojita*, constituirá el marco para la introducción de un nuevo tiempo verbal para los alumnos, el presente de subjuntivo, en su función de expresar deseos en el futuro.

Una alternativa a la sugerida en el enunciado es que lean el texto como paso previo a la audición y que, a continuación, traten de imaginar las palabras o las ideas que faltan por el contexto. Seguidamente, ponga la audición por primera vez. A continuación, pídales que comparen las respuestas con las de los compañeros.

Locutora: En el año 2011, se celebró en Dinamarca la Eurocopa sub-21. Durante la final, que ganó España contra Suiza, Thiago Alcántara metió el segundo gol de la victoria y fue elegido como el mejor jugador del partido. Hoy Thiago Alcántara tiene el reto de volver a levantar el trofeo con los sub-21 en Israel, en la final que se celebra contra Italia. Como capitán, ¿qué deseas que haga este equipo? ¿Hasta dónde puede llegar?

Thiago: Lógicamente aspiramos a lo máximo, pero es muy difícil. Ojalá podamos conseguir el oro con la sub-21 y traerlo aquí a España. Es nuestro reto y lo intentaremos con todas nuestras fuerzas.

Locutora: El jugador internacional inicia la concentración en la Ciudad del Fútbol con muchas ilusiones, dos años después del último campeonato de Europa, en los que ha crecido como jugador, y se ha convertido en el capitán del equipo de Julen Lopetegui, su entrenador y responsable. Thiago, ¿qué esperas conseguir en el futuro?

Thiago: Yo aspiro a todo. Quiero que tanto mis compañeros como yo participemos en la selección absoluta y consigamos títulos por y para España.

Locutora: Todo el país estará pendiente del debut de Thiago y los suyos el próximo 6 de junio en Jerusalén.

1. deseas que; 2. Ojalá; 3. esperas; 4. aspiro a; 5. Quiero que.

2.3. 2. Expresar aspiraciones y deseos.

Puede continuar la práctica con el ejercicio 1 de la unidad 12 del *Libro de ejercicios.*

2.4. A través de la entrevista de 2.2. se presentaban las diferentes estructuras utilizadas para expresar deseos en español, usando el presente de subjuntivo para hablar de aspiraciones referidas a personas diferentes del sujeto y el infinitivo para aquellas referidas al propio sujeto.

Antes de la lectura del cuadro gramatical, adviértales que *ojalá* es una partícula de deseo que siempre va seguida de subjuntivo, tanto para referirse al propio sujeto como a otra persona diferente a él, y que se trabajará en profundidad en el nivel B1. En esta unidad solo van a trabajar las estructuras que se recogen en ese cuadro gramatical.

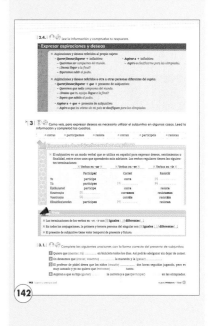

Una vez leído el cuadro gramatical, indíqueles que vuelvan a las frases de 2.2. que contienen estas estructuras y que, por parejas, las clasifiquen mediante la identificación del sujeto. Este trabajo los ayudará a percatarse de que los verbos en negrita aparecen conjugados en un tiempo verbal aún no estudiado.

>3 Tras el estudio del uso del subjuntivo relacionado con la expresión de deseos, se procede aquí al análisis deductivo de la morfología de los verbos regulares e irregulares, trabajo que concluirá en la actividad 3.3. Se pretende que el alumno deduzca, para comenzar, las formas de las personas que faltan a partir del resto de conjugaciones.

1. participemos; 2. participéis; 3. corras; 4. corran; 5. resista; 6. resistas.

1. iguales; 2. iguales.

3.1. Actividad gramatical controlada para fijar la morfología de los verbos regulares. Una vez estudiado el cuadro, y si lo considera útil, diga a los alumnos que traten de realizar la tarea sin apoyarse en él.

1. montes; 2. corráis, ganéis; 3. resistan, entrenen; 4. gane, participe.

3.2.

📝 **Ficha 27.** Presente de indicativo/presente de subjuntivo.

Actividad estratégica en la que los alumnos deducirán las conjugaciones del presente de subjuntivo a partir del presente de indicativo.

Dinámica. Siga las indicaciones de la ficha.

1. 1. quiera; 2. quiera; 3. queráis; 4. conozcas; 5. conozca; 6. conozcáis; 7. conozcan; 8. venga; 9. vengáis; 10. vengan.

2. a. podáis; b. pidáis; c. salgamos; d. tengáis; e. vengas; f. tengan; g. haga; h. piense; i. conozcamos; j. quieras.

3.3. Todo el trabajo inductivo iniciado en la actividad anterior tomará como punto de referencia la similitud del presente de subjuntivo con el presente de indicativo. Indique a los alumnos que recojan, en pequeños grupos, las semejanzas que encuentran entre el presente de indicativo y subjuntivo.

Para fijar el presente de subjuntivo, puede realizar los ejercicios 2, 3 y 4 de la unidad 12 del del *Libro de ejercicios*.

>4 Una vez concluido el estudio de la gramática y del uso del presente de subjuntivo, los alumnos retomarán el tema del epígrafe, y conocerán el léxico y las expresiones referentes a los logros en modalidades deportivas concretas.

Tras la puesta en común, anímelos a comparar estas estructuras con las utilizadas en sus lenguas nativas y haga que comenten si ellos mismos han tenido algunas de las experiencias relacionadas con el triunfo deportivo que reflejan.

1. a; 2. e; 3. d; 4. c; 5. b.

4.1. Comience el ejercicio indicando a los alumnos que identifiquen las modalidades que aparecen en las imágenes y que expliquen en qué consisten esos deportes en cuestión. Los deportes a los que se hace referencia son la natación, el atletismo, el ciclismo, el kárate y el baloncesto.

Mateo. Llegar el primero/a a la meta, Subir al podio, Batir un récord, Ganar la medalla de oro, Clasificarse para la final; Fernando. Llegar el primero/a a la meta, Subir al podio, Batir un récord, Ganar la medalla de oro; Ana María. Subir al podio, Ganar la medalla de oro, Clasificarse para la final; Luisa. Subir al podio, Ganar la medalla de oro, Clasificarse para la final. En la solución hemos tenido en cuenta que estos deportes pueden ser olímpicos.

Si lo desea, pregúnteles qué deseos formularían los deportistas de las imágenes.

Posibles respuestas. Mateo. Quiero llegar el primero a la meta; Fernando. Deseo ganar la medalla de oro; Ana María. Deseo clasificarme para la final; Luisa. Aspiro a subir al podio.

4.2. En este ejercicio de expresión escrita por parejas los alumnos pondrán en práctica el vocabulario y la gramática aprendidos en esta sección, tomando como punto de partida un foro de Internet en el que la comunicación se caracteriza por su espontaneidad.

Una vez redactados los mensajes, haga una corrección en clase abierta, donde los estudiantes expongan las palabras y expresiones para dar ánimo en sus lenguas e intenten encontrar su equivalente en español. Algunos ejemplos pueden ser: *¡Vamos!, ¡Arriba!, ¡Ánimo!, ¡Estamos contigo!, ¡Adelante!, ¡A por todas!, ¡Tú puedes!, ¡Eres el mejor!,* etc.

Si considera conveniente seguir reforzando los contenidos vistos hasta este punto, pida a los estudiantes que piensen en el nombre de un deportista famoso. A continuación, indíqueles que, uno por uno, imiten al personaje en cuestión y expliquen en qué consiste su trabajo y cuáles son sus objetivos deportivos. Los compañeros averiguarán de quién se trata, formularán deseos para su futuro y le darán ánimos con las expresiones que acaban de aprender.

Posibles respuestas. Mateo. ¡Vamos, Mateo! Quiero que llegues el primero a la meta. ¡Confiamos en ti!; Fernando. Fernando, eres el mejor. ¡Todos deseamos que subas al podio!; Ana. ¡Te deseamos que tengas toda la fuerza para ganar el combate! ¡Adelante!; Luisa. Luisa, quiero que ganéis el partido y el campeonato porque sois grandes deportistas, así que muchos ánimos y ¡a por todas!

> **5** Si las tareas anteriores tenían como finalidad la expresión de deseos dentro del ámbito deportivo, en esta actividad los alumnos van a aplicar los contenidos aprendidos al ámbito del aprendizaje del español, a modo de conclusión del epígrafe.

Una alternativa es que, imitando la dinámica de las actividades 4.1. y 4.2., escriban sus aspiraciones en relación con el español y que, a continuación, sus compañeros les den ánimos y expresen deseos. Para ello, indíqueles que escriban en una hoja el objetivo último en su aprendizaje del español y que se la pasen al compañero de la derecha. Este redactará unas palabras de ánimo y se lo pasará a otro compañero, quien procederá de la misma manera. Una vez que todos los alumnos hayan escrito palabras de ánimo, se entregará la hoja al autor inicial.

Para cerrar el epígrafe, invítelos a que expresen sus deseos sobre diferentes temas como el trabajo, el amor, el dinero, etc. Pídales que los escriban en un papel, recójalos y, a continuación, dígales que los lean uno a uno. Entre toda la clase se localizará al autor del texto.

2 ▸ DEPORTE Y SOLIDARIDAD   144

En este epígrafe el alumno va a aprender a pedir, ofrecer y conceder ayuda, además de estudiar el vocabulario relacionado con las ONG que se dedican a fines solidarios. Conocerán la fundación benéfica Dame Vida y la organización Deportistas Solidarios, asociaciones que desempeñan una labor social tomando el deporte como medio de intervención. El trabajo sobre dichos contenidos culturales se llevará a la práctica de manera conjunta en la tarea final, en la que los alumnos participarán en una ONG relacionada con el deporte a través de la propuesta en grupo cooperativo de un reto de carácter solidario. A nivel gramatical, se estudiarán los pronombres como término de preposición.

> **1** Con esta actividad, los alumnos comenzarán a familiarizarse con el tema de las ONG y la labor social que llevan a cabo, tomando como punto de partida las imágenes de varias personas que pertenecen a la fundación solidaria Dame Vida.

Tal y cómo sugiere el enunciado, pregunte a los estudiantes si conocen a estas personas y qué piensan que tienen en común. Será con la actividad siguiente cuando comprueben sus hipótesis.

 ELEteca
25. Fundación Dame Vida.

- -

1.1. Mediante la comprensión auditiva los alumnos darán respuesta a los interrogantes abiertos en el ejercicio anterior.

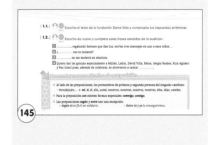

Diga a sus alumnos que van a escuchar una entrevista a Huecco, impulsor del proyecto *Dame Vida-Soccket*. Proceda a una primera escucha e indíqueles que tomen nota de las ideas más importantes. A continuación, pídales que comparen las respuestas con las de sus compañeros. Una vez corroboradas o rectificadas las hipótesis, proceda a la segunda escucha.

Locutor: Tenemos con nosotros al cantante extremeño Huecco, que ha comenzado un nuevo proyecto solidario para su fundación Dame Vida. La fundación Dame Vida es una fundación benéfica y, entre otros proyectos, quiere llevar a las zonas más pobres los balones *Dame Vida-soccket* que generan luz limpia al rodar por el suelo. Necesito, Huecco, que nos expliques para qué sirve un balón con luz.

Huecco: Los balones *Dame Vida-soccket* producen energía limpia, de fácil transporte y, lo más importante, de una manera divertida: jugando al fút-

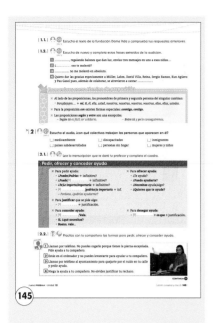

bol. Jessica Matthews y Julia Silverman, de la universidad de Harvard, crearon este ingenioso balón: el *soccket*. Jugando tan solo 15 minutos con él, es capaz de acumular energía dentro para enchufarle una lámpara y producir horas de luz. Hay que saber que un 25% de los niños del mundo aún no tienen acceso a algo tan necesario como la luz. Para mí, regalando balones que dan luz, envías tres mensajes en uno a esos niños: que jueguen al fútbol, que obtengan luz para sus casas, y que, además, eso sea una fuente de energía limpia y no contaminante.

Locutor: Me gustaría saber cuál es el objetivo principal del proyecto.

Huecco: Queremos que haya mil familias con luz en casa. Para concienciar a la gente y recibir aportaciones, he preparado un videoclip con una canción en la que han colaborado algunos deportistas. Hemos recibido ya donaciones particulares y también propuestas para colaborar con diferentes empresas, no es un proyecto cerrado...

Locutor: Hubo algunos deportistas que no pudieron participar en el vídeo. ¿A ti eso te molestó?

Huecco: A mí no me molestó en absoluto. El 99 por ciento de los deportistas a los que pedimos su colaboración han dicho que sí desde el comienzo. Solo la alemana Brigit Prinze no ha podido aparecer en el vídeo por problemas de agenda, y pocos más. Quiero dar las gracias especialmente a Müller, Lahm, David Villa, Reina, Sergio Ramos, Kun Agüero y Pau Gasol pues, además de colaborar, se atrevieron a cantar conmigo.

Todos han colaborado en un proyecto solidario para la fundación Dame Vida. Esta fundación es una fundación benéfica que se quiere llevar a las zonas más pobres los balones *Dame Vida-soccket* que generan luz al rodar.

1.2. Esta segunda escucha introduce el uso de los pronombres como término de preposición, un elemento gramatical cuyo uso sugiere la implicación de las personas que forman parte del discurso articulado por el sujeto. Por ello son de especial utilidad en los mensajes emitidos habitualmente por organizaciones que solicitan ayuda para fines solidarios y serán herramientas de gran importancia para la consecución de la tarea final.

Una vez completado el ejercicio, dé la consigna de que lean la información del cuadro. A continuación, y si lo considera útil, indíqueles que cambien los pronombres de las frases por otros referentes a otras personas en las frases cuando sea posible y que modifiquen los elementos necesarios para que la oración final sea correcta.

1. Para mí; 2. A ti; 3. A mí; 4. conmigo.

Siga practicando los pronombres como término de preposición con el ejercicio 9 de la unidad 12 del *Libro de ejercicios*.

>2 Los alumnos van a escuchar tres diálogos diferentes, pertenecientes a tres entrevistas de captadores de socios que solicitan ayuda para varias organizaciones solidarias en un espacio público. Se pretende que, por una parte, el alumno se familiarice con algunos de los colectivos más desfavorecidos que reciben ayuda solidaria y, por otra, que conozca el léxico relacionado con las diferentes causas que aquí se señalan.

Tras la primera audición, pida que identifiquen con qué tres colectivos trabajan estas personas. A continuación, lleve a cabo una lluvia de ideas general sobre el contexto de estas conversaciones: dónde pueden encontrarse los individuos que hablan, qué pueden estar solicitando las personas que inician las conversaciones, cómo justifican la demanda de ayuda y cuál es la reacción de los interlocutores. Proceda a la segunda escucha y, una vez corregida la actividad, anime a los alumnos a comentar si alguna vez han hecho un donativo para alguna causa con la que se sientan sensibilizados o si se les ha solicitado colaboración en una situación similar a la de la audición. Aproveche la propia experiencia de los estudiantes y pregúnteles cuáles son las causas solidarias que aparecen en la audición que piensan que tienen una mayor participación social en sus países.

 Diálogo 1

|68|

🔊 Perdone, señor, somos de la ONG Deportistas Solidarios y quería informarle de nuestros proyectos.

⟳ Bueno, si es rápido…

🔊 Somos una ONG dedicada a llevar el deporte a los países pobres, a las escuelas, para conseguir que los niños no abandonen el colegio de manera prematura. ¿Podría ayudarnos con algún donativo? Es que necesitamos recaudar fondos para así continuar con nuestros proyectos. Ahora estamos llevando a cabo una campaña de sensibilización en Madrid para dar a conocer nuestro trabajo.

⟳ Sí, claro. Me parece una idea genial. Es una labor estupenda.

Diálogo 2

🔊 ¡Señora! Un momentito. ¿Le importaría ayudar a nuestra ONG con un donativo? Estamos trabajan…

⟳ Lo siento, no puedo, tengo mucha prisa.

Diálogo 3

🔊 ¡Hola, buenos días! Estamos buscando voluntarios para colaborar en nuestra ONG. No sé si puedes ayudarnos.

⟳ Bueno, no sé…

🔊 Mira, somos una organización sin ánimo de lucro que realiza labores sociales en África y en países de Hispanoamérica. Luchamos por la integración de la mujer y los niños en la sociedad llevando a cabo actividades deportivas. Trabajamos por la protección de los derechos del menor y la igualdad social. ¿Quieres colaborar con nosotros?

⟳ Lo siento, es que ya pertenezco a una organización que se dedica a la protección del medioambiente y pago una cantidad mensual. No puedo colaborar en más cosas.

Diálogo 1: países subdesarrollados; Diálogo 3: mujeres y niños (entrevistadora) / medioambiente (persona entrevistada).

2.1.

 Ficha 28. Pedir, ofrecer y conceder ayuda.

A través de la transcripción del audio y del trabajo en grupo del ejercicio anterior, el alumno va a completar la información gramatical del cuadro, en el que estudiará cómo pedir, ofrecer y conceder ayuda.

Dinámica. Si lo ve oportuno, proponga la actividad 2 y 2.1. para realizar en

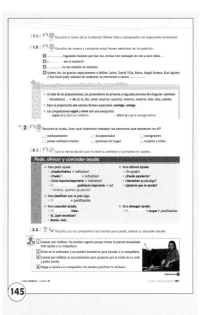

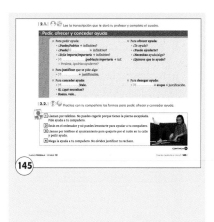

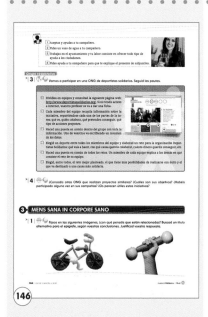

parejas o en pequeños grupos. Recuérdeles que la forma verbal del condicional es propia de un ambiente formal, pero también de contextos informales en los que se desea suavizar la petición, mientras que el uso del presente implica un mensaje más directo y, por tanto, adecuado en un entorno íntimo y con personas con las que se mantiene una relación de proximidad. A continuación, haga una puesta en común para la corrección final.

1. Podría; 2. No sé si puedes; 3. Es que; 4. Sí, claro; 5. Lo siento, no puedo.

2.2. Actividad de interacción oral por parejas, que tiene como objetivo que los alumnos pongan en práctica las formas para pedir, ofrecer y conceder ayuda en diferentes situaciones. Dígales que presten atención al contexto formal o informal de la conversación, el cual conllevará el uso de la forma *tú* o *usted* y del condicional o el presente. Invítelos a reaccionar ante la solicitud de ayuda, según el grado de implicación a la hora de ofrecerla, para lo cual utilizarán el sí más enfático (*Sí, claro*), o en el sí más dubitativo (*Bueno, vale…*).

Para consolidar las funciones para pedir, ofrecer y conceder ayuda, puede realizar el ejercicio 11 de la unidad 12 del *Libro de ejercicios*.

> **3** Con esta tarea cooperativa se ponen en práctica todos los contenidos vistos hasta ahora en la unidad: el vocabulario relacionado con el deporte y las ONG, la expresión de deseos y las formas de pedir, ofrecer y conceder ayuda. La actividad toma como fuente de información la página web de una organización benéfica, Deportistas Solidarios en Red, en la que los usuarios proponen retos deportivos destinados a recaudar dinero para una causa solidaria concreta. Los tres primeros puntos del ejercicio tienen como objetivo que los alumnos se familiaricen con el funcionamiento de esta iniciativa y con el tipo de retos que allí se plantean. Se propone la ficha 29 como alternativa a la búsqueda de información sobre la organización en Internet. Cuando los aprendientes conozcan en qué consiste el trabajo de esta organización, elaborarán el reto solidario que decidan a nivel grupal. Una vez terminado el trabajo por grupos y tras la exposición de cada propuesta, anímelos a formular preguntas sobre el desarrollo y viabilidad del proyecto.

Ficha 29. Deportistas Solidarios en Red.

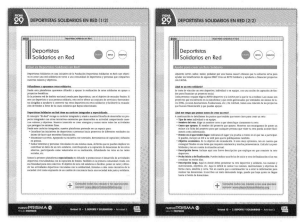

ELEteca

26. Deportistas Solidarios en Red.

> **4** A modo de conclusión, los alumnos pueden expresar sus opiniones acerca de estas organizaciones: si conocen alguna de relevancia nacional o internacional y si han realizado algún voluntariado de carácter solidario o piensan hacerlo en el futuro.

Para terminar, se puede abrir una reflexión sobre la figura del deportista, en la que comenten si su grandeza ha de medirse únicamente por los logros deportivos o si también deben ser juzgados por su carácter solidario y su compromiso con aquellos que más lo necesitan. También, si consideran que el deporte puede tener un papel transformador a nivel social y personal.

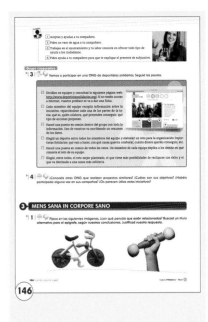

3 ▶ MENS SANA IN CORPORE SANO   146

La expresión *Mens sana in corpore sano* (*Mente sana en un cuerpo sano*, en su traducción al castellano) hace referencia a la importancia del ejercicio y de la alimentación para tener una mente sana. Esta cuestión constituirá la idea central de esta sección: la incidencia de la alimentación y del ejercicio sobre el estado físico y mental de las personas. El alumno va a estudiar vocabulario relacionado con los alimentos y sus nutrientes, además de conocer los beneficios del ejercicio físico. A nivel funcional, aprenderá a expresar conocimiento y desconocimiento, además de preguntar por la habilidad de hacer algo. En referencia al contenido gramatical, va a trabajar algunas de las perífrasis de infinitivo más utilizadas en español. En lo que respecta al aspecto cultural, los estudiantes conocerán a la nadadora de natación sincronizada Marga Crespí, su trayectoria profesional y sus rutinas de trabajo.

> **1** Las imágenes que dan inicio al epígrafe simbolizan la relación que existe entre una buena alimentación y el ejercicio físico para alcanzar la armonía entre la mente y el cuerpo. Estas ideas servirán asimismo para introducir la lectura de la actividad 1.1., en la que se explican los beneficios de practicar deporte y de llevar una dieta sana. Una vez analizado el posible significado de las imágenes, dé la consigna a los alumnos de que, por parejas, piensen en la imagen que propondrían ellos como metáfora de la expresión que da título al epígrafe.

Posible título. Deporte + buena alimentación = salud.

1.1. Siguiendo con la reflexión comenzada en la actividad anterior, pida a los alumnos que reflexionen sobre los beneficios de llevar un estilo de vida saludable en referencia tanto al deporte como a la alimentación.

Para la lectura del texto, indíqueles que extraigan las ideas generales y que traten de deducir por el contexto el significado de las palabras desconocidas. Una vez completado el ejercicio, haga que comparen sus respuestas con las de sus compañeros.

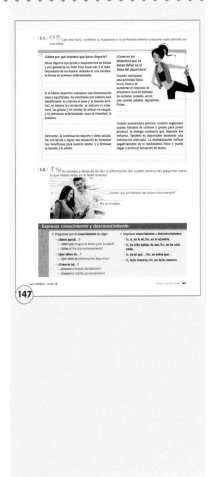

Posibles respuestas. 1. Hacer deporte nos ayuda a mantenernos en forma y es beneficioso para nuestra salud; 2. Si al hábito deportivo sumamos una alimentación sana y equilibrada, los resultados a nivel físico serán más beneficiosos; 3. Hacer deporte y seguir una dieta saludable beneficia nuestro estado psicológico; 4. Cuando realizamos una actividad física extra debemos aumentar el consumo de alimentos ricos en hidratos de carbono; 5. Además de estos alimentos con hidratos de carbono, es importante mantener una hidratación adecuada para evitar mareos y otras consecuencias negativas.

1.2. Esta actividad de práctica oral por parejas introduce los verbos *saber* y *conocer*, contenido que, a través de diversas funciones lingüísticas, va a estudiarse en actividades subsiguientes. Este ejercicio se centra en la expresión de conocimiento o desconocimiento de algo, a través del uso de estos verbos.

Una vez trabajado el texto y tras leer el cuadro de información gramatical, puede indicarles que anoten individualmente aspectos que saben acerca de los beneficios o daños que producen en las personas elementos relacionados con la alimentación y el deporte. Proponga que compartan estos conocimientos con sus compañeros, siguiendo el modelo que ofrecemos. Finalmente, pida a los alumnos que expongan sus reflexiones al resto de la clase.

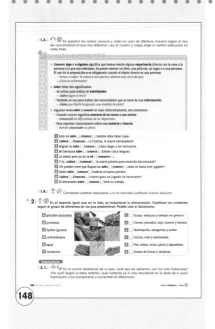

1.3. y 1.4. Los estudiantes van a estudiar ahora, de manera individual, el uso del verbo *conocer*, referido al hecho de haber tenido una experiencia directa con una persona o cosa, y el verbo *saber*, relacionado con expresar el conocimiento de una información o las habilidades que posee una persona o cosa.

Si lo cree útil, puede escribir en la pizarra los dos verbos y preguntar a los estudiantes ejemplos del uso de ambos para que, seguidamente, deduzcan la función que tienen en cada uno de ellos. A continuación, leerán el cuadro de información. En este punto, coménteles que deben usar el verbo *saber* cuando precede a una forma verbal en infinitivo.

1. sabe; 2. Conoces; 3. sabe; 4. sabe; 5. conozco; 6. conoces; 7. sabe; 8. conoce; 9. Sabes; 10. sabe / conoce.

Como actividad extra, realice la actividad de la ficha 30.

Ficha 30. ¿Lo sabes o lo conoces?

Actividad lúdica de interacción oral sobre la distinción en el uso de los verbos *saber* y *conocer*.

Dinámica. Disponga las fichas de dominó encima de una superficie plana, de modo que sean visibles para los alumnos durante toda la actividad. Escoja una de ellas y póngala en un lugar aparte de la mesa. A continuación, indique a un estudiante que elija otra y que la una a la anterior por uno de los extremos. El alumno construirá una frase utilizando los dos extremos de la tarjeta que ha unido, referentes a un dibujo, que el alumno interpretará libremente, y a una forma verbal, correspondiente a los verbos *saber* y *conocer*. Siga el mismo procedimiento hasta completar el dominó. Fíjese en que también aparece una ficha comodín, con la que el alumno puede imaginar la forma de *saber* o *conocer*, o el dibujo que le sea conveniente para formar la frase.

A continuación, puede consolidar el uso de los verbos *conocer* y *saber* con el ejercicio 10 de la unidad 12 del *Libro de ejercicios*.

>2 Con esta actividad de vocabulario, los alumnos centrarán su atención en el tema de la alimentación y de los nutrientes que tiene cada alimento.

Como paso previo, pregúnteles cuáles son los alimentos que las personas necesitamos consumir para que nuestro cuerpo funcione adecuadamente, cuáles no son necesarios y aquellos que son necesarios siguiendo un consumo moderado.

1. E; 2. B; 3. C; 4. A; 5. D; 6. F.

Una opción alternativa es que pregunten al compañero cuáles son sus hábitos alimentarios y que anoten la frecuencia con la que consumen los alimentos que aparecen en la columna de la derecha del ejercicio. Seguidamente, cada alumno expondrá en clase abierta la información del compañero entrevistado, y el resto reprenderá los aspectos mejorables de su alimentación siguiendo el ejemplo de la actividad 1.2.

2.1. El ejercicio que cierra esta primera parte del epígrafe pretende que los alumnos pongan en común los alimentos que constituyen parte de la dieta básica de sus países.

Si el alumnado está constituido por aprendientes que viven en un país de habla hispana, anímelos a hablar de las diferencias que existen entre la alimentación de sus países y las del país donde residen y los aspectos positivos y negativos de ambas tradiciones gastronómicas en relación con una alimentación saludable.

Como actividad opcional, realice las actividades de la proyección 22.

⊕ Proyección 22. Queremos que las cosas cambien.

Actividad de expresión escrita e interacción oral, que tiene como finalidad que el alumno exprese deseos y haga peticiones mediante los conocimientos gramaticales y léxicos aprendidos en la unidad.

Dinámica. Siga las indicaciones de las actividades que aparecen en la proyección.

Deseos referidos al propio sujeto: Queremos finalizar los estudios universitarios; Y nosotros queremos vivirla a tope. **Deseos referidos a otra u otras personas diferentes del sujeto:** En *Vidactiva* aspiramos a que la universidad sea una gran oportunidad para formarse, y no solo en aspectos académicos; Queremos […] que nuestros conocimientos sean tan importantes como nuestras habilidades profesionales y nuestros valores personales; Desde nuestra asociación deseamos que esta actitud individual se extienda al resto de la comunidad universitaria y a toda la población en general.

>3 y **3.1.** Este ejercicio de comprensión lectora supone el inicio de la segunda parte del epígrafe. Por una parte, servirá para introducir las perífrasis verbales de infinitivo más utilizadas y, por otro lado, será el punto de arranque de una reflexión sobre las palabras claves y el uso de conectores como estrategias para ordenar una entrevista y optimizar la comprensión. Todo este trabajo se llevará a cabo a través de una entrevista a Marga Crespí, nadadora del equipo nacional de natación sincronizada, en la que comenta diversos aspectos de su carrera deportiva, sus hábitos de entrenamiento y los problemas y retos de una deportista de élite de su especialidad.

Como sugiere el enunciado, los alumnos ordenarán los párrafos del texto utilizando diferentes estrategias, sobre las cuales reflexionarán una vez resuelto el ejercicio. Coménteles que las preguntas del locutor están ordenadas.

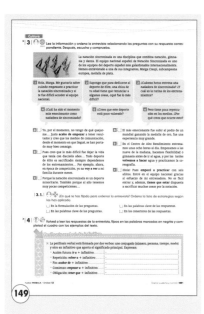

 Locutor: La natación sincronizada es una disciplina que combina natación, gimnasia y danza. El Equipo Nacional español de Natación Sincronizada es uno de los equipos del deporte español más galardonados internacionalmente. Hemos entrevistado a una de sus integrantes, Marga Crespí, subcampeona europea, medalla de plata.

|69|

Hola, Marga. Me gustaría saber cuándo empezaste a practicar la natación sincronizada y si te fue difícil acceder al equipo nacional.

Marga: ¡Hola! Pues empecé a practicar con seis añitos. Entré en el equipo nacional gracias al esfuerzo de mi entrenadora. No es fácil entrar, y además, tienes que estar dispuesta a sacrificar muchas cosas por la natación.

Locutor: Supongo que para dedicarse al deporte de élite, una chica de tu edad tiene que renunciar a algunas cosas, ¿qué fue lo más difícil?

Marga: Pues creo que lo más difícil fue dejar la vida que tenía con dieciséis años... Todo deporte de élite es sacrificado: siempre dependemos de los entrenamientos... Por ejemplo, ahora, en época de competición, yo no voy a ver a mi familia durante meses.

Locutor: ¿Cuántas horas entrena una nadadora de sincronizada? ¿Y cuál es la rutina de los entrenamientos?

Marga: En el Centro de Alto Rendimiento entrenamos unas ocho horas al día. Empezamos a las nueve de la mañana, hacemos flexibilidad o gimnasia antes de ir al agua, y por las tardes volvemos a hacer agua y practicamos la coreografía.

Locutor: ¿Cuál ha sido el momento más emocionante como nadadora de sincronizada?

Marga: El más emocionante fue subir al podio de un mundial ganando la medalla de oro, fue una experiencia muy grande.

Locutor: ¿Crees que este deporte está poco valorado?

Marga: Yo, por el momento, no tengo de qué quejarme... Justo acabo de empezar a tener resultados y creo que los medios de comunicación, desde el momento en que llegué, se han portado muy bien conmigo.

Locutor: Pero tiene poca repercusión en los medios. ¿Por qué crees que ocurre esto?

Marga: Porque la natación sincronizada es un deporte minoritario. También porque al año tenemos muy pocas competiciones...

(Adaptado de http://comunidad.diariodemallorca.es/entrevista-chat/1659/Deportes/Entrevista-a-Marga-Crespi/entrevista.html)

1. F; 2. B; 3. E; 4. D; 5. A; 6. C.

27. Marga Crespí.

>4 Los alumnos reflexionarán en esta actividad sobre las perífrasis verbales con infinitivo a través del cuadro de información gramatical. Será en el nivel B1 cuando profundicen en otros tipos de perífrasis verbales.

Yo no voy a ver a mi familia durante meses; por las tardes volvemos a hacer agua; Justo acabo de empezar a tener resultados; pues empecé a practicar con seis añitos; tienes que estar dispuesta a sacrificar muchas cosas por la natación.

Finalmente, pídales que, por parejas, intenten sustituir las expresiones en negrita de la actividad 3 por otras diferentes, cambiando los elementos necesarios para que las frases conserven el significado inicial.

4.1. y 4.2. Es conveniente que en esta actividad oriente a los alumnos con las preguntas que ha de realizar. Para ello, ofrézcales un ámbito sobre el que hablar o haga que elijan uno de su interés como, por ejemplo, el aprendizaje del español y su relación con los países de habla hispana.

Si lo considera conveniente, continúe la práctica de las perífrasis verbales con los ejercicios 5 a 8 de la unidad 12 del *Libro de ejercicios*.

>5 A modo de conclusión, y si lo desea, puede pedir a los alumnos que cuenten qué han aprendido sobre las virtudes de la buena alimentación y del ejercicio físico que no supieran antes.

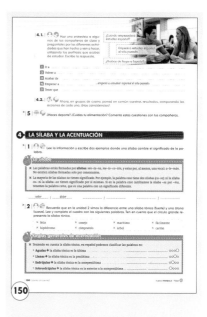

4 ▸ LA SÍLABA Y LA ACENTUACIÓN 150

Este epígrafe tiene como finalidad que el alumno conozca la acentuación en español y sus reglas generales.

>1 Esta actividad inicia una secuencia de tareas destinada a que el alumno se familiarice con las reglas generales de acentuación del español. Por esta razón, el primer ejercicio tiene como objetivo que el estudiante sea capaz de reconocer el núcleo silábico, que en español está siempre formado, al menos, por una vocal (o varias vocales, si constituyen un diptongo o triptongo).

Pida a los alumnos que lean individualmente el cuadro explicativo, en el que se describe cómo identificar una sílaba. La separación de sílabas es una cuestión de vital importancia en la escritura del español, ya que su dominio constituye una condición indispensable para comprender el funcionamiento del acento y para la división de las palabras a final de renglón.

Posibles ejemplos. toma / toda; lodo / lomo.

Una sugerencia para seguir trabajando con la división silábica sería a través de una actividad de palabras encadenadas y usando una pelota: indique a un alumno que diga una palabra y que lance la pelota a otro compañero. Este dirá en voz alta otro vocablo que comience por la última sílaba de la palabra anterior, y así sucesivamente con el resto de alumnos. El alumno que no recuerde ninguna palabra, quedará eliminado.

>2 El siguiente paso para aprender a acentuar palabras correctamente es la identificación de la sílaba tónica y la clasificación de las palabras según la posición de aquella.

Tras leer el cuadro de información y completar el ejercicio, pida a los alumnos que, por parejas, piensen en otros ejemplos a partir del vocabulario que han aprendido en esta unidad. Continúe practicando, si lo cree necesario, con otras listas de palabras. Para ello, indíqueles que elaboren en pequeños grupos tres listas correspondientes a palabras agudas, llanas y esdrújulas, con un intruso en cada una de ellas. Dígales que las pasen a los compañeros de al lado, quienes tendrán que localizar la palabra en cuestión.

Agudas: feliz, cartón; Llanas: conejo, árbol; Esdrújulas: hipódromo, marítimo; Sobreesdrújulas: cómpratelo, fácilmente.

>3 El alumno aprenderá a escribir una palabra correctamente cuando, en primer lugar, sepa cómo se pronuncia, y en segundo lugar, conozca las reglas de acentuación, aspecto en el que se centra la última parte del epígrafe.

 Dígaselo, simpático, rubí, vehículo, catedral, quítaselo, gramática, azúcar,
|70| Cantábrico, volcán, acércamelo, López, sartén, caravana, fácilmente.

Dígaselo, simpático, rubí, vehículo, catedral, quítaselo, gramática, azúcar, Cantábrico, volcán, acércamelo, López, sartén, caravana, fácilmente.

El español es una lengua cuyo acento es relevante a nivel fonológico, por lo cual una misma palabra en español puede cambiar de significado si cambia la posición de la tilde. Puede dictarles una lista de vocablos tales como: *habito-hábito, revolver-revólver, sábana-sabana, título-tituló, anima-ánima, ingles-inglés*, etc., e indicarles que las acentúen según el sonido y las reglas de acentuación. A continuación, sugiérales que elaboren una frase con cada una de ellas. Si desea seguir practicando la acentuación, puede utilizar uno de los textos del *Libro del alumno* y realizar un dictado.

Para la práctica de la acentuación, puede realizar el ejercicio 12 de la unidad 12 del *Libro de ejercicios*.

¿QUÉ HE APRENDIDO? — 151

En este epígrafe el alumno evaluará sus conocimientos gramaticales, funcionales y culturales en relación con la unidad que acaba de estudiar, y terminará con un cuestionario sobre las dificultades del aprendizaje del alumno como herramienta final de reflexión.

> **1** 1. pases; 2. ganes; 3. ser; 4. vaya; 5. poder; 6. clasificarnos.

> **2** 1. he vuelto a ir; 2. he acabado de terminar; 3. empiezo a trabajar; 4. tengo que aprovechar.

> **3** Posibles respuestas. 1. ¿Te importaría abrir la ventana? / ¿Quieres que abra la ventana?; 2. ¿Puedo ayudarte a moverla? / ¿Quieres que te ayude?; 3. ¿Quieres que te preste uno? / ¿Puedes prestarme uno?; 4. ¿Necesitas ayuda? / ¿Quieres que te ayude?

ELEteca
COMUNICACIÓN. **Expresar deseos.**
GRAMÁTICA. **Volver a empezar.**
LÉXICO. **Los deportes.**

ELEteca
¡Cuídate mucho!

En este apartado le ofrecemos una prueba de examen del nivel A2 que el alumno puede realizar como test final de curso y ver si está preparado para abordar el nivel B1. El examen, además, sigue el modelo del examen DELE A2 para el caso de aquellos alumnos que deseen presentarse a esta prueba. En este sentido, a continuación usted va a encontrar:

- información sobre el contenido y funcionamiento de los exámenes;
- una descripción e información relevante sobre cada una de las tareas que lo integran;
- sugerencias sobre cómo usar el material que se dispone (en el *Libro del alumno* y en el *Libro de ejercicios*);
- indicaciones o sugerencias para la resolución de las tareas del examen.

Para que el estudiante afronte con mayores garantías de éxito el examen es importante que esté familiarizado con su formato y contenido. Asimismo, es importante que los alumnos sepan qué se evalúa en cada prueba. El hecho de conocer qué aspectos de su actuación se valorarán, y con qué criterios, le proporcionará más opciones de cumplir con los requisitos de cada tarea.

Pruebas

El examen DELE A2 consta de cuatro pruebas, clasificadas en dos grupos:

Grupo 1: Prueba 1 y 3

Grupo 2: Prueba 2 y 4

- **Prueba 1: Comprensión de lectura.** La prueba consta de cinco tareas. Duración total de la prueba: 60 minutos.
- **Prueba 2: Comprensión auditiva.** La prueba consta de cinco tareas. Duración total de la prueba: 35 minutos.
- **Prueba 3: Expresión e interacción escritas.** La prueba consta de tres tareas. Duración total de la prueba: 50 minutos.
- **Prueba 4: Expresión e interacción orales.** La prueba consta de cuatro tareas. Duración total de la prueba: 15 minutos.

Puntuación

Las cuatro pruebas del examen están distribuidas en dos grupos: grupo 1 y grupo 2. El candidato tiene que superar ambos grupos de tareas con un mínimo de 30 puntos.

La puntuación mínima que se necesita para obtener el DELE A2 es de 60 puntos y el máximo, de 100 puntos. No obstante, el candidato recibirá únicamente la calificación de "apto" o "no apto". Si desea conocer información más detallada relacionada con la evaluación de los exámenes DELE, consulte el sistema de calificación, en la guía del examen que encontrará en el enlace: http://diplomas.cervantes.es/informacion/guias/guia_a2/default.html

Le recomendamos que los estudiantes lleven a cabo la prueba de examen respetando los tiempos indicados en cada apartado, y en condiciones similares a aquellas en las que realizarían el examen real. Esto les ayudará a dar cuenta de cuáles son los aspectos que pueden trabajar para obtener un mejor resultado.

Por otro lado, le sugerimos que ponga en práctica las distintas tareas del examen a lo largo del curso, para que el alumno se habitúe al formato del ejercicio y al modo de resolverlo. Recuerde que el Instituto Cervantes pone a su disposición un modelo y ejemplos de examen en:

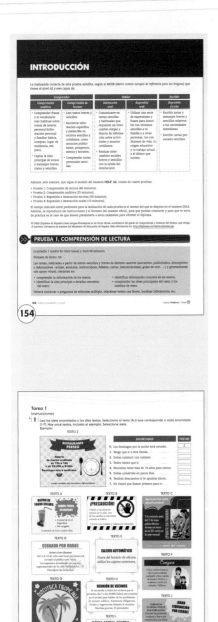

http://diplomas.cervantes.es/informacion-general/nivel-a2.html, y que dispone también de ejemplos en el apartado *Actividades por destrezas* en cada unidad del *Libro de ejercicios*.

A continuación, ofrecemos las claves de las actividades correspondientes a cada prueba y sugerencias y comentarios relevantes al respecto. Incluimos también referencias a las actividades del *Libro de ejercicios* que se corresponden con cada tarea.

PRUEBA 1. COMPRENSIÓN DE LECTURA — 154

Tarea 1

Los tipos de textos que aparecen en esta prueba son similares a los que el aprendiente necesita comprender para utilizar un servicio relacionado con las necesidades de la vida cotidiana (en un banco, un centro de salud, centros comerciales o estaciones de transporte); emplear máquinas en espacios públicos (cajeros automáticos, expendedoras de billetes o extintores de incendios); encontrar un lugar; consumir productos; o reaccionar ante emergencias. Son textos que suelen encontrarse en soportes como etiquetas, prospectos, carteles, tablones, catálogos, señales o avisos, entre otros.

El objetivo del alumno es relacionar los siete enunciados con los textos que les corresponden. Para ello, debe elegir entre siete de los diez textos de A a K.

Debido a su brevedad y a la inmediatez del mensaje, estos suelen contener fórmulas y lenguaje muy específicos para cada una de las situaciones a las que hacen referencia. Es por eso recomendable que el estudiante se habitúe a la lectura de textos de este tipo asociados a una amplia variedad de contextos.

Para la realización de la tarea, sugiera también a sus alumnos que se apoyen en la información que ofrecen las imágenes y en los mensajes que, por su formato, aparecen destacados en el texto. Una lectura y observación rápidas le facilitarán la labor de asociación entre enunciados y textos.

1. D; 2. B; 3. H; 4. G; 5. A; 6. C; 7. I.

En el *Libro de ejercicios* corresponden a la tarea 1: ejercicio 13, unidad 4; ejercicio 12, unidad 10; ejercicio 13, unidad 12.

Tarea 2

En esta tarea el estudiante encontrará un texto epistolar, que puede ser una carta o un correo electrónico. Los temas que aparecen son cercanos al entorno del candidato o tratan sobre cuestiones prácticas de la vida diaria, por ejemplo de presentación, de agradecimiento, de excusa, de invitación o de relato de experiencias. Sin embargo, el candidato puede encontrar también textos epistolares de carácter oficial sencillos, como solicitudes de información, reservas o confirmaciones, acuses de recibo, o peticiones de aclaración sobre aspectos concretos como plazos, horarios o modalidades de pago.

El alumno deberá responder a cinco ítems con tres opciones de respuesta cada uno. Tenga en cuenta que, de esos cinco ítems, una parte implica la comprensión de la idea principal del texto, y el resto la identificación específica de información.

Para la resolución de la actividad, le recomendamos la puesta en práctica de estrategias que combinen la lectura global y la lectura enfocada al detalle de textos similares a los de la prueba. En cualquier caso, será de utilidad para el alumno identificar qué tipo de lectura requiere cada ítem. Otra técnica aconsejable en este caso es formarse una idea general del texto, antes y al comienzo de la lectura. Captar el objetivo comunicativo de quien ha escrito el mensaje le será de gran ayuda para responder a las preguntas.

8. B; 9. C; 10. C; 11. A; 12. C.

En el *Libro de ejercicios* corresponden a la tarea 2: ejercicio 11, unidad 1.

Tarea 3

El estudiante encontrará aquí seis textos de tipo informativo o promocional. Estos están adaptados de artículos de revistas o periódicos, de anuncios o avisos de actos y acontecimientos, de convocatorias, de folletos y anuncios publicitarios, de blogs y de foros de Internet. Cada texto tiene asociado un ítem con tres opciones de respuesta, de las cuales el candidato debe elegir una, la que considere correcta.

La resolución de la tarea implica que el alumno identifique las ideas relevantes y que comprenda la información específica y explícita. Ello significa que el alumno debe entender el dato sobre el que se le está preguntando y el que aparece en el texto formulado de modo distinto, o poder descartar las dos opciones restantes. Para la práctica de este tipo de ejercicios le recomendamos que realicen actividades con textos similares, en las cuales se habitúen a relacionar las tres opciones de cada ítem con el dato correspondiente del texto.

13. b; 14. c; 15. a; 16. c; 17. a; 18. b.

Tarea 4

En esta tarea el candidato encontrará diez textos informativos o descriptivos, como los que aparecen en carteleras de espectáculos, guías urbanas o de ocio, folletos y catálogos informativos o publicitarios, informaciones meteorológicas, horóscopos, cartas y menús de restaurantes, recetas de cocina, programaciones de radio y televisión, u ofertas de trabajo. Son textos que tratan sobre aspectos prácticos de la vida cotidiana o áreas de necesidad inmediata.

El objetivo del alumno será establecer las correspondencias entre seis enunciados y seis de los diez textos dados. La dificultad de esta reside sobre todo en ser capaz de identificar las correspondencias entre el elevado número textos que contiene el ejercicio y la diversidad de información que esos proporcionan. A esto hay que sumarle la necesidad de descartar tres de los diez fragmentos dados. El alumno necesitará recurrir a estrategias de lectura focalizada en el detalle. Sugiera, por ejemplo, que lean directamente los textos de A a J y que intenten relacionar, uno a uno, los datos que estos contienen con alguno de los ítems de la tarea. Para terminar, deberán revisar las correspondencias que hayan anotado y elegir los ítems que se adecuan en mayor medida a los fragmentos.

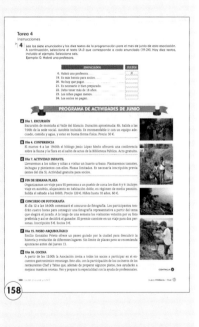

19. E; 20. B; 21. A; 22. J; 23. D; 24. C.

En el *Libro de ejercicios* corresponden a la tarea 4: ejercicio 14, unidad 11.

Tarea 5

El estudiante se enfrenta aquí a textos como reseñas biográficas sobre autores, ponentes, premiados o personajes de actualidad en todo tipo de publicaciones, a diarios y entradas de blog, a cuentos, a noticias de actualidad de periódicos y

revistas, o a textos informativas sobre la historia de personajes, lugares y acontecimientos en guías de viajes.

El candidato debe responder a seis ítems con tres opciones de respuesta cada uno. De los seis ítems, dos están orientados a la comprensión de la idea central del texto y cuatro a la comprensión de las ideas relevantes y los cambios de tema. Una de las dificultades de este tipo de ejercicio es la necesidad de combinar la lectura centrada en el detalle y la lectura para una comprensión global, en un texto relativamente extenso. En este caso, le será de utilidad poner en práctica técnicas para la deducción del significado a partir del contexto, así como para identificar el tipo de lectura que requiere responder a las diferentes preguntas.

25. b; 26. b; 27. c; 28. b; 29. a; 30. b.

En el *Libro de ejercicios* corresponden a la tarea 5: ejercicio 10, unidad 2; ejercicio 14, unidad 3; ejercicio 16, unidad 5; ejercicio 13, unidad 6; ejercicio 11, unidad 7; ejercicio 12, unidad 8; ejercicio 12, unidad 9; ejercicio 13, unidad 11.

PRUEBA 2. COMPRENSIÓN AUDITIVA 160

Tarea 1

En esta tarea el candidato va a escuchar titulares o cortes radiofónicos breves, como anuncios publicitarios, información sobre eventos o acontecimientos como estrenos, periodos de ofertas o convocatorias, etc.

Cada uno de los siete ítems de la tarea está relacionado con un titular o corte distinto, y para resolverla, el alumno tiene que elegir una de las tres opciones de respuesta asociadas a cada ítem. El candidato cuenta con el apoyo de diferentes elementos que acompañan a las grabaciones, como los sonidos, el tono de voz, el vocabulario conocido, etc. Esto le ayudará a la elección de la respuesta correcta y a descartar distractores.

 Anuncio 0

|71| Talleres Serva. Revisamos y reparamos su vehículo al momento. Trabajamos con un gran equipo de profesionales.
No importa la marca. Somos el mejor taller de la ciudad. Rapidez, profesionalidad y buen precio. Traiga su coche a Serva y compruébelo usted mismo. Abierto de lunes a sábado de ocho de la mañana a ocho de la tarde. Abierto a mediodía.

Anuncio 1

Gran inauguración. El sábado 15 abrimos nuestra nueva tienda ElectroMark. Un espacio de más de quinientos metros cuadrados dedicados a la electrónica y a la informática a solo ocho kilómetros del centro. Nuestros precios no tienen competencia. Nuestro servicio, tampoco. Además, durante esta semana, podrás disfrutar de numerosas ofertas en todas las secciones.

Anuncio 2

¿Te gusta viajar? Ahora puedes. En Viajes Modelo te ofrecemos los mejores profesionales para conseguir el viaje que deseas al precio que quieres. Te asesoramos y buscamos tanto viajes organizados de grupo como individuales. Nos ocupamos de todo: billetes de avión, tren, autobús, reservas de hotel, cambio de moneda. Ven a visitarnos a la calle Escorial, 14 o entra en nuestra web *viajesmodelo.com*

Anuncio 3

Carnicería Víctor. Somos especialistas en todo tipo de carnes y productos preparados. Prueba nuestros productos y repetirás. Ahora también ofrecemos servicio a domicilio. Haga su pedido por teléfono y se lo llevamos a casa. Víctor, su tienda de confianza.

Anuncio 4

Gran liquidación en perfumería Rober. Vendemos todo nuestro *stock* porque nos trasladamos a la Avenida de Brasil número 67. Durante este mes ofrecemos grandes descuentos en todos los productos. Descuentos del 40, 50 y 60 por ciento en todos nuestros artículos hasta agotar existencias. Ven a Rober.

Anuncio 5

¿Te gusta la montaña? ¡Pues ven con nosotros! La Asociación de Amigos de la Naturaleza organiza excursiones todos los fines de semana para amantes del deporte y el aire libre. Solo tienes que acercarte a nuestra sede y apuntarte a la excursión que te interesa. Estamos en la calle San Carlos, 7, 1.º. ¡Te esperamos!

Anuncio 6

¿Aún no tienes carné de conducir? En autoescuelas Nico te ayudamos a conseguirlo y además te enseñamos a conducir. Disponemos de la última tecnología para el examen teórico y una flota de coches nuevos para el práctico, además de excelentes profesores. Y durante este mes, si vienes con un amigo, pagáis la mitad.

Anuncio 7

Estudio de arquitectura Davo. Si quiere reformar su casa, construir una nueva o busca soluciones arquitectónicas, contacte con nosotros y le haremos un estudio gratis sin compromiso. Ahora estamos en la calle Valencia, 21 o en el teléfono 987-263-548.

1. c; 2. c; 3. a; 4. b; 5. a; 6. a; 7. c.

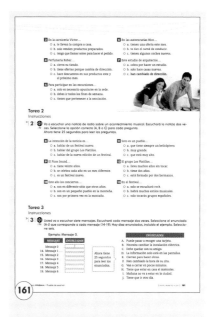

Tarea 2

El alumno encontrará en esta tarea noticias o cortes radiofónicos de extensión media y estructura sencilla, muy estructurados, que tratan aspectos cotidianos y previsibles.

El ejercicio consta de 6 ítems de opción múltiple, dos orientados a la captación de la idea principal y cuatro a la identificación de información específica. El estudiante dispone de 25 segundos para leerlos.

Una de las dificultades de esta tarea es ser capaz de dar con la respuesta a pesar de la extensión del texto. Es por eso que le recomendamos la práctica con tareas de preparación de la actividad en las que decidan de qué modo emplear el tiempo del que disponen antes de la escucha. Asimismo, puede ayudarlos a plantear la escucha de forma más efectiva el hecho de tener en cuenta si las preguntas se orientan al contenido general o a datos concretos de la locución.

 Mañana comienza, como todos los meses de julio, una nueva edición de uno de los festivales más antiguos de nuestro país: el Picos Sound, que en esta edición cumple 20 años. Como en otras ocasiones, el lugar elegido para su celebración es un pequeño pueblo en las montañas, Soto.

Soto se encuentra en medio de la montaña, a 1700 metros de altitud. Se trata de una localidad de apenas 300 habitantes que cuenta, eso sí, con todas

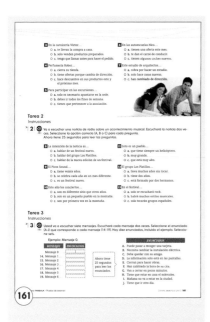

las instalaciones necesarias para alojar a los espectadores durante los tres días de conciertos. Hay una gran zona de acampada que ya está preparada, tiendas, lugares de descanso, hospital e incluso habrá un helicóptero durante el festival, aunque solo para las urgencias.

Las actuaciones de este año parece que serán del gusto del público: habrá muchos grupos de rock nacional, pero también un buen número de artistas extranjeros. También hay espacio para otros estilos musicales como el pop, el funk, o el rythm & blues, pero, sin duda, el rock marca la línea de esta edición, que recupera así el espíritu de sus primeros años.

La actuación más esperada es la de Los Platillos. El grupo formado por los hermanos Ballester hace más de quince años, vuelve a dar conciertos después de dos años separados. En el festival quieren presentar nuevas canciones de su último disco.

Los amantes de la buena música rock, tanto actual como de hace algunos años, tienen una cita este fin de semana en Soto, en las montañas.

8. c; 9. a; 10. b; 11. c; 12. c; 13. b.

En el *Libro de ejercicios* corresponde a la tarea 2: ejercicio 15, unidad 3; ejercicio 12, unidad 4; ejercicio 13, unidad 10; ejercicio 14, unidad 12.

Tarea 3

Esta tarea está constituida por material grabado o de megafonía que trata sobre asuntos prácticos de la vida cotidiana o sobre áreas de necesidad inmediata; por ejemplo, citas, avisos, peticiones sencillas, información horaria, precios u ofertas, turnos de espera, advertencias sobre retrasos o precauciones de seguridad, etc.

El candidato tiene que relacionar textos orales, siete en total, con unos enunciados sencillos, diez en total (de A a J). Entre estos se incluye un ejemplo, que el estudiante tiene que descartar, además de tres enunciados que no guardan relación con ninguno de los mensajes grabados.

Adviértale que además de los 25 segundos previos dispone de 5 segundos adicionales entre cada mensaje y su repetición. Una vez se haya familiarizado con el tipo de ejercicio, podrá obviar la escucha del primer ejemplo y dedicar ese tiempo a leer los nueve enunciados restantes. Una de las dificultades que puede conllevar la actividad es la vacilación entre la respuesta correcta y un distractor. Para resolver el ejercicio, proponga a sus estudiantes que identifiquen las posibles respuestas correctas en la primera escucha del mensaje y que realicen la elección definitiva en la segunda.

 Mensaje 0

|73| Hola, mamá, te llamo porque mañana al final no podré ir a comer a tu casa. Me ha dicho mi jefe que tengo una reunión en Bilbao, así que estaré fuera todo el día. Por la noche te llamo y buscamos otro día. Besos.

Mensaje 1

¿Señor López? Le llamo de la clínica del doctor Sáenz para decirle que hay un problema con la cita que tiene el miércoles 18 a las 17:00h y va a tener que retrasarse hasta las 17:30h. Muchas gracias.

Mensaje 2

Recordamos a todos nuestros clientes que este establecimiento cerrará sus puertas en 15 minutos. Diríjanse, por favor, a la zona de cajas.

Mensaje 3

Señora Ramírez, llamo del Banco Axul para decirle que ya tiene disponible su nueva tarjeta de crédito y puede pasar por la oficina a recogerla de lunes a viernes entre las 8:15h y las 14:00h. Muchas gracias.

Mensaje 4

Raúl, soy Juan. ¡No te encuentro! No coges ni el móvil ni el fijo. Bueno, que el sábado es el cumpleaños de Ana y tenemos que comprarle un regalo. Llámame y vamos juntos.

Mensaje 5

Recordamos a todos los viajeros que este aeropuerto no realiza anuncios de vuelos por megafonía. Consulten las pantallas de llegadas y salidas. Muchas gracias y feliz viaje.

Mensaje 6

Buenas tardes, le llamo de la administración de fincas para recordarle que el próximo miércoles, día 6 de mayo, se va a realizar la revisión de la instalación eléctrica de la casa entre las once de la mañana y las dos de la tarde. Muchas gracias.

14. F; 15. G; 16. A; 17. C; 18. D; 19. H.

En el *Libro de ejercicios* corresponden a la tarea 3: ejercicio 11, unidad 6; ejercicio 13, unidad 7; ejercicio 13, unidad 9.

Tarea 4

La audición de esta tarea consiste en un diálogo entre dos personas, un hombre y una mujer, que mantienen una conversación de carácter transaccional. Estos intercambian: información básica sobre las características generales de productos y servicios, o sobre condiciones muy básicas de compra y uso de servicios, como horarios, ubicación, precios, modalidades de pago, pasos que se deben seguir, documentación requerida; también preguntas, peticiones y respuestas sobre información personal o documentación para la realización de trámites muy básicos y cotidianos; o comunicaciones breves y básicas de opiniones o sobre eventuales fallos, anomalías o disconformidades sobre un producto adquirido o un servicio utilizado.

El candidato tiene que responder a seis ítems de opción múltiple con tres opciones de respuesta. Dos ítems se centran en la identificación del tema o la situación en la que se encuentra alguno de los interlocutores, y los otros cuatro en la identificación de información específica.

Como sucedía en la tarea 2 de esta prueba, el candidato se enfrenta a un texto extenso con seis ítems relacionados. Sin embargo, en esta tarea no dispone de los 25 segundos extras destinados a la lectura de los ítems y de sus tres opciones. Aun así, los alumnos deben tener en cuenta que el contenido de la audición está muy estructurado y que los locutores articulan con claridad y lentitud.

 Recepcionista: Hotel Veramar, buenos días.

|74| Javier: Buenos días. Mire, quería reservar una habitación.

Recepcionista: Muy bien, ¿qué tipo de habitación?

Javier: Una habitación doble, para dos personas.

Recepcionista: ¿Para qué fecha?

Javier: La necesitaríamos desde el viernes 2 hasta el martes 6.

Recepcionista: Sí, tenemos una habitación doble para esas fechas. Serían cuatro noches, ¿verdad?

Javier: Sí, sí, cuatro noches.

Recepcionista: ¿Prefiere cama de matrimonio o dos camas?

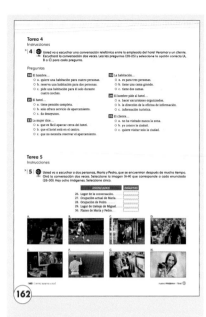

Javier: Pues… mejor una cama grande.

Recepcionista: De acuerdo, cama de matrimonio. ¿Solo alojamiento o alojamiento y desayuno?

Javier: ¿Es posible con pensión completa?

Recepcionista: No, lo siento, el hotel no ofrece servicio de comidas ni cenas. Hay un restaurante, pero es independiente del alojamiento. Solo hay desayunos.

Javier: Vale, entonces alojamiento y desayuno.

Recepcionista: De acuerdo, ¿necesitan aparcamiento?

Javier: ¿Es difícil aparcar?

Recepcionista: Bueno, el hotel está en el centro de la ciudad, así que suele haber problema…

Javier: Entiendo… ¿Y cuánto cuesta?

Recepcionista: Son 7 por día.

Javier: Entonces sí, por favor, resérvenos también el aparcamiento.

Recepcionista: Muy bien. ¿Necesita alguna cosa más?

Javier: No, creo que no… Bueno, sí, una cosa más, ¿el hotel planifica excursiones por los alrededores o tiene información turística? Es que no conocemos la zona y nos gustaría ver también las afueras de la ciudad.

Recepcionista: No hay excursiones programadas, pero le podemos enviar un correo con toda la información turística que necesite. Es una gran idea, toda la zona es preciosa.

Javier: ¡Perfecto!

Recepcionista: Solo una cosa más, ¿a nombre de quién hago la reserva?

Javier: A nombre de Javier Prieto Martínez.

Recepcionista: Muy bien, señor Prieto, le confirmo: dos personas, cuatro noches del día 2 al día 6, alojamiento y desayuno con una plaza de aparcamiento.

Javier: Eso es.

Recepcionista: ¿Me puede dar una dirección de correo electrónico?

Javier: Claro, jpm@gml.com

Recepcionista: Ahora mismo le envío la información de la reserva y la información turística.

Javier: Muchas gracias.

Recepcionista: A usted. Hasta el día 2.

Javier: Adiós.

20. b; 21. c; 22. b; 23. b; 24. c; 25. a.

En el *Libro de ejercicios* corresponden a la tarea 4: ejercicio 11, unidad 2.

Tarea 5

En esta tarea el alumno escuchará una conversación informal entre dos personas, un hombre y una mujer, en la que intercambian información personal, tratan noticias o aspectos relevantes de la vida cotidiana (como su actividad académica o profesional, su lugar de residencia o de empleo, sus actividades cotidianas o sus planes y proyectos inmediatos, etc.); hacen ofrecimientos o sugerencias; y conciertan citas y encuentros o reaccionan y responden a ellos.

El objetivo del candidato es relacionar cinco enunciados con las cinco imágenes que les corresponden. Debe elegir entre las ocho fotografías dadas y descartar tres. Para ello necesitará captar la idea principal, la situación y los cambios de tema o subtemas de la conversación.

Recomiende a sus estudiantes que, antes de la escucha, intenten predecir las posibles correspondencias entre los enunciados y las ilustraciones, puesto que esto los ayudará, por un lado, a prever el contenido de la conversación y, por el otro, a resolver la tarea con mayor eficacia.

  Pedro: ¿María?

| 75 | María: ¡Pedro! ¡Cuánto tiempo!

Pedro: Sí, muchísimo. No sabía si eras tú.

María: No nos veíamos desde el instituto, ¿no?

Pedro: Sí, sí, desde los 18 años. ¿Qué haces aquí?

María: Pues he venido a recoger a Jaime, mi sobrino.

Pedro: ¿Tu sobrino?

María: Sí, mi hermana Carmen se casó hace cinco años con Roberto, no sé si te acuerdas de él, iba a otra clase.

Pedro: Claro, ¡cómo no me voy a acordar! Jugábamos al fútbol juntos, todos los fines de semana, además ya le gustaba tu hermana, se pasaba horas hablando de ella.

María: Pues se casaron y tienen dos niños, Jaime es el mayor y este año ha empezado el cole aquí. ¿Y tú? ¿Qué haces aquí?

Pedro: Yo trabajo aquí, soy profesor, pero no tengo a tu sobrino porque doy clase a los niños de siete años.

María: ¡Eres profesor! Claro, siempre te gustaron mucho los niños.

Pedro: ¿Y tú qué haces?

María: Soy fotógrafa. Ya sabes que siempre estaba con la cámara, así que me decidí a estudiar Bellas Artes y, al terminar, después de trabajar unos años en diseño gráfico y publicidad, me especialicé en fotografía. Después de trabajar para otros, hace dos años monté mi propio estudio.

Pedro: Me alegro mucho por ti. Oye, ¿qué te parece si quedamos un día todos para cenar en mi casa y hablamos con más calma?

María: ¡Perfecto! Aviso a mi hermana y a Roberto y así conoces también a los niños.

Pedro: Genial, yo voy a intentar llamar a Miguel y a Eva, para que estemos todos.

María: Por cierto, ¿qué es de Miguel? La última vez que hablé con él quería dejar el trabajo.

Pedro: Pues sí, dejó la tienda, ahora ha montado un restaurante con Eva y están muy contentos. Eva de momento está de cocinera.

Pedro: ¡Ah! No sabía nada. Estupendo. A ver si pueden venir... ¿Cuándo te viene bien quedar?

Pedro: Pues, el fin de semana.

María: Vale, pues hablo con ellos a ver si pueden este sábado y te aviso.

Pedro: De acuerdo, hablamos.

María: ¡Hasta pronto!

Pedro: ¡Hasta luego, María!

26. C; 27. H; 28. F; 29. D; 30. A.

En el *Libro de ejercicios* corresponde a la tarea 5: ejercicio 12, unidad 1; ejercicio 15, unidad 5; ejercicio 13, unidad 8.

Tarea 1

La tarea 1 consiste en completar campos abiertos de formularios, fichas, encuestas o foros virtuales, en los que el alumno ha de introducir información concreta basada en el texto de entrada. El estudiante debe aquí intercambiar información personal sencilla sobre temas de la vida cotidiana, como pueden ser consultas, reservas, disculpas, citas, confirmaciones, cancelaciones, etc., además de realizar narraciones y descripciones simples y breves. Para ello, dispondrá de algún elemento gráfico o escrito que le ayude a entender el contexto y enfocar la tarea. La extensión del escrito será de 30 a 40 palabras.

El soporte de la tarea va a determinar el contenido de la producción escrita del alumno; por ejemplo, si el formato corresponde al de un foro, el candidato ha de ser consciente de la necesidad de interactuar con el usuario anterior. Por otra parte, la redacción ha de contener toda la información que se pida en las instrucciones, que serán muy precisas, y limitarse en extensión al número de palabras que establece la tarea. Recomiende a los estudiantes que eviten la copia literal de las instrucciones del enunciado en el contenido de la redacción. Asimismo, se debe escoger el registro adecuado según el destinatario del mensaje y el soporte utilizado, así como usar los elementos propios de la tipología textual en cuestión.

En el *Libro de ejercicios* corresponden a la tarea 1: ejercicio 13, unidad 1; ejercicio 14, unidad 9.

Tarea 2

La tarea 2 consiste en la redacción de una carta informal en forma de nota, postal, mensaje, invitación o correo electrónico, referente a aspectos personales, académicos o profesionales, de una extensión entre 70 y 80 palabras. Esta actividad contiene siempre un estímulo en forma de imagen o texto, que servirá para orientar al alumno sobre lo que debe hacer. El candidato ha de tener en cuenta las convenciones propias de los tipos de texto aquí descritos, como son el saludo y la despedida. Para que el alumno pueda ahorrar tiempo y limitarse a responder a lo que se indica en las instrucciones, aconséjele que establezca previamente el número de líneas que va a escribir referente a cada indicación.

En el *Libro de ejercicios* corresponden a la tarea 2: ejercicio 12, unidad 2; ejercicio 16, unidad 3; ejercicio 14, unidad 4; ejercicio 12, unidad 7; ejercicio 16, unidad 12.

Tarea 3

La última tarea de esta prueba consiste en la redacción de un texto narrativo o descriptivo de 70 a 80 palabras, a partir de datos concretos, que pueden ser fechas, lugares, fotografías, etc. El alumno debe escribir una redacción, una descripción, una biografía breve o una entrada de diario personal. Esta actividad contiene siempre un estímulo gráfico o escrito relativo al contenido del texto, que ayudará a acotarlo y contextualizarlo. El estudiante ha de buscar la relación que existe entre los datos y ordenarlos, con el objetivo de que la redacción guarde coherencia narrativa. Por ello, es recomendable que previamente elabore un esquema conceptual, en el que aparezca el orden definitivo y los datos adicionales que el alumno quiera incluir en el escrito, así como el número de líneas

correspondiente a cada contenido exigido en las instrucciones.

En el *Libro de ejercicios* corresponden a la tarea 3: ejercicio 17, unidad 5; ejercicio 14, unidad 8.

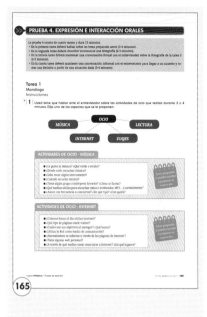

» PRUEBA 4. EXPRESIÓN E INTERACCIÓN ORALES 165

Tarea 1

El alumno dispone de 15 minutos para preparar las tareas 1, 2 y 3, tiempo en el que podrá escribir un borrador o tomar notas para consultar durante la prueba.

Al tratarse de la primera tarea, el estudiante comenzará saludando al entrevistador, quien posiblemente le pregunte el tratamiento que prefiere (*tú* o *usted*); recuerde al alumno que deberá utilizar el mismo trato durante todo el examen. A continuación, el examinador formulará varias preguntas de toma de contacto, que tienen como objetivo que el candidato se tranquilice, y que no forman parte del examen. Estas preguntas pueden referirse a aspectos personales generales del examinado, así como también a las circunstancias en las que ha aprendido español.

La primera tarea consta de una presentación breve y sencilla –de 3 a 4 minutos de duración– sobre un aspecto de su vida cotidiana en relación con un tema específico. Se le presentará dos temas para elegir. Del tema elegido, el alumno debe escoger uno de los subtemas que se proponen. Antes de elegir entre estos, el alumno ha de ser consciente de las posibilidades que ofrece cada uno, y dar prioridad a aquellos que le resulten más cercanos, ya que se sentirá más confiado y seguro para desarrollar la presentación. En el tiempo de preparación del examen, el alumno dispondrá además de una lámina con estímulos verbales, elementos que pretenden dotarlo de ideas para enfocar la exposición, pero que no son de tratamiento obligado. Es conveniente que en estos momentos previos no solo organice las ideas que va a exponer, sino también que piense en vocabulario y expresiones que otorguen precisión a su discurso.

En el *Libro de ejercicios* corresponden a la tarea 1: ejercicio 15, unidad 10.

Tarea 2

Esta tarea consiste en un monólogo breve (de 2 a 3 minutos) preparado previamente, en el que se evalúa la capacidad del alumno de describir de manera sencilla una fotografía que refleja diversos aspectos prácticos de la vida cotidiana. La imagen contiene indicaciones de apoyo sobre el contenido de la descripción que el candidato debe realizar.

Los alumnos han de centrarse en qué o quiénes aparecen en la imagen, cómo son, dónde están, qué hay en ese lugar, qué hacen, por qué lo hacen, etc.: por esta razón y si lo considera útil, sugiérales que utilicen estas preguntas de manera continuada para la puesta en práctica de la descripción de imágenes durante el tiempo de la preparación del examen.

Indíqueles que si desconocen o no recuerdan alguna palabra, traten de evitarla, recurriendo a un sinónimo o a una explicación si el término es necesario para el desarrollo del monólogo. Se considera positivamente la autocorrección del alumno, así como el uso fórmulas variadas en la introducción de la descripción de los elementos de las imágenes.

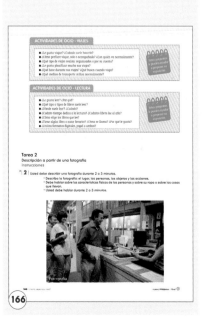

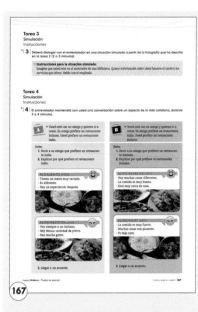

Tarea 3

La tarea 3 consiste en una conversación con el examinador, previamente preparada por el candidato, en una situación simulada a partir de la fotografía que ha descrito en la tarea 2. Esta prueba tiene una duración de 2 a 3 minutos, y además de disponer de la fotografía, el alumno contará con indicaciones sobre cómo se ha de desarrollar la conversación. En esta fase se pretende que actúe con la mayor naturalidad posible, huyendo del artificio y con un lenguaje rápido y conciso, con el fin de conseguir una comunicación ágil y eficaz. Durante los 15 minutos de preparación, es recomendable que el estudiante intente prever el contenido de la conversación y pensar en el vocabulario y las expresiones que podría necesitar, un trabajo que le será muy útil tanto en la producción oral como en la comprensión de lo que dice el entrevistador. Deberá utilizar el registro adecuado y las estructuras de cortesía siempre que sean necesarias, comenzando con un saludo y terminando con una despedida.

Tarea 4

La última tarea, con una duración de 3 a 4 minutos, consiste en conversar con el examinador en una situación simulada a partir de una tarjeta con un rol determinado. En ella se evalúa la capacidad del alumno para participar en conversaciones sencillas y cotidianas que se desenvuelven en situaciones más o menos predecibles y donde se tratan temas sencillos relacionados con la vida diaria y la expresión de opinión, gustos y preferencias. Esta tarea no tiene tiempo de preparación. El candidato recibirá una ficha con estímulos visuales o verbales muy sencillos con respecto al tema de la conversación y la postura que debe adoptar en relación con este. A partir de ahí, justificará sus elecciones cotidianas, deseos, preferencias, gustos y motivaciones. Por ello, es aconsejable que con vistas a la realización del examen, el alumno piense sobre sus rutinas diarias y tiempo libre y elabore esquemas conceptuales con vocabulario, expresiones y estructuras lingüísticas aprendidas hasta el momento, además de fórmulas introductorias para expresar opiniones, gustos, preferencias, rutinas, propuestas, planes y manifestar acuerdo y desacuerdo.

NOTAS

NOTAS